JN308730

日本の歴史 八

戦国の活力

山田邦明
Yamada Kuniaki

小学館

日本の歴史　第八巻

戦国の活力

アートディレクション　原研哉
デザイン　竹尾香世子
野村恵
美馬英二

凡例

- 年代表示は原則として和暦を用い、適宜、西暦を補いました。
- 本文は原則として常用漢字および現代仮名遣いを用いました。また、人名および固有名詞は、原則として慣用の呼称で統一しました。なお、敬称は略させていただきました。
- 歴史地名は、適宜、（ ）内に現在地名を補いました。
- 引用文については、短歌・俳句なども含めて、読みやすさ、わかりやすさを考えて、句読点を補ったり、漢字を仮名にあらためたりした場合があります。
- 中国の地名・人名については、原則として漢音の読みに従いました。ただし慣習の表記に従ったものもあります。
- 朝鮮・韓国の地名・人名は、原則的に現地音をカタカナ表記しました。ただし、歴史的事柄にかかわる地名・人名などは漢音読みにした場合があります。
- この巻が扱っている時代の年表を巻末に掲載しました。
- 図版には章ごとに通し番号をつけ、それぞれの掲載図版所蔵者、提供先は巻末にまとめて記しました。
- おもな参考文献は巻末に掲げました。
- 五十音順による索引を巻末につけました。
- 本書のなかには、現代の人権意識からみて不適切な表現を用いた場合がありますが、歴史的事実をそのまま伝えるために当時の表記どおりに掲載しています。

編集委員　平川　南
五味文彦
倉地克直
ロナルド・トビ
大門正克

1

描かれた個性

地域勢力の台頭

◉諸将旌旗図屏風《しょしょうせいきずびょうぶ》

大名や武将たちの旗や馬印などを描いた六曲一隻《せき》の屏風。これは右の二扇分で、最上段に信長《のぶなが》や秀吉《ひでよし》の旗と馬印・母衣《ほろ》が見える。ところどころに変わり兜《かぶと》が描かれている。

●三好長慶《みよしながよし》
畿内をまとめあげた英雄だが、将軍との関係にも意を砕き、極端な行動に走ることはなかった。三回忌にあたり描かれた肖像からも、端正な風貌《ふうぼう》と温厚な人柄がうかがえる。↓119ページ

3

●織田信長
信長の没後まもなく狩野《かのう》永徳《えいとく》によって描かれたものといわれている。鼻筋の通った印象的な風貌で、あまり理想化されていない。特徴をストレートに表現した肖像といえる。↓１３２ページ

4

◉武田勝頼と妻子
奥にいるのが勝頼《かつより》で、手前に嫡子の信《のぶ》勝《かつ》と、勝頼の妻室（桂林院殿《けいりんいんでん》）が並ぶ。この時代には夫妻を描いた肖像がよくつくられたが、子も含めて三人というのはめずらしい。

→278ページ

5

◉上杉謙信と家臣

この肖像も三人だが、謙信《けんしん》の場合は二人の家臣が描かれる。謙信は数珠を持つ真言宗の僧侶《そうりよ》の姿で描かれ、前机の上には密教の修法に用いる三鈷《さんこ》杵《しよ》が見える。

↓159ページ

6

◉緋羅《ひら》紗地《しやじ》木瓜桐文《もつこうきりもん》陣羽《じんば》織《おり》

織田信長が所用し、羽柴《はしば》秀吉に下賜したと伝えられる陣羽織。中央の五木瓜は織田家の家紋で、下部に描かれる桐紋は信長が将軍足利義昭《あしかがよしあき》から使用を許された紋章である。

↓266ページ

長篠合戦図《ながしのかっせんず》屏風《びょうぶ》

長篠合戦図屏風のなかでももっとも古いとみられるものである。右端に現在の連吾《れんご》川《がわ》が描かれ、二扇目中央に徳川家康《とくがわいえやす》の本陣がある。五扇目に見えるのが織田信長の本陣。大旗を背に差した旗指《はたさし》たちは、足を広げて地面を踏みしめ、敵を待ち構えている。 ↓13ページ

8

◉富士御神火文陣羽織《ふじごしんかもんじんばおり》

羽柴（豊臣）秀吉が着用したと伝えられる陣羽織で、富士山と火口から立ちのぼる噴煙（御神火）をデザインしている。見事な造形で、黄色と黒のコントラストも美しい。↓294ページ

9

◉徳川家康

三一歳のとき、徳川家康は遠江《とおとうみ》三方ヶ《みかたが》原《はら》で手痛い敗戦を経験した。この肖像は戦場から逃げ帰った家康が、今後の戒めにするために描かせたもの。苦渋に満ちた表情が印象的。↓275ページ

目次

日本の歴史　第八巻

戦国の活力

第二章

第三章

戦国の活力

はじめに

戦国という時代

1

古戦場に立って

ＪＲ飯田《いいだ》線の長篠城駅《ながしのじょう》（愛知県新城市《しんしろ》）から西に少し歩いたところに、長篠城趾《し》はある。ちょうど豊川《とよがわ》と宇連川《うれがわ》が合流するところで、城の南と東は断崖《だんがい》になっていて、地つづきの北と西には堀が巡らされている。曲《くる》輪《わ》はさほど大きくはないが、武田《たけだ》の大軍に包囲されながらもちこたえたのも、この地形のおかげといえる。

時は天正《てんしょう》三年（一五七五）五月、武田勝頼《たけだかつより》は城の東北の山上に布陣しており、前線の大通寺《だいつうじ》まで軍勢が入り込んでいたという。また叔父の信実《のぶざね》を大将とする別働隊は、宇連川を挟んで鳶《とび》の巣《す》の砦《とりで》に乗り込んで、この小城をにらみつけていた。小高い山の上にあるこの砦からはいまも城跡がよく見える。

ここまで肉薄しながら、武田軍は城を落とせなかった。この程度の要害でも、当時の軍事技術では攻め落とすのはなかなか難しかったのである。断崖絶壁の川を越えるのはもちろん無理だし、堀を越えて攻め込むのも容易ではなかった。堀はぬかるみになっていただろうし、これを越えて城壁をよじ登っても、上から矢を射込まれたり、礫《つぶて》を投げられたりして被害をこうむるのは目に見えていた。無理に攻撃するのは得策とはいえず、じっくり腰を据えて城を取り囲み、兵粮《ひょうろう》攻めにするというのが当時の常套《じょうとう》手段だったのである。

なかなか城方の降伏を取りつけられないうちに、対する徳川家康《とくがわいえやす》の軍勢が迫ってくる。織田信長《おだのぶなが》

◉徳川軍の旗指
絵巻に描かれた徳川軍の旗指《はたさし》は七人、左手で縄をしっかり握る。二人は扇を手にしている。（『長篠合《ながしのかっ》戦図屏風《せんずびょうぶ》』名古屋市博物館本）
前ページ図版

が大軍を率いて救援に駆け付けてくれたので、家康も万全の体制で武田軍を迎え撃つべく出発したのである。

とりあえず城は放置して、武田軍は豊川を越えて西に進み、現在の連吾《れんご》川《がわ》を前にして両軍がにらみあうかたちになった。最前線に立たされた家康は、台地に手を加えながら陣地をつくり、信長は後方の茶臼山《ちゃうすやま》に布陣した。家康も信長も武田領国に攻め込もうなどとは思っておらず、ここで軍勢を食い止められれば十分と考えていただろう。そして武田勝頼は連吾川の東の山上に陣をしき、武田の武将たちもそれぞれの陣場を固めた。

連吾川はたいした川幅もない小さな川で、これに沿って若干の水田が広がっている。そしてこの平地部分は狭い谷になっていて、東も西もすぐに丘陵に突き当たる。丘や山があちらこちらにある複雑な地形のため、ここに軍勢が配置されたとしても、山に阻まれて正確な人数は把握できなかっただろう。

もしこのときヘリコプターがあったら、上空から陣地を見渡すことができ、軍勢の全容はだいたいつかめるが、当時は大将や兵士も地上での目線でしか事態を把握できなかった。敵味方

2

◉長篠城址遠景
豊川と宇連川の合流点を下流側から見た光景で、合流点の丘の上に長篠城があった。川が刻んだ二〇ｍを超える谷に城は守られていた。

の全軍の状況を掌握している人などひとりもいなかったのである。敵の様子を見渡した勝頼も重臣たちも、この程度ならなんとかなると考えたのではあるまいか。しかし命令を受けて進んだ兵士たちは、予想を超えた数の敵兵に阻まれ、鉄炮《てっぽう》も打ち込まれて跳ね返された。

この一戦で武田氏は大きな損害をこうむり、三河《みかわ》を領国に組み入れようという企ては失敗に終わるが、これだけの軍勢が、こんなところまで進んできたこと自体、考えてみれば画期的なことだった。甲府から信濃《しなの》の諏訪《すわ》や飯田を通って長篠に至るまで、二〇〇キロメートルに及ぶ道のりを、勝頼と多数の兵士たちは進んできたのである。もちろん長途の遠征は古くからあったが、点在する拠点を押さえながらの進軍で、兵士の数もたいしたことはなかった。しかしこのときの戦いは明らかに領国拡大をめざしたもので、動員された兵士の数も尋常ではない。

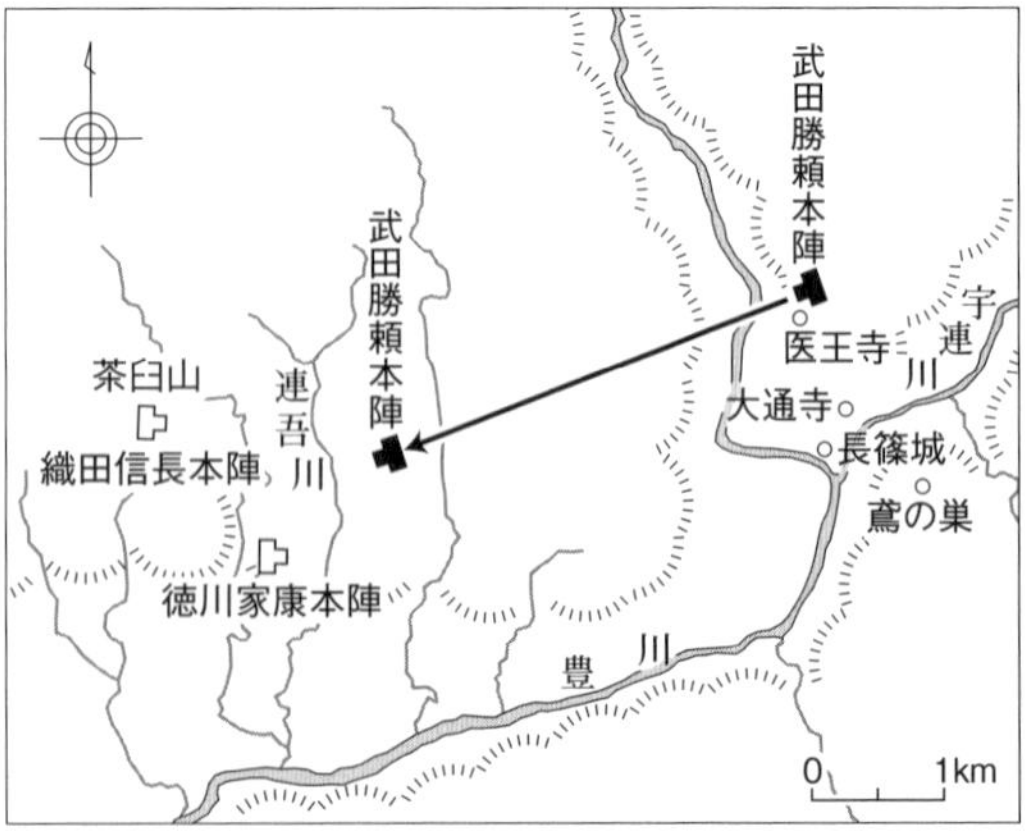

●長篠の戦い
一般に「長篠の戦い」と呼ばれるが、決戦のあったのは長篠から三kmほど西の連吾川のあたりだった。

もともと甲斐《かい》の甲府盆地一帯を押さえるのみだった武田氏は、やがて国内をまとめあげ、隣国の信濃も手中におさめ、さらに三河に進んできたのである。このように領国を広げてゆく権力は、戦国時代にはじめて登場した。そして戦いを進めるにあたって、戦国大名たちは恒常的に決まった数の兵士を動員するシステムをつくりあげた。また領国内の人々のなかには、みずから志願して足軽《あしがる》として軍勢に加わる者も多くいた。こうした条件のなかで大軍が激突する戦いがはじめて可能になったのである。

とはいえこうした激戦がいつも繰り広げられていたわけではもちろんない。桶狭間《おけはざま》・川中島《かわなかじま》・姉川《あねがわ》・関ヶ原《せきがはら》というような決戦はそれほど多くはなかった。めったにないから歴史に残ったといえなくもないのである。

合戦図屛風のなかの旗指

ところでこの合戦は、華やかな合戦図屛風《びょうぶ》がいまに残されていることでもよく知られている。尾《お》張徳川《わりとくがわ》家の家老《かろう》をつとめた成瀬《なるせ》家に伝えられた屛風が有名だが、現在名古屋市博物館に所蔵されている屛風（口絵参照）は描写の仕方が古風で、成瀬本に先行するものと考えられている。こちらの屛風には家康《いえやす》と信長《のぶなが》の陣地が描かれ、右端に連吾《れんご》川《がわ》と思われる川が見えるので、武田軍の様子を描いた対になる屛風の右隻《うせき》があったかもしれない。

成瀬本も名古屋市博物館本も六曲一隻で、大きさはほとんど同じなので、両方の軍勢を描いた成瀬本のほうが二倍詰め込んだ描き方になっている。名古屋市博物館本は家康と信長の陣だけで構成されているので、空間配置もゆったりしていて、全体的に牧歌的な印象を抱かせる。描かれた陣地は六か所で、前線の家康の陣と、後ろの信長の陣がやや大きめに描かれ、描写も詳しくなっている。

まず目に飛び込んでくるのが陣所に立てられた数々の大旗である。家康の陣地では七本、信長の陣では九本、ほかの陣地もあわせると、合計で三二本の大旗が、堂々と立ち並んでいる。そしてこうした旗は旗指《はたさし》と呼ばれる兵士たちが背中に差していた。家康と信長の陣所では大旗を背にした旗指が一列に並び、陣の前面に立っている。家康の陣では七人すべての姿が見え、後方の信長陣では雲に隠れて六人しか見えないが、この一三人の旗指が屏風の主役といえなくもない。

旗指たちは、家康の陣では赤色、信長の陣では緑色の鎧《よろい》を着ているが、これはいわゆる胴丸《どうまる》で、大袖《おおそで》もない。兜《かぶと》はかぶらないで鉢巻を締めたり、頭巾《ずきん》をかぶったりしているが、なかには露頭《ろとう》の兵士もいる。防備機能はひじょうに甘いが、とにかく動きやすい格好をしているのである。

大旗の長さは身長の五倍もあり、これを背負いつづけるのは大変だと思うが、じつは少しばかり仕掛けがあった。旗指たちの姿をよく見ると、みな左手でなにやら縄のようなものを持っている。この縄は旗の棹《さお》の先端とつながっている。この縄をしっかり持つことで、風で大旗が倒れるのを防いでいたのである。

旗指たちは横一列に並んでいるが、みな股《また》を大きく広げて踏ん張っている。風に耐えて旗を保つにはかなりの体力が必要とされたのだろう。その表情もそれぞれ個性的だが、あまり緊迫感は感じられない。そもそも大旗は陣所の目印で、旗指はこれを守るのが使命だから、鑓《やり》や弓などの武器を持たない。刀は腰に差しているが、敵を殺傷するのが役目の兵士とは違うのである。

名古屋市博物館本は牧歌的で、人物の描き方も素朴でおおらかだが、成瀬本のほうは様子がかなり違う。斜め上から全体を俯瞰《ふかん》するという構図もさることながら、一人ひとりの人物も躍動感をもって描かれ、いかにも戦場らしい。

家康や信長の陣の旗指たちはみな笠をかぶっていて、籠手《こて》や脛当《すねあて》をきちんとつけている。攻め込もうとしている武田軍も描かれ、旗指らしき人もいる。武田方の各軍団の最前線には、きまって大旗が描かれているが、そのすべてが前に向かって倒れ込み、旗指たちも旗を背に負いながら倒れている。六文銭《ろくもんせん》の紋の染められた大旗を背にした真田《さなだ》の旗指は、左手で縄を手にしたままで前倒れになっている。

また赤と白の旗を背に差した旗指が前方で倒れているが、この旗は上部がもぎ取られていた。そして周辺に目をやると、徳川の陣の中にこの旗の上半分を持って駆け込んでいる兵士がいる。倒れていたのは武田の重臣山県昌景《やまがたまさかげ》の旗指で、敵兵に旗の半分を奪い取られたのである。

3

●織田軍の旗指
一列に並んだ五人の旗指のうち、四人は鉢巻をしめ、ひとりは頭巾をかぶっている。（『長篠合戦図屏風』名古屋市博物館本）

守るほうの旗指はじっとしていればいいが、攻め込むほうは先頭をきって進まねばならなかった。こうした合戦でも城攻めでも、旗指はまっさきに駆け込んでいかねばならないから、まことに命がけである。だいたい旗指は鑓や弓矢を持っていないため、敵と戦いあうわけにもいかず、とにかく敵の攻撃を避けながら進んでゆくのが使命だった。大旗は軍勢のシンボルだったので、これを奪い取ろうとする敵兵もたくさんいた。

彼らはどんな事情で旗指になったのか、不思議に思えなくもないが、この時代にはこうした旗指を動員する仕組みも整えられていた。武田氏や北条《ほうじょう》氏のような大名の領国では、家臣たちの持高《もちだか》に応じて軍事動員すべき兵士の数が決められていたが、これは数だけ決めていたわけではなく、鑓持ちが何人、弓や鉄炮を持つ兵士が何人と、その受け持ちが詳しく決められており、そのなかに旗指もいたのである。軍団ごとに旗指の数は定められ、いざ出陣という段になると、集められた兵士のなかから旗指が選ばれたのであろう。弓や鉄炮は特別の訓練を必要とするため、兵士の中核をなしたのは鑓持ちだったが、大旗を支

4

●前のめりに倒れる真田の旗指

縄をつかんだまま倒れている旗指。その隣には主人の真田信綱《のぶつな》とその馬が描かれている。（『長篠合戦図屛風』成瀬本）

えられる体力と、危険をものともしない胆力《たんりょく》を見込まれた兵士が旗指になったのではあるまいか。

合戦図屏風のなかで倒れている旗指を見ると、どうしてこんな危険な立場に身を置くのかと疑問をもつが、こうした決戦や城攻めはめったになく、陣中での生活はけっこう平凡だった。そして旗指たちもさしたる危険にあわないまま任務を終えることがほとんどだったのである。

戦国時代とは?

武田《たけだ》軍と織田《おだ》・徳川《とくがわ》連合軍の決戦があったのは、天正《てんしょう》三年(一五七五)のことである。当時すでに織田信長《のぶなが》はいったん京都と畿内をほぼ押さえていたので、信長や秀吉《ひでよし》の側からすれば、いわゆる「安土桃山《あづちももやま》時代」に含まれるともいえる。ただ地方に目を転じれば、武田・北条《ほうじょう》・上杉《うえすぎ》・毛利《もうり》・大友《おおとも》といった大名たちの連合と争覇は続いており、この時代もやはり「戦国時代」だということもできる。そもそも「戦国時代」とはいつからいつまでなのだろうか。

◉旗の上半分を奪われた旗指
旗を奪った侍の名は原田弥之助《はらだやのすけ》。旗の棹《さお》をへし折って味方の陣地に帰っている。(『長篠合戦図屏風』成瀬本)

だいたい「戦国時代」というのは変わった時代呼称である。鎌倉《かまくら》時代も室町《むろまち》時代も、あるいは江戸時代にしても、幕府の所在地を時代の名前にしている。ところが「戦国時代」は特定の政治状況による命名なのである。この時代にも室町幕府はあったので、室町時代の一部といえなくもないが、幕府の統制が緩んで大名が割拠した時代をとくに「戦国時代」といい表わしているのである。

では、戦国時代はいつから始まるのか。応仁《おうにん》元年（一四六七）の戦乱勃発《ぼっぱつ》（応仁の乱）から戦国時代とする見解もあるが、明応《めいおう》二年（一四九三）の将軍交替劇（明応の政変）から始まるというあたりが一般的で、一六世紀になればだいたい戦国的様相が広がったといえる。終わりのほうはもっと複雑で、信長や秀吉の統一戦に比重を置けば、信長が将軍を追放した天正元年（一五七三）、あるいは信長が上京した永禄《えいろく》一一年（一五六八）で戦国時代は終わるという見方もありうるが、各地の大名の勢力争いは続いているので、秀吉が北条氏を滅ぼした天正一八年（一五九〇）までは戦国時代というのが適切であろう。また広く戦いがあった時代という意味でいえば、元和《げんな》元年（一六一五）の大坂夏の陣までが戦国時代だというういい方もできる。

明応の政変から北条氏滅亡までのほぼ一〇〇年間を戦国時代というのが一般的のようだが、応仁の乱から大坂の陣までの、一五〇年に及ぶ時代を戦国時代と呼ぶこともあながち不適切ではない。この長い時期、列島各地で戦いが繰り返されたが、そうしたなかで支配体制や社会の仕組みは大きく変わってゆく。この時代を経て、中世の支配のありようは完全に解体し、そのなかから新たな社会がつくりだされてきた。中世と近世の間にこの時代は置かれているのである。

戦国時代は中世か近世かという議論は古くからあるが、この時代をたんに中世から近世への転換点と呼ぶのはやはり適切ではないだろう。転換点というには一五〇年は長すぎるからである。北条にしても武田にしても、戦国大名はそれなりの安定した支配体制を築き上げていて、これを中世から近世への過渡的政権というのは疑問がある。むしろこの長い時代を一括して「戦国時代」と呼び、中世でも近世でもない時代として独自に位置づけるほうが実状にあっているのではあるまいか。

本書で取り扱うのは文明《ぶんめい》九年（一四七七）の応仁の乱終息から大坂の陣までの、ほぼ一四〇年間である。足利義政《あしかがよしまさ》の時代から徳川家康までをまとめるにあたり、本書では京都と畿内の政治情勢を基本軸に据えることにした。戦国時代の歴史叙述はかつては畿内の政治史を基本としていたが、戦後になって地域の大名の研究が活発になると、畿内政治史は後景に退き、まとまった叙述はまだ少ないからである。各地の大名の動向などについても、それぞれの地域や大名ごとに説明するのではなく、時間軸に沿って列島各地の状況を組み入れるという方法をとることにした。畿内を軸にしながら列島各地に目を配り、時間軸に沿って歴史の流れを叙述するというのが、本書の基本姿勢である。

大名の領国のありようや社会の状況については多くの学問的蓄積があり、限られた紙面で説明するのはなかなか難しいが、本書ではとりあえず戦国大名の立場に仮に身を置いて、家臣たちをまとめるにはどうしたらいいか、領国の経済破綻を防ぐにはどうすべきかという二つの問題を設定し、この視点から叙述を展開することにした。問題の単純化といえなくもないが、考えてみれば現代の社会でも、人々の悩みの種はこの二つだといえなくもないからである。

列島各地で新たな勢力が勃興《ぼっこう》し、畿内でもさまざまな人が台頭して活躍した時代で、しかも一四〇年という長いタイムスパンなので、登場人物はかなり多い。少し目がまわるかもしれないが、これも時代状況のなせるわざなのでご容赦いただきたい。

第一章

分裂の時代へ

——明応の政変前後

1

将軍義尚の苦悩

長尾景春の乱

関東の中央部、利根川《とねがわ》を前にした武蔵五十子《むさしいかっこ》（埼玉県本庄市《ほんじょう》）の陣営に、上杉《うえすぎ》氏の軍勢は集結していた。東方一〇里《り》（約四〇キロメートル）を隔てた下総古河《しもうさこが》（茨城県古河市）にいる足利成氏《あしかがしげうじ》（古河公方《こがくぼう》）が当面の敵で、関東管領《かんれい》（関東の政務をつかさどる職）の上杉顕定《あきさだ》、一門で相模守護《さがみしゅご》をつとめる上杉定正《さだまさ》、さらに越後《えちご》の上杉氏の軍勢もここに集まっていたが、思いがけない敵の襲撃を受けて、五十子の陣は大混乱に陥り、顕定ら大将たちは利根川を越えて上野《こうずけ》に逃れた。文明《ぶんめい》九年（一四七七）正月一八日のことである。

突然襲ってきたのは古河の軍勢ではなく、五十子の南、荒川《あらかわ》を扼《やく》する鉢形城《はちがた》（埼玉県寄居町《よりい》）にこもっていた長尾景春《ながおかげはる》の手勢だった。景春は上野白井《しろい》（群馬県渋川市《しぶかわ》）を本拠とする武士で、上杉顕定の重臣だったが、主人に反旗を翻して決起したのである。

事の経緯を説明するために、時代を少しさかのぼらせたい。室町《むろまち》幕府の時代、関東は鎌倉府《かまくらふ》と呼ばれる政権の管轄下にあり、将軍の近親の鎌倉公方足利氏が、関東八か国（相模・武蔵・安房《あわ》・上総《かずさ》・下総・常陸《ひたち》・上野・下野《しもつけ》）に伊豆《いず》と甲斐《かい》を加えた一〇か国の統括を委任されていた。鎌倉府の支

◉描かれた室町殿《むろまちどの》
豪壮な建物の上部に「公方様」の文字が見える。輿《こし》に乗った貴人の一行が右側の門に到着している。
（『洛中洛外図屏風《らくちゅうらくがいずびょうぶ》』上杉本）
前ページ図版

配を実質的に担ったのは上杉氏の一門で、関東管領の職も上杉氏がつとめていたが、京都の将軍と鎌倉公方、そして上杉氏の関係は微妙だった。鎌倉公方は将軍や幕府から自立しようとする傾向をもつが、将軍の部下でもある上杉氏は公方の独走を抑えようとしたので、両者の関係は円満さを欠くようになり、公方派と上杉派という派閥も生まれて、やがて内乱が勃発《ぼっぱつ》する。

永享《えいきょう》一〇年（一四三八）、鎌倉公方足利持氏《もちうじ》と関東管領上杉憲実《のりざね》の関係がついに決裂、幕府軍の襲来を受けて公方持氏は翌年討たれた。そのあと持氏の遺児成氏が公方に迎えられたものの、公方派と上杉派の反目は解消されず、享徳《きょうとく》三年（一四五四）の暮れ、公方成氏が関東管領上杉憲忠《のりただ》を謀殺したことをきっかけとして、関東は長い内乱に突入することになる。

主君を殺された上杉方の武士たちは団結して戦いを挑み、公方成氏は討伐のため鎌倉を出て北上したが、勝敗はつかず、結局成氏は古河に拠点を定め、対する上杉方は五十子の地に布陣した。そしてこれから二〇年以上、上杉方の武将たちは長い滞陣を余儀なくされた。上杉方の中心にいたのは関東管領もつとめた山内《やまのうち》家の上杉房顕《ふさあき》で、彼が死去すると、越後守護上杉房定《ふささだ》の子の顕定が迎えられて家督を継ぎ、関東管領になっていた。また一門の扇谷《おうぎがやつ》家では、当主の顕房《あきふさ》とその子政真《まさざね》が死去したのち、顕房の弟の定正《さだまさ》が家督を継承していた。

山内家と扇谷家は協力しながら古河と対峙《たいじ》していたが、実際の政治や軍事を担ったのはその重臣たちだった。山内上杉氏の家臣筆頭だったのは上野惣社《そうじゃ》（群馬県前橋市）にいた長尾氏と、白井の長尾氏だが、ことに白井家の長尾景仲《かげなか》の活躍はめざましく、その子の景信《かげのぶ》も山内家の家宰《かさい》をつとめた。

上杉氏系図

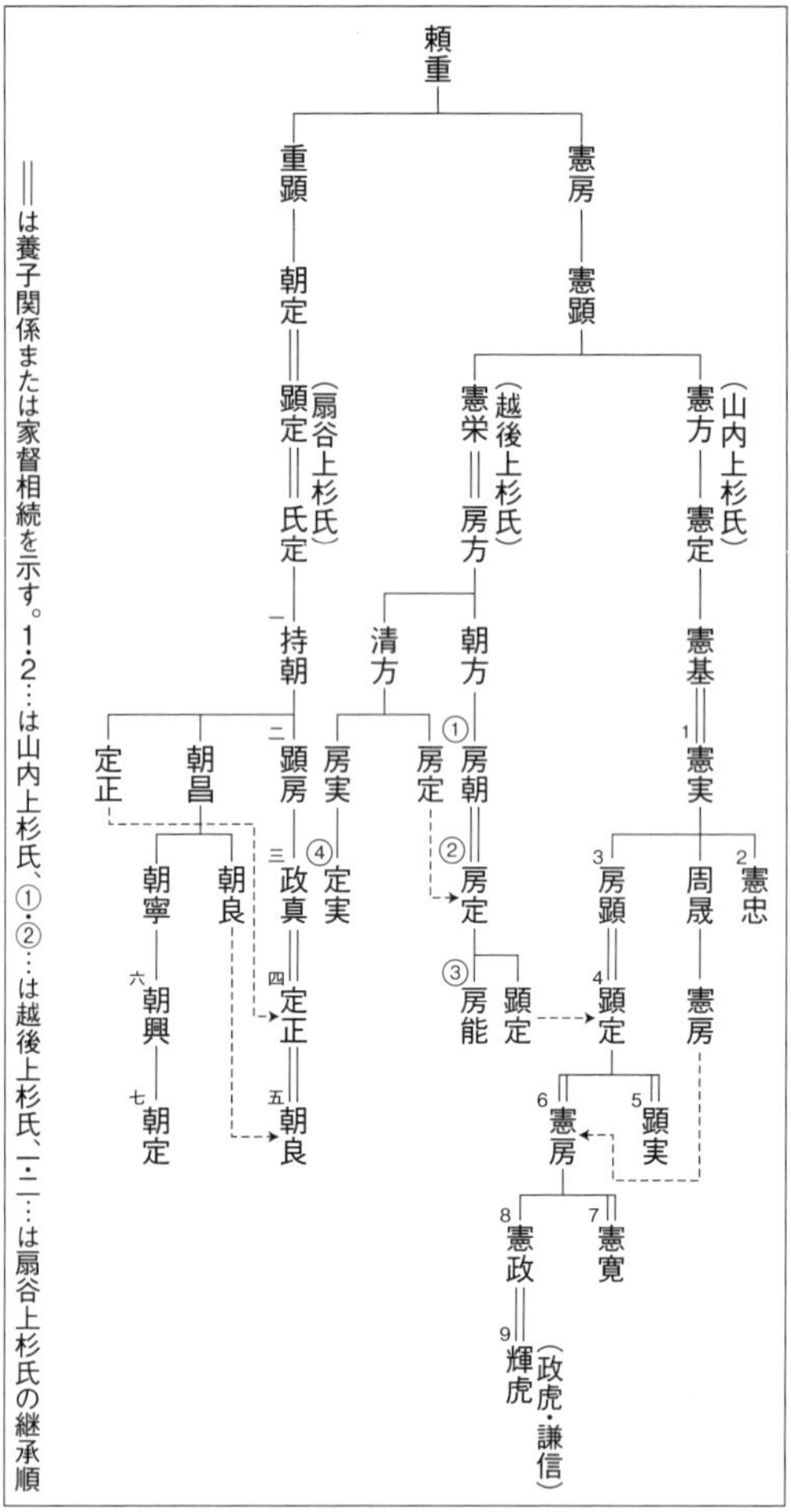

また扇谷家の重臣の太田《おおた》道真《どうしん》・道灌《どうかん》父子も、その才覚を生かしてゆるぎない地位を築いていた。

長尾景信は文明五年に死去するが、山内家の家宰職を継いだのは、子息の景春ではなく、惣社長尾氏の当主の長尾忠景《ただかげ》だった。惣社長尾氏も家宰をつとめた家柄だから、当然の措置ともいえるが、景春はやはり不満をもった。祖父と父の代に白井長尾氏は大きく発展して、各地の武士たちも多く組織していた。これ以上の勢力伸張は危険とみて、顕定も家宰職継承を許さなかったのかもしれないが、やっと築き上げた権益を失うまいと考えた景春は、反乱の準備を着々と進めた。古河の成氏と連絡をとったうえで、五十子の陣を眼下に見下ろす鉢形の地に城を築いてここに入り、突如上杉方の陣営を襲ったのである。

最初の決起は大成功だった。上杉の陣営は解体し、関東各地で景春方の武士たちが蜂起した。反乱は成功するかにみえたが、ここで扇谷家の家宰の太田道灌がブレーキをかける。かねてから景春の挙動を警戒していた道灌は、武蔵の江戸城（東京都千代田区）を出発して景春方の城の鎮圧にとりかかった。軍勢の攻撃を受けて小磯《こいそ》（神奈川県大磯町《おおいそ》）の城が陥落、道灌はさらに武蔵の江古田原《えごたはら》（東京都中野区）で豊島《としま》氏を撃破し、石神井《しゃくじい》城（同練馬《ねりま》区）を囲んだ。豊島勘解由左衛門《かげゆさえもんの》尉《じょう》は石神井城から逃走し、景春の最大の盟友は没落した。小沢《こさわ》城（神奈川県愛川町《あいかわまち》）も陥落させた道灌は、北上して鉢形城に迫った。

五十子陣の解体からわずか四か月のうちに、反乱軍の拠点はつぎつぎと落とされ、景春は鉢形に逼塞《ひっそく》を余儀なくされた。今回の反乱にあたって、景春が上杉一門の誰かを主君として擁立した形跡はなく、成功をおさめたあかつきにはみずから関東管領になろうと考えていたふしもある。こうした意味で景春の反乱は「下剋上《げこくじょう》」のさきがけともいえるが、時代を先取りしたこ

●長尾景春の乱
相模・武蔵・上野・下総と広がる一帯のあちらこちらに、景春方の武士たちの拠点があった。成功しても不思議ではない反乱だった。

の決起は、太田道灌の活躍によって失敗に終わった。主人を超える実力をもち、多くの武士を組織しているという点で、道灌も景春と同じような立場にあった。しかし古い身分の枠を乗り越えようとした若い景春の行動は、四六歳の道灌の目には、体制をゆるがす反乱と映ったのである。

景春と通じていた足利成氏は、古河から出てきていたが、上杉方からもちかけられた和議を受け入れて引き返した。公方方と上杉方のにらみあいは二〇年に及び、厭戦《えんせん》気分が充満していたのである。文明一〇年七月に鉢形城は陥落、景春は秩父《ちちぶ》に逃れるが、文明一二年に日野《ひの》城（埼玉県秩父市）も落とされて、古河の成氏のもとに身を寄せた。関東を震撼《しんかん》させた内乱はこうして幕を閉じた。

応仁の乱の終結

関東に平和がもたらされた同じころ、京都も戦乱から解放されようとしていた。応仁《おうにん》元年（一四六七）の上御霊社《かみごりようしや》の戦いで幕を開けた未曾有《みぞう》の戦乱で、京都市中は灰燼《かいじん》に帰したが、文明《ぶんめい》五年（一四七三）に西軍の主帥山名持豊《しゆすいやまなもちとよ》（宗全《そうぜん》）と、東軍の中心にいた細川勝元《ほそかわかつもと》が病死すると、しだいに厭戦《えんせん》気分が広がり、目立った戦いはなくなっていた。一応東軍陣営に身を置いていた将軍の足利義政《あしかがよしまさ》は、この年子息の義尚《よしひさ》に将軍職を譲り、みずからは後見の地位に身を置いた。文明八年に室町殿《むろまちどの》が火災にあったとき、義政と義尚は小川殿《おがわどの》に逃れ、このあと義尚は北小路《きたこうじ》室町にある伊勢貞宗《いせさだむね》の宿所に入ってこれを居所《きよしよ》に定め、義政と夫人の富子《とみこ》は小川殿を居所とした。

新将軍義尚もこのころには成長を遂げ、義政・富子と義尚の三者が並びたつ時代になっていった。

明けて文明九年正月、赤松政則《あかまつまさのり》配下の武士と、武田国信《たけだくにのぶ》の部下とが市中で闘いあう事件が起こるが、このとき義尚はみずから表に出てこれを制止し、その場で赤松に太刀《たち》を授け、喧嘩《けんか》の張本人である浦上五郎左衛門尉《うらがみごろうさえもんのじょう》（赤松の部下）にも、面目を失ったと考えてはかわいそうだと太刀を下賜《かし》した。一三歳の若い将軍は、それなりにみずからの存在をアピールしていたのである。

大内政弘《おおうちまさひろ》や畠山義就《はたけやまよしひろ》らの西軍諸将も、長く在陣する意味を失い、つぎつぎと帰国の途についた。九月二一日、畠山義就が三五〇騎の馬上の武士と、二〇〇〇人の歩兵を従えて、威風堂々と京都を出発し、河内《かわち》をめざした。東軍の武士たちはその様子をただ見守るだけで、戦いを挑む者はひとりもいなかった。大内政弘はちゃっかりと幕府に帰参して、周防《すおう》・長門《ながと》・豊前《ぶぜん》・筑前《ちくぜん》と広がる四か国の守護職《しゅごしき》を安堵《あんど》（保証）され、やがて帰国の途についた。美濃《みの》の土岐成頼《ときしげより》や能登《のと》の畠山義統《よしむね》らも京都を去り、西軍に担がれていた足利義視《よしみ》（義政の弟）は、土岐を頼って美濃に下った。

足かけ一一年に及んだ内乱の終わり方はまことに不可思議だった。一応は東軍の勝利ということになるが、西軍の諸将は滅ぼされることもなく、力を温存させたまままみずからの領国に帰っていった。そしてそのため、大名や国人《こくじん》（地域の伝統的領主）

2

◉足利義政
政治を顧みず風雅の世界に逃避した、と評価は芳しくないが、大名たちのせめぎあいのなか、地位を保ちつづけたのはさすがともいえる。

たちの争いは根本的な解決がはかられないまま持ち越され、地域の紛争はむしろ本格化することになる。

いちばん深刻な内乱が起きたのは大和《やまと》・河内の一帯だった。畠山義就が大軍を率いて河内に向かうと、ライバルの畠山政長《まさなが》は地域の部下に命じて入国を阻止しようとするが、結局撃破され、ほとんどの城が義就方の手に落ちた。東軍の勝利によって政長は中央政界での地位を得て管領《かんれい》にも任じられたが、河内での戦いでは完敗し、義就の勢力拡大を許してしまったのである。大和でも義就に与《くみ》する越智《おち》家栄《いえひで》や古市澄胤《ふるいちちょういん》が勢力を伸ばし、政長方の筒井《つつい》や十市《とおち》らの兵と戦いを繰り返した。

近江《おうみ》や美濃など東方でも混乱が続いた。文明一〇年二月、西軍方だった近江守護《しゅご》六角高頼《ろっかくたかより》の赦免が実現し、美濃に出ていた足利義視も、やがて義政と和解した。こうしたなかで、かつて西軍の重鎮だった美濃守護代斎藤妙椿《しゅごだいさいとうみょうちん》は、尾張《おわり》守護代織田《おだ》敏定《としさだ》の尾張平定を援助せよと幕府から命令された。尾張守護の斯波《しば》家は東軍の義敏《よしとし》と西軍の義廉《よしかど》に分裂していたが、内乱のなかで義敏・義良《よしすけ》父子が優勢を占め、織田敏定が現地の支配にあたる手はずになっていた。内乱が鎮静化したこの機会に反対派を一掃しようということで、斎藤妙椿にも動員要請がなされたのである。

ところが命令を受けて出陣した妙椿は、反対派の織田伊勢守《いせのかみ》の支援にまわって、清洲《きよす》（愛知県清須市）の織田敏定に攻撃をしかけた。伊勢守は妙椿の婿《むこ》で、昵懇《じっこん》の間柄だったから、弓を引くことはできないということだろうが、さすがに叱責《しっせき》を受けて、妙椿も結局は敏定と和議を結んで美濃に引き揚げた。ただこのとき和睦《わぼく》の条件として尾張の二郡を自分が受け取ることを妙椿は敏定に要請していたらしい。一応命令は聞くが、ただでは引き下がらないというのが彼の姿勢だったのである。

尾張をなんとか押さえた斯波義良は、朝倉孝景《あさくらたかかげ》のために奪われた越前《えちぜん》を回復しようと北国に出発した。文明一一年閏《うるう》九月のことである。重臣の甲斐《かい》八郎もこれに従い、斯波・甲斐と朝倉方との戦いがしばらく続いた。朝倉孝景は文明一三年に死去し、子の氏景《うじかげ》が跡を継いだが、この年のうちに朝倉方は敵を破って加賀《かが》に退却させた。こうして朝倉討伐は結局失敗に終わり、文明一五年、朝倉氏景は幕府から正式に越前守護代の地位を認められた。斯波は越前の守護ではあったが、実際の支配は放棄せざるをえず、朝倉氏の一国支配は名実ともに整った。

平和と騒擾

京都を取り囲むように広がる地域では混乱が続いたが、京都の街ではさしたる戦闘は起こらず、平和は着実に回復された。天皇や公卿《くぎょう》たちと足利義政《あしかがよしまさ》・義尚《よしひさ》らの交際も広がりを増し、夜を徹しての酒宴が催されることもしばしばだった。奈良の興福寺大乗院門跡《こうふくじだいじょういんもんぜき》の尋尊《じんそん》は、京都での政道はまったく乱れ果てていて、「公武上下昼夜大酒」の状況だと日記に書いている。

「出仕のときに着用する衣も酒代にとられる始末だが、そうしたなかで御台《みだい》様の富子《とみこ》は米倉《こめぐら》のことを差配して商いを企て、巨万の富を手中にしている」と尋尊は嘆いているが、酒が消費されると酒屋がもうかり、潤沢な基金をもとにその運用がなされるというのは、それなりに健全な経済効果だということもできる。高利の借金をかかえて落魄《らくはく》する人もいるが、経済は活性化していた。そして義政も富子も、金銭の動きを規制するような政策をとらず、人々の欲望を受け入れ、自然に任せる姿勢を貫いた。マイナスの側面もあるが、大乱終息後の京都の街は好景気で、それなりに活気を帯びていたとみてよいだろう。

ほとんどの大名は任国に戻り、京都にいたのは管領《かんれい》畠山政長《はたけやままさなが》と、侍所頭人《さむらいどころとうにん》の赤松政則《あかまつまさのり》などごくわずかで、赤松重臣で京都所司代《しょしだい》の浦上則宗《うらがみのりむね》が京都の治安をあずかっていた。そして義政・富子・義尚の三人が、それぞれ独自に政治にかかわっていたが、やがて三人の関係は微妙なものとなる。文明《ぶんめい》一三年（一四八一）の正月、富子の専横ぶりに不満を抱いた義政が小川殿《おがわどの》に引きこもってしまうが、同じ時期に彼は子の義尚とも仲違《なかたが》いしていた。ひとりの女性をめぐる争いが原因らしい。

当時義尚は一七歳になっていたが、ここで突然髻《もとどり》を切り落とすという事件を起こし、さらに眉毛《まゆげ》をはやし、折烏帽子《おりえぼし》をかぶりはじめた。眉毛は剃《そ》って上から画《か》くのが当時のしきたりで、烏帽子は立烏帽子《たてえぼし》と相場が決まっていたが、若い将軍はそうした常識的なスタイルに反逆を試みたのである。義政はどち

3

●にぎわう京都の街
いちばんの繁華街である室町通。商店が並び、行商人や屋根葺《ふき》職人の姿が見える。（『洛中洛外《らくちゅうらくがい》図屏風《ずびょうぶ》』上杉本）

らかといえば伝統を重んじるタイプといえようが、その子はこれに反発していた。こんな格好では面会できないので父親の小川殿には出向かない。義尚はこう言い切っている。

ちょうどこのころ、もうひとりの若者が政治の舞台に登場してきた。細川勝元《ほそかわかつもと》の子の政元《まさもと》である。将軍義尚より一歳年少で、若年のため政治の中心には立てずにいたが、文明一四年になって、畠山義就《よしひろ》の討伐のために、畠山政長とともに出陣するように命じられた。なんとか劣勢を挽回《ばんかい》しようと考えた政長が、義政や義尚に願って出兵が実現したもので、政元は政長を支援する役目を帯びていた。ところが摂津《せっつ》の吹田《すいた》（大阪府吹田市）まで進んだところで、彼は何を考えたか敵方の義就に鷹《たか》を贈って誼《よしみ》を通じ、やがて勝手に義就と和議を結んで京都に帰ってしまった。

政元の行動の背景には、義就討伐を真剣に考えているのは義政だけで、義尚も富子もじつは裏で義就とつながっていたという事情があったらしい。将軍家内部の意思の分裂は明らかで、そのため特定の勢力が完全な勝利を手にすることはなかなか難しかった。そしてこの若い細川家当主も、上部の命令に従順には従わず、全体の動静を見きわめながら権益を広げてゆくとい

4

◉慈照寺《じしょうじ》銀閣（京都市左京区）
義政の命により東山殿内につくられた観音殿《かんのんでん》。銀閣というのは俗称。二層の楼閣で、一階を心空殿《しんくうでん》、二階を潮音閣《ちょうおんかく》という。

う指向性を、たしかにもちあわせていたのである。

　このころ義政は東山《ひがしやま》の浄土寺《じょうどじ》に山荘（東山山荘）をつくり、文明一五年には小川殿から移り住んだ。いわゆる銀閣《ぎんかく》である。こののち義政は「東山殿《ひがしやまどの》」と呼ばれ、将軍義尚は「室町殿《むろまちどの》」と称することになる。このころになると義尚の素行もおさまったとみえ、和歌や武道に余念のない毎日を送っていた。文明一六年五月、摂津の多《た》田廟《だびょう》（兵庫県川西《かわにし》市。多田神社）に五〇首の和歌を奉納した義尚は「文の道で名をあげ、武芸においても誉れを得るようにしたいものです」と決意を述べている。

　京都はこのように表向き平穏を保っていたが、利殖を実現する人々がいる一方、借財をかかえて困窮にあえぐ者もあとを絶たず、これまでの借米や借銭を帳消しにしてほしいと、多くの人が集団となって決起することもしばしばだった。文明一七年には徳政《とくせい》を要求する大がかりな土一揆《つちいっき》が蜂起《ほうき》し、幕府も対応に苦慮した。京都では一揆の主張が認められて、借物を破棄するという徳政令が出されたが、馬借《ばしゃく》たちを中心とする一揆は大和《やまと》に入り込み、奈良市中も騒然となる。対応を迫られた興福寺《こうふくじ》

5

は、土倉《どそう》（金融業者）から一〇〇〇貫文《かんもん》の銭をもらうかわりに一揆を鎮圧するという方針を固めた。一〇〇〇貫文のうち七〇〇貫文が国人《こくじん》の古市澄胤《ふるいちちょういん》に与えられ、古市が軍勢を出したことによって土一揆は強引に鎮圧された。

土一揆がおさまったのち、政長と義就の争いに決着をつけるべく、南山城《みなみやましろ》に軍勢が集結、大和の国人たちも駆け付けて、対陣は三か月に及んだが、地域の国人たちにとってこれは迷惑きわまりないものだった。一二月一一日、国人たちの集会がなされ、土民《どみん》たちも集まって、一致して外来の軍勢を追い出すことを決めるが、長陣に飽きていた軍勢は戦いもせず去っていった。こうして守護《しゅご》不在となった南山城では、しばらく国人たちの手による共同統治がなされることになる。

●米屋と馬借
米俵を馬の背にくくりつけて米屋まで運ぶ馬借たち。背中に米俵を背負っている人も見える。（『京洛《きょうらく》名所風俗図扇面』）

鈎の陣

徳政《とくせい》要求の動きはとどまらず、地方でも分裂と混乱が続いていたが、大和《やまと》や河内《かわち》の紛争はしだいにおさまり、京都を中心とする世界はそれなりに安定を取り戻した。大乱勃発《ぼっぱつ》から二〇年、若い将軍足利義尚《あしかがよしひさ》のもとで、幕府政治はようやく傷が快復したかにみえた。

秩序の回復と社会の安定を背景にして、将軍義尚の六角高頼《ろっかくたかより》討伐は決行された。長享《ちょうきょう》元年（一四八七）七月、近臣たちの要求を受け入れて、義尚は高頼を討つために近江《おうみ》に出陣すると宣言する。近江南部に勢いを張る六角の被官《ひかん》たちは、公家《くげ》や寺社の所領を押領《おうりょう》しつづけ、将軍近臣の所領にも手を伸ばしていた。近臣たちにとってこれは死活問題だったから、高頼をこらしめてほしいと頼み込み、将軍がこれを受け入れたというのが出陣宣言に至る経緯だった。高頼自身は別に反乱を企てていたわけでもないが、こうした事情で軍勢の追討を受けるはめになったのである。

九月一二日、二三歳の将軍は、大軍を引き連れて京都をあとにした。出陣は午の刻《うまのこく》（正午頃）、義尚は紅金襴《べにきんらん》の鎧直垂《よろいひたたれ》を着け、梨子打烏帽子《なしうちえぼし》をかぶって川原毛《かわらげ》の馬にまたがり、重籐《しげどう》の弓を手に持ち、矢は背中に負っていた。きらびやかな武将のいでたちである。加賀守護《かがしゅご》の富樫政親《とがしまさちか》が先陣をつとめ、細川政賢《ほそかわまさかた》・大館尚氏《おおだちひさうじ》らの御供衆《おともしゅう》や、日野政資《ひのまさすけ》らの公家衆が続いたが、そのまわりには騎馬の武士や徒《かち》の兵士たちがあふれんばかりに集まっていた。

まさに幕府の再興を象徴するような壮大なパレードだった。京都を出た義尚は三井寺《みいでら》（園城寺《おんじょうじ》、滋賀県大津市）に入り、さらに坂本《さかもと》（同）まで進むが、数日の間に各地の大名たちの軍勢も続々と近江に進んでいった。坂本に集結した軍勢のなかから、討伐軍が選び出され、彼らは船で琵琶湖《びわこ》を渡って六角の本拠に迫った。九月二四日、武田国信《たけだくにのぶ》・富樫政親・伊勢貞陸《いせさだみち》や、細川政元《まさもと》の被官の安富《やすとみ》・上原《うえはら》らの軍勢がいっせいに攻撃をしかけるが、圧倒的軍勢を前にして、とてもかなわないと悟った六角高頼は、要害を簡単に放棄して、甲賀郡《こうかぐん》に逃げ込んだ。伊庭出羽守《いばでわのかみ》らの家臣たちも同様に甲賀に逃れた。

さしたる戦いもなく六角の兵は消えうせたが、六角や伊庭を討ち取ることができなかったことは大きな禍根だった。甲賀に逃げ込んだ敵を滅ぼすまでは帰らないと、義尚は坂本を出て鈎《まがり》（滋賀県栗《りっ》東《とう》市）まで進んでここを陣所に定めた。六角本人を討ちもらしたばかりに、義尚の在陣は長期に及ぶことになったのである。

　ところでこの六角や伊庭の逃走に関しては、じつは細川の被官が手引きをしたのだという噂《うわさ》が、まことしやかにささやかれていた。このとき細川軍を率いていたのは安富元家《もといえ》と上原元秀《もとひで》だったが、この二人が裏で六角と通じていて、逃走できるよう手引きしたのだという風説は、坂本にいた義尚の耳にも届き、義尚が激怒したらしいと、官人《かんじん》の大宮長興《おおみやながおき》は日記に書いている。また、前述の尋尊《じんそん》のところにも、六角被官の伊庭を手引きしたのは安富で、九里《くのり》は上原のおかげで逃走できたのだという噂が流れてきていた。安富や上原は日常的に六角の被官たちと交流があり、彼らを見捨てることができなかったのであろう。将軍の意気込みとは裏腹に、討伐軍の心中は一様ではなかったのである。

　一二月になると細川政元が八〇〇〇人の兵士を連れて鈎の陣に参上し、一五人の家臣たちは御陣での酒宴に招かれ、将軍と席をともにした。香川元景《かがわもとかげ》・安富元家・薬師寺元長《やくしじもとなが》や上原賢家《かたいえ》・元秀父子、さらに長塩《ながしお》・寺町《てらまち》・奈良《なら》・香西《こうさい》・庄《しょう》・波々伯部《ほほかべ》といった面々である。逃走の手引きをした安富と上原もここに加わっているが、将軍も彼らを処罰することができなかったのだろう。宴席

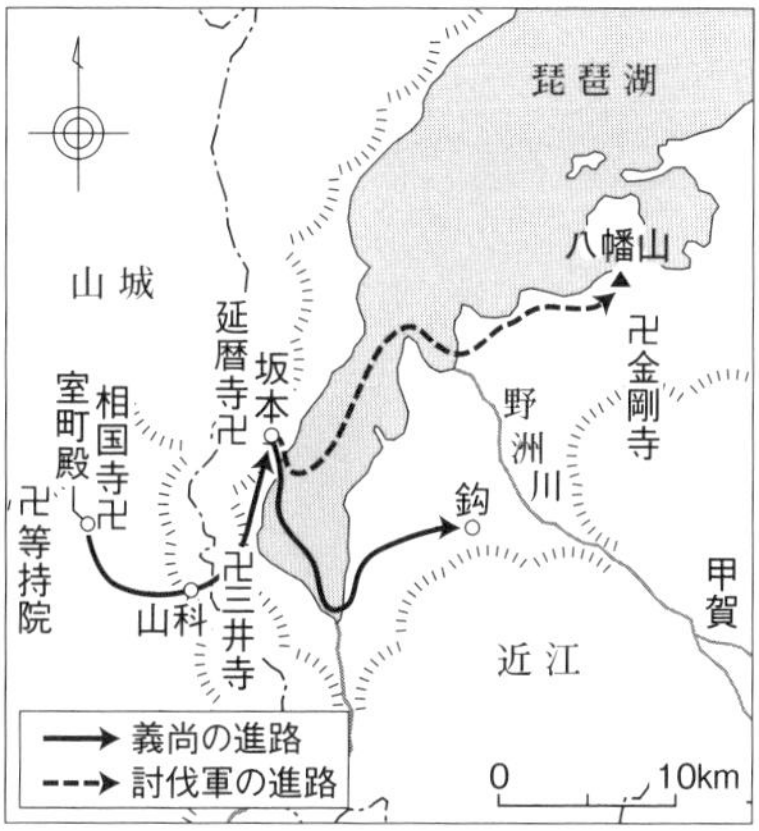

◉足利義尚の六角討伐
討伐軍は船で琵琶湖を渡って六角氏の本拠を攻めた。陸路を進むより簡単だったのである。

に参加した人々は当時の細川被官の中心メンバーといえようが、やがて彼らは幕府政治を左右する存在として歴史の表舞台に躍り出ることになる。

敵の奇襲を受けることもなく、表面上は平穏な日々が続き、陣中には京都からつぎつぎに来客が訪れた。京都を離れていた義尚の日常はそれなりに楽しいものだったに違いない。しかし肝心の六角討伐の目処《めど》はたたず、閉塞状況は深まっていった。この年の六月、義尚の「尚」の字音の反切《はんせつ》がよろしくないという事情で、義熙《よしひろ》と改名しているが、これも焦りの現われかもしれない。なんとか現状を打開しようと悩んだ義熙は、遠く周防《すおう》の大内《おおうち》氏を招いて事にあたらせようとし、一〇月になってようやく一〇〇〇人ばかりの軍勢が到着した。

年明けて長享三年、年始早々から義熙は体調を崩し、三月には危篤状態になった。三月一九日、相国寺《しょうこくじ》蔭凉軒《いんりょうけん》主の亀泉集証《きせんしゅうしょう》は諸寺院の祈禱札《きとうふだ》を携え、午後になって京都を出発、夜中に鈎に着いた。そこには富子がいて、公方《くぼう》様はいま就寝しているから、目覚めてからお札は頂戴することにすると言った。しばらくして義熙は目を開き、祈禱札を受け取った。翌日の早朝、集証は海阿《かいあ》という知己の陣所を訪れるが、そこには絵師の狩野正信《かのうまさのぶ》がいた。義熙から弥勒《みろく》の像を描いてほしいと頼まれた正信は、わざわざ鈎の陣まで来ていたのである。

三月二六日、将軍義熙は鈎の陣で二五歳の生涯を閉じた。柩《ひつぎ》は陣中から京都の等持院《とうじいん》に運ばれ、四月九日にようやく荼毘《だび》に付された。陣中から出奔《しゅっぽん》する近臣たちもあり、ほかの武士たちもつぎつぎに陣を引き払った。宿願を達成できないまま、鈎の陣は解体されたのである。

細川政元の時代

明応の政変

将軍足利義熙《あしかがよしひろ》には子がなかったので、後継者をどうするか、さっそく問題になった。伊豆《いず》の堀越《ほりごえ》（静岡県伊豆の国市）にいた足利政知《まさとも》（義政《よしまさ》の弟）の子で、天竜寺香厳院《てんりゅうじきょうごんいん》の喝食《かっしき》になっていた清晃《せいこう》を推す動きもあったが、結局は義視《よしみ》の子の義材《よしき》が次期将軍候補に決まり、美濃《みの》にいた義視父子は晴れて上洛《じょうらく》を果たした。義材は義熙より一歳年少で、二四歳になっていたが、とりあえずは前将軍の義政がふたたび政務をみることになった。六角高頼《ろっかくたかより》も甲賀《こうか》から本拠に戻り、幕府から赦免される段取りになった。

しかし六角氏の問題はなかなか解決しなかった。高頼が帰参するとみるや、彼の部下たちによって所領を押領《おうりょう》されていた寺院や神社が回復要求を幕府に突きつけ、かねてからの問題がまた表面化したのである。要求に応じて、幕府の使節が現地に赴いて所領を本主に返すよう命じたこともあったが、武士たちの抵抗にあって実現は困難だった。幕府の命令には従うべきだと

足利氏系図

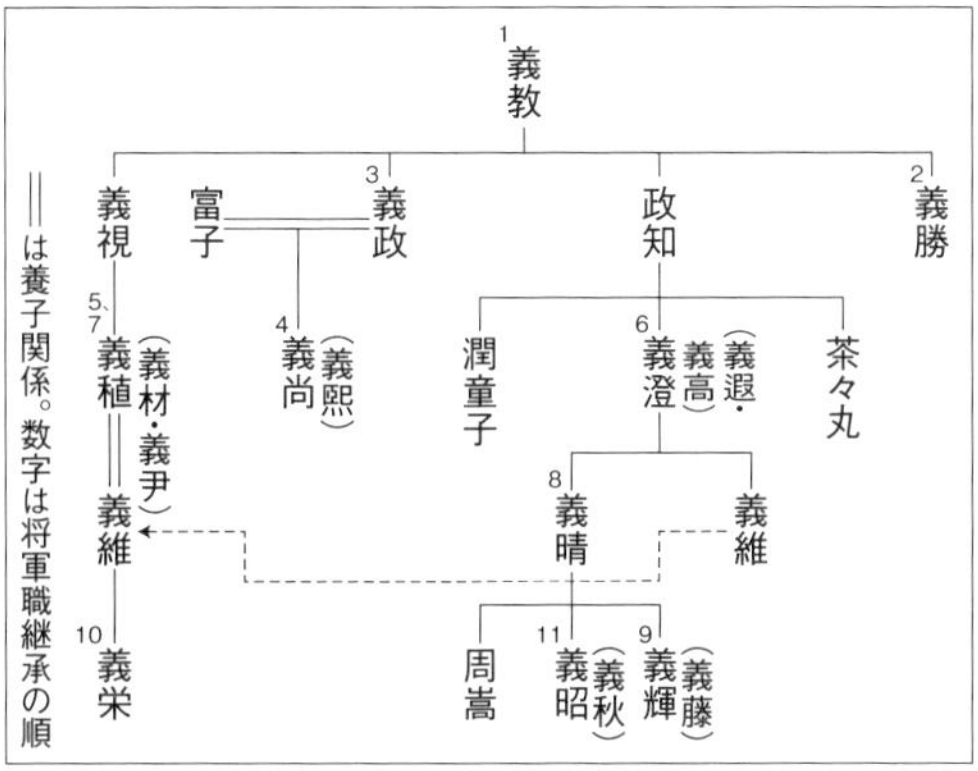

高頼自身は考えていたようだが、勢力を伸ばしている家臣たちを説得することは、やはりできなかったのである。

延徳《えんとく》二年（一四九〇）正月に義政が死去、七月に義材は征夷《せいい》大将軍《たいしょうぐん》となり、参議《さんぎ》兼右近衛権中将《うこのえごんのちゅうじょう》に任じられた。ところで義材の将軍宣下のとき、細川政元《ほそかわまさもと》は管領《かんれい》として儀式に参加したが、翌日には管領を辞退している。長く管領職にいた父とは異なり、儀式のときだけ管領をつとめるという姿勢を彼は貫いた。幕府の内部にいて将軍を補佐するという役割を、はじめから放棄していたのかもしれない。

政元は義材と同い年で、二五歳になっていたが、その行動は一風変わっていた。この年の三月にはわずか一一騎の供を連れて摂津《せっつ》に出向き、延徳三年の三月には東国を巡覧するといって京都を出発、北陸を進んで越後《えちご》の府中《ふちゅう》（新潟県上越市《じょうえつし》）まで赴いた。思わぬ来客に驚いた守護《しゅご》の上杉房定《うえすぎふささだ》は、ここから奥に行っても何もありませんと説得し、政元もようやく帰っていったという。京都にいることもあったが、何かにかこつけて地方下向《げこう》を繰り返すというのが彼の行動パターンだった。

将軍義材が前将軍の遺志を継いで六角高頼討伐を宣言したのは、延徳三年四月のことだった。各

6

◉細川政元
修験道《しゅげんどう》に凝《こ》ったり、女人を近づけなかったりと、変わり者の代表のようにいわれているが、なかなかの政治家だったとみていいだろう。

地の大名たちがつぎつぎと京都に集まり、八月二七日に出陣式が行なわれた。将軍の陣所は三井寺《みいでら》の光浄院《こうじょういん》に決まり、兵士たちはここで年を越した。明けて延徳四年三月、近江の若槻《わかつき》で合戦があり、浦上則宗《うらがみのりむね》・織田敏定《おだとしさだ》や安富元家《やすとみもといえ》らの兵で構成された幕府軍が勝利をおさめた。一〇月には義材みずから三井寺を出て金剛寺《こんごうじ》（滋賀県近江八幡市《おうみはちまん》）に布陣した。六角高頼を討ち取ることはできなかったが、それなりの戦果をおさめて、一二月一四日、将軍は京都に凱旋《がいせん》した。

宿願の高頼追討は実現できず、手放しで喜べる結果ではなかったが、この若い将軍は、帰京してまもないうちに、今度は河内《かわち》の畠山基家《はたけやまもといえ》を討伐すると言いだした。畠山義就《よしひろ》は延徳二年に死去して、子息の基家が跡を継いでいたが、畠山政長《まさなが》の要請を受けて義材は基家追討を宣言し、明応《めいおう》二年（一四九三）二月一五日、兵士を従えて京都を出発した。

六角討伐から畠山追討へと、義材は意欲満々だったが、この時期細川政元はまったく独自の行動をとっていた。義材が近江にいる間、戦いは部下の安富に任せて、政元はひそかに伏見《ふしみ》（京都市）に赴き、畠山基家の使者と面会する。政元はさらに奈良に進んで長谷寺《はせでら》（桜井市）や興福寺《こうふくじ》に参詣《さんけい》するが、一行の旅のお膳立てをしたのは、基家の与同者《よどう》である越智《おち》氏の被官《ひかん》たちだった。義材が近江にいる間に、畠山基家や越智といった、とりあえずは反体制の側にいる人たちと、政元は深いつながりを結んでいたのである。

せっかく関係を取り結んだ畠山基家が将軍の追討対象になるというのは、政元にとっては許しがたいことだった。そして彼は新将軍を擁立するかたちで反撃を試みる。義材の従兄弟《いとこ》の香厳院喝食清晃をひそかに迎え、これからはこの少年が主君だと宣言したのである。四月二二日のことだった。

翌二三日、細川の軍勢の襲来を受けて、京都の街は震撼《しんかん》した。畠山政長方の宿所には火が放たれ、義材の寵臣《ちょうしん》葉室光忠《はむろみつただ》の父教忠《のりただ》は逐電《ちくでん》、義材の兄弟が門《もん》跡《ぜき》をつとめる寺院などがつぎつぎと破却された。そしてその夜、伝奏《てんそう》（奏請を取り次ぐ役）の勧修寺教秀《かじゅうじのりひで》のもとに政元の使者が現われ、清晃を取り立てたからさよう心得てほしいと伝えた。朝廷は事後承諾を迫られたのである。

当時一四歳の清晃はやがて政元の邸宅に入り、足利義遐《よしとお》と名を改めて、朝廷から従《じゅ》五位下に叙せられた。京都は政元によって完全に制圧され、残るは河内に出ている義材の処遇だけとなった。義材と畠山政長・尚順《ひさのぶ》父子は河内の正覚寺《しょうがくじ》城（大阪市）にこもったが、閏《うるう》四月二五日、軍勢の攻撃を受けて城は陥落した。このとき包囲陣の一角にいた上原元秀《うえはらもとひで》のとこ

7

◉細川殿
細川氏の中心にいた京兆家《けいちょうけ》の館。公方の御所に劣らず豪壮で、多くの武士が参上している。奥まで進むにはいくつかの門や戸を通らねばならないようだ。（『洛中洛外図屏風《らくちゅうらくがいずびょうぶ》』上杉本）

ろに、将軍義材と葉室光忠、光忠の弟の妙法院僧正《みようほういんそうじよう》と種村《たねむら》の四人が現われ、身柄を拘束された。政長は城内で自害し、子息の尚順は逃走した。捕らえられた四人のうち、皆から恨まれていた葉室光忠は河内で殺され、義材は京都の竜安寺《りようあんじ》に幽閉された。

この政変劇によって、畠山基家はようやく幕府への帰参を認められ、越智家栄《いえひで》や古市澄胤《ふるいちちよういん》とともに上京して、幕府への出仕を果たした。斯波《しば》義寛《よしとお》（義良《よしすけ》の改名）や赤松政則《あかまつまさのり》らの大名たちも幕府に出仕し、新たな政治が順調に始まるかにみえたが、ここで事件が起こる。上原元秀のもとで蟄居《ちつきよ》していた義材が、夜陰にまぎれて脱走し、いずこともなく姿をくらましたのである。六月二九日の出来事だった。七月のなかばになると、義材は越中《えつちゆう》にいるという噂《うわさ》が奈良まで広がった。

細川政元も義材を抹殺しようとしていたわけではなく、讃岐《さぬき》に配流することで話がまとまっていたらしいが、義材は間隙《かんげき》をぬって脱出に成功した。当時の人は誰も予想しなかっただろうが、この事件が長年に及ぶ幕府の分裂の出発点となったのである。

関東の内乱

将軍足利義尚《あしかがよしひさ》が六角《ろつかく》討伐の軍を起こしたころ、関東は新たな内乱の様相を呈していた。長尾《ながお》景春《かげはる》の乱の鎮定がなされたのち、関東一帯も久方ぶりに平和を回復していたが、この平和の立て役者は太田《おおた》道灌《どうかん》をおいてほかにない。当代一流の政治家で、歌道にも通じ、軍略にも長《た》けた彼の人望は他を圧するものがあり、そのもとに結集する武士たちも多かったが、道灌はとりあえず上杉《うえすぎ》家の家宰《かさい》の立場を守り、秩序の回復に努めていたといえよう。しかし主君の上杉にとって、道灌の存在はやはり気がかりなものだった。文明《ぶんめい》一八年（一四八六）七月二六日、扇谷《おうぎがやつ》上杉定正《さだまさ》の招きを受けて相模《さがみ》糟屋《かすや》（神奈川県伊勢原《いせはら》市）の館を訪れた道灌は、ここで定正の手の者によって謀殺された。

道灌暗殺の理由は明らかでないが、太田氏の勢威に圧倒されるのを恐れた定正の決断によるものとみてよいだろう。とりあえず道灌をなきものにすれば、扇谷家の安定ははかれると考えたのだろうが、事態はそれほど甘くはなかった。江戸城にいた道灌の子の資康《すけやす》は、城を脱出して山内《やまのうち》家の上杉顕定《あきさだ》のもとに赴いた。扇谷家の勢力拡大は山内家にとっても脅威だったので、顕定も資康を受け入れ、ここに山内家と扇谷家の長い戦いが開始されることになる。

長享《ちょうきょう》元年（一四八七）の後半にはすでに戦争状態になっていたらしく、翌長享二年になると山内方の軍勢が相模に攻め込み、七沢《ななさわ》要害（神奈川県厚木《あつぎ》市）などを攻略している。六月には武蔵《むさし》の須賀《すが》谷《や》（埼玉県嵐山《らんざん》町）、一一月には高見原《たかみはら》（同小川町《おがわまち》）で両軍の決戦がなされた。長尾景春を追い払ったのち、上杉顕定は景春の拠点だった鉢形《はちがた》城をみずからの居所に定め、対する上杉定正の拠点は河越《かわごえ》

8

●太田道灌
道灌が江戸城を築いたのは二五歳のころ。若くして頭角を現わし、政治の中心にあって活躍を続けた。時代を代表するマルチ人間である。

城（同川越《かわごえ》市）だった。須賀谷や高見原は鉢形の膝下《ひざもと》で、山内方の陣営である。河越を出発した扇谷の軍勢は、山内家の本拠まで迫って合戦を繰り広げていたのである。

やがて関東の戦況は膠着《こうちやく》状態になるが、明応《めいおう》三年（一四九四）になって山内・扇谷の両軍はふたたび戦いを始めた。まず山内方が攻勢に出て、八月には武蔵の関戸《せきど》要害（東京都多摩《たま》市）を攻略し、さらに進んで相模の玉縄《たまなわ》（神奈川県鎌倉《かまくら》市）の要害も陥れた。ここで上杉定正は伊豆《いず》の伊勢《いせ》宗瑞《そうずい》（北条《ほうじょう》早雲《そううん》）に援軍を要請、出陣した宗瑞は武蔵の久目《くめ》川《がわ》に進んで定正と対面した。ここで戦況は扇谷方優勢に転じ、定正は進んで高見原に布陣したが、一〇月に落馬がもとで死去し、大将を失った扇谷の軍勢は仕方なく撤退していった。

伊勢宗瑞が関東の中心部に顔を見せたのはこれが最初だったが、彼はこの前年に駿河《するが》から伊豆に攻め込み、その略取にほぼ成功していた。伊豆の堀越《ほりごえ》にいた足利政知《まさとも》は延徳《えんとく》三年（一四九一）に病死し、その子の茶々丸《ちゃちゃまる》が跡を継いでいたが、異母弟の潤童子《じゅんどうじ》とその母を殺害するという挙に出たことが大きな問題になる。京都の香厳院《きょうごんいん》に入っていた清晃《せいこう》は潤童子の兄で、彼からみると茶々丸は母と弟の仇《かたき》になるのである。そして明応二年に細川政元が清晃を主君として擁立すると、茶々丸は追討の対象になる。駿河にいた伊勢宗瑞が海を渡って伊豆に入り、茶々丸を追い出すことに成功した背景はこのようなものであろう。

宗瑞はかつて幕府に仕えた伊勢盛時《もりとき》と同一人らしく、その姉は駿河守護《しゅご》の今川義忠《いまがわよしただ》の妻だった。義忠が遠江《とおとうみ》で戦死したのち、甥《おい》にあたる竜王丸《りゅうおうまる》を庇護《ひご》するべく駿河に入り、国内の内紛をおさめたといわれている。駿河の興国寺城《こうこくじ》（静岡県沼津市《ぬまづ》）を拠点に勢力を固めた彼は、幕府のあと押しを得て伊豆の接収に成功したのである。

二人の将軍

細川政元《ほそかわまさもと》に擁立された足利義遐《あしかがよしとお》は、まもなく義高《よしたか》と改名したが、まだ一四歳だったので、幕府の政治は細川政元とその重臣たちにゆだねられた。政元の家臣でいちばん羽振りがよかったのは上原《うえはら》元秀《もとひで》で、政元もその功績を認めて細川の名字を与えようとしたことがあったが、ほかの家臣たちがいっせいに反発して、これからは元秀の言うことだけ聞くことは慎むと、政元のほうが誓約させられる羽目になった。主君の首のすげ替えを難なく実行した政元も、家臣たちには頭が上がらなかったのである。同輩の妬《ねた》みを買っていた上原元秀は明応《めいおう》二年（一四九三）一一月に死去し、その父の賢《かた》家《いえ》も明応四年暮れに世を去ると、安富元家《やすとみもといえ》が重臣中の古老の地位に立つが、彼もしだいに若い世代に圧倒されるようになる。

明応元年に政元が大和《やまと》に赴いたとき、供衆《ともしゅう》の筆頭にいた香西元長《こうさいもとなが》は、政元の寵愛《ちょうあい》を受けて頭角を現わし、明応六年には山城《やましろ》の守護代に抜擢《ばってき》された。大役を仰せつかった彼は山城の国内から年貢の五分の一を徴収すると言いだし、翌明応七年の冬には禁裏《きんり》御領《ごりょう》である山科《やましな》郷に入り込んで、年貢上納をあくまで拒む住人たちの襲撃を受けている。天皇の所領だろうがおかまいなしに乗り込んでいくような、伝統や慣習にこだわらない人物がついに登場してきたのである。

足利義高は明応三年一一月に左馬頭《さまのかみ》に任じられ、一二月には元服の儀がなされて、正式に征夷大《せいいたい》将軍《しょうぐん》となった。この元服の儀式にあたっては、足利義満《よしみつ》の例に倣って加冠《かかん》役の細川政元を武蔵守《むさしのかみ》に任じるという段取りがつけられた。政元の祖先の細川頼之《よりゆき》（武蔵守）が若い義満に加冠した吉例にあやかろうという配慮だったが、何を考えたか当の政元はこれを拒絶する。私は日ごろから烏帽子《えぼし》を着けたことがないので、加冠役などできないというのが彼の言い分だった。結局はこの役目をやらされたようだが、これも将軍とは一定の距離を置こうとする姿勢の現われかもしれない。

内部に矛盾をはらみつつも、幕府政治は遂行され、京都はそれなりに安定していたが、河内《かわち》方面ではふたたび紛争が勃発《ぼっぱつ》した。正覚寺《しょうがくじ》城を脱走した畠山尚順《はたけやまひさのぶ》が、紀伊《きい》に拠点を構えて、報復の戦いを開始したのである。命からがら紀伊に入ったとき、尚順は一九歳だったが、数年間ここで実力を蓄えたのち、明応六年一〇月、突如河内に攻め込み、高屋《たかや》城（大阪府羽曳野《はびきの》市）にいた畠山義豊《よしとよ》（基《もと》家《いえ》の改名）を包囲した。こらえきれずに義豊は山城に逃れ、かつての畠山政長《まさなが》派だった大和の筒井順《つついじゅん》盛《せい》も尚順に呼応して決起し、義豊派の越智《おち》や古市《ふるいち》を打ち破った。義豊はまもなく反撃に転じ、高屋城を奪回しようと試みるが、筒井の兵の攻撃を受けて大敗した。

河内で尚順が勝利をおさめたとの情報は、越中《えっちゅう》の義材《よしき》のもとにもまもなく届いたことだろう。義材はいつしか義尹《よしただ》と名のりを改めていたが、越中の神保《じんぼ》

畠山氏系図

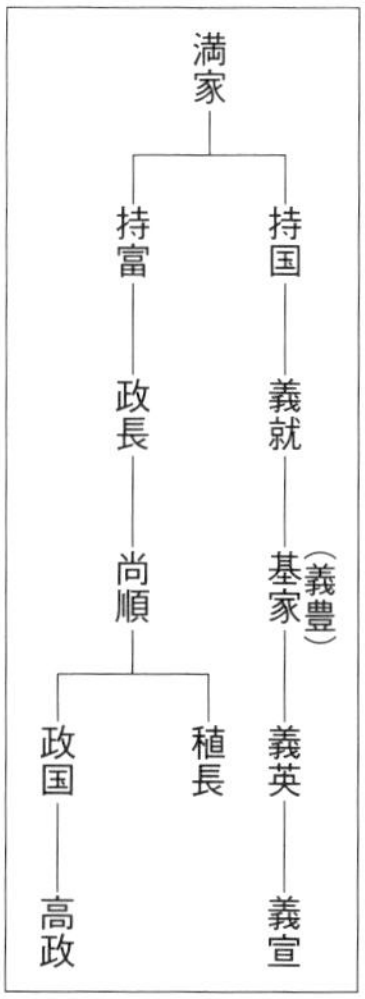

のもとに来てから五年、明応七年になってようやく京都に向けて出発し、越前《えちぜん》の朝倉貞景《あさくらさだかげ》のもとに身を寄せたが、このとき一行はわずか一三人、ふつうの旅人のようだったという。情勢が転換したので出発したが、このときは細川政元と決戦しようとは考えていなかったらしい。

翌明応八年正月、畠山尚順が河内の十七箇所《じゅうしちかしょ》（大阪府寝屋川《ねやがわ》市ほか）で畠山義豊の軍勢を破り、義豊はついに切腹してしまう。細川政元は義豊を支援していたので、政元と尚順の関係は決裂し、尚順と通じる義尹も政元との対決を余儀なくされた。

七月になると朝倉貞景が先発隊として敦賀《つるが》（福井県敦賀市）まで出陣し、九月には畠山尚順が出陣して摂津《せっつ》に入った。北と南から軍勢が迫る算段がついていたのである。

危機に陥った政元を救ったのは、家臣の赤沢朝経《あかざわともつね》だった。延暦寺《えんりゃくじ》の僧徒の多くは義尹と通じていたが、朝経は軍勢を率いて延暦寺を襲い、根本中堂《こんぽんちゅうどう》や大講堂に火を放ち、さらに南に進んで、畠山尚順方の兵がこもる御牧《みまき》（京都府久御山《くみやま》町）と水主《みずし》（京都府城陽《じょうよう》市）の城を攻略した。

朝経の活躍によって尚順もなかなか軍を進めるこ

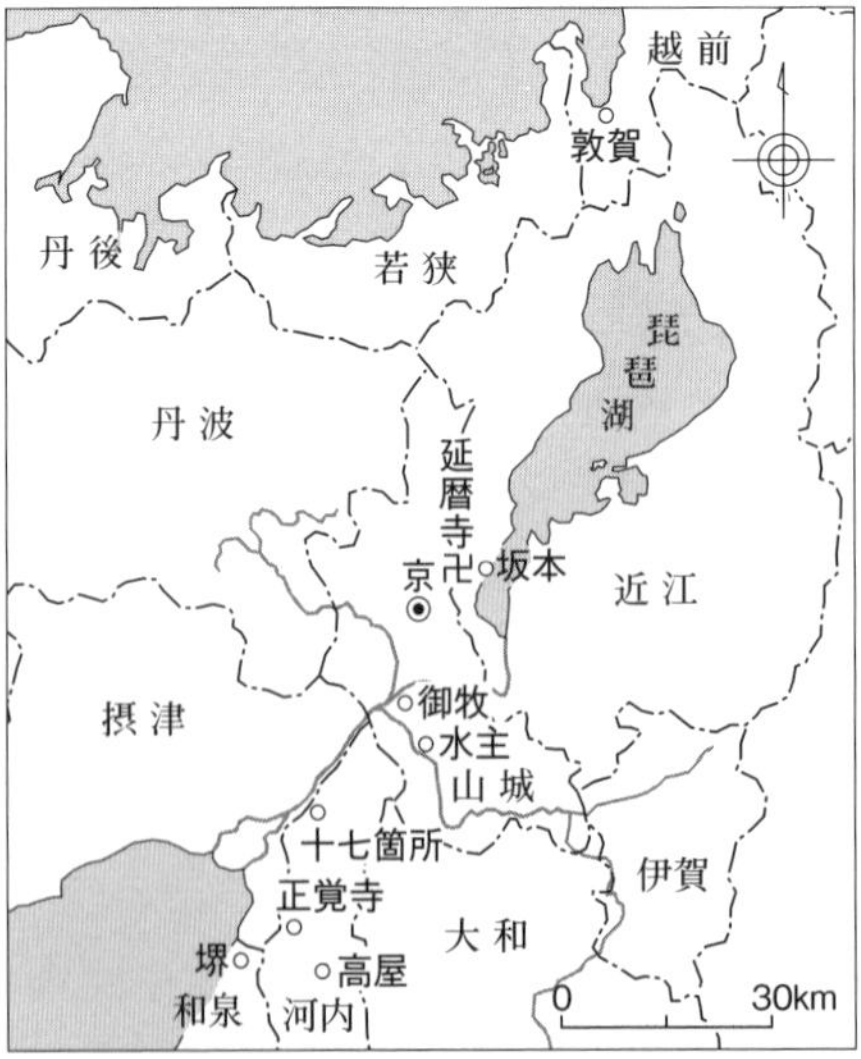

●明応八年の畿内
足利義尹は北から京都に迫り、南からは畠山尚順が進んできた。赤沢の活躍がなければ勝利をおさめていただろう。

とができないという状況のなかで、敦賀を出発した義尹は近江の坂本に陣をしいた。一一月二二日、六《ろっ》角高頼《かくたかより》の軍勢が坂本の陣を襲い、義尹は敗れて比叡《ひえい》山《ざん》に逃げ込んだ。

京都にあと一歩と迫ったところで、義尹の軍勢は潰《つい》え去り、細川政元は最大の危機を脱した。摂津に出ていた畠山尚順も結局敗れて紀伊に戻り、海路西に逃れた義尹は、周防《すおう》の大内義興《おおうちよしおき》のもとに身を寄せた。

京都を去ったとはいえ、義尹はいまでもわれこそは将軍だと思っていたし、機を見て反撃に転じようという意欲も失っていなかった。二人の将軍のもとで大名たちが分裂する状況は簡単には解消されず、むしろ定着してゆくのである。

◉延暦寺根本中堂
近江と山城の両国にまたがる延暦寺の広大な寺域は、東塔・西塔・横川《よかわ》の三塔に分かれる。一山の本堂である根本中堂は東塔にあるが、現在のものは寛永《かんえい》一七年（一六四〇）の建立。

地域社会の現実

名主沙汰人宛の奉行人奉書

文明《ぶんめい》九年（一四七七）九月、西軍の畠山義就《はたけやまよしひろ》が京都から離れたことにより、足かけ一一年に及んだ大乱（応仁《おうにん》の乱《らん》）は幕を閉じ、同じく西軍に属していた土岐成頼《ときしげより》も、一一月になって本拠の美濃《みの》に帰ることになるが、これを聞きつけた幕府首脳部は、京都から美濃に行く入り口に位置する山科《やましな》郷の人々にこれを阻止させようと考え、奉行人《ぶぎようにん》二人の連名で奉書を出した。奉書の一通は山科郷の領主である山科家の雑掌《ざつしよう》（公文書を取り扱う役人）宛《あて》で、郷民を集めて通路を塞《ふさ》げという内容のものだが、同日付の奉書がもう一通作成され、こちらの宛所は「山科郷沙汰人中《さたにんちゆう》」と書かれていた。

沙汰人は郷村の管理や年貢上納をつかさどる職名で、領主から任命されるが、領主側の人物ではなく郷村の有力者がこの地位につくのが一般的だった。山科郷もそういうケースだろうが、そうした百姓の代表に対して幕府の奉行人奉書が発給されたのである。またその内容も、土岐討伐のため軍勢を遣わすから、郷の住人を集めて土岐軍を阻めというものだった。山科郷の住人たちは、身分的には百姓であるにもかかわらず、武器を持って立ち上がり戦功を上げるよう期待されていたのである。

郷村の百姓の代表に宛てて奉行人奉書が発給されたのは、これがはじめてではない。長禄《ちようろく》二年

（一四五八）九月、興福寺大乗院《こうふくじだいじょういん》の所領である越前《えちぜん》国河口《かわぐち》荘（福井県あわら市・坂井《さかい》市）を直接支配（直務《じきむ》）せよ、との奉行人奉書が、大乗院家雑掌に下されているが、このときも同日付で「当所名主《みょうしゅ》沙汰人中」宛の奉行人奉書が発給されていた。

所領支配の行き詰まりを悟った大乗院が直接支配に乗り出すことに決め、幕府に要請して奉書を出してもらったわけだが、領主側の権利を認める内容の奉書だけでなく、河口荘の郷村の「名主沙汰人」宛の奉書も書いてもらったのである。「雑掌宛の奉書に従って、ほうぼうからの違乱を止め、雑掌がきちんと所務（年貢収納など）ができるようにせよ。もし背く者がいたら、罪科に処すから、その名前を書き上げた交名《きょうみょう》を届けるように」というのがこの奉書の内容だった。

この奉書を受け取った大乗院の雑掌は、現地入りしたのちにこれを名主や沙汰人たちに見せ、自分に協力するよう要請したことだろう。名主沙汰人を宛先とした奉行人奉書は、地域の百姓たちが望んで与えられたものではないが、名主や沙汰人宛の文書をつくってもらわなければ所領支配もままならないという現実をよく示している。

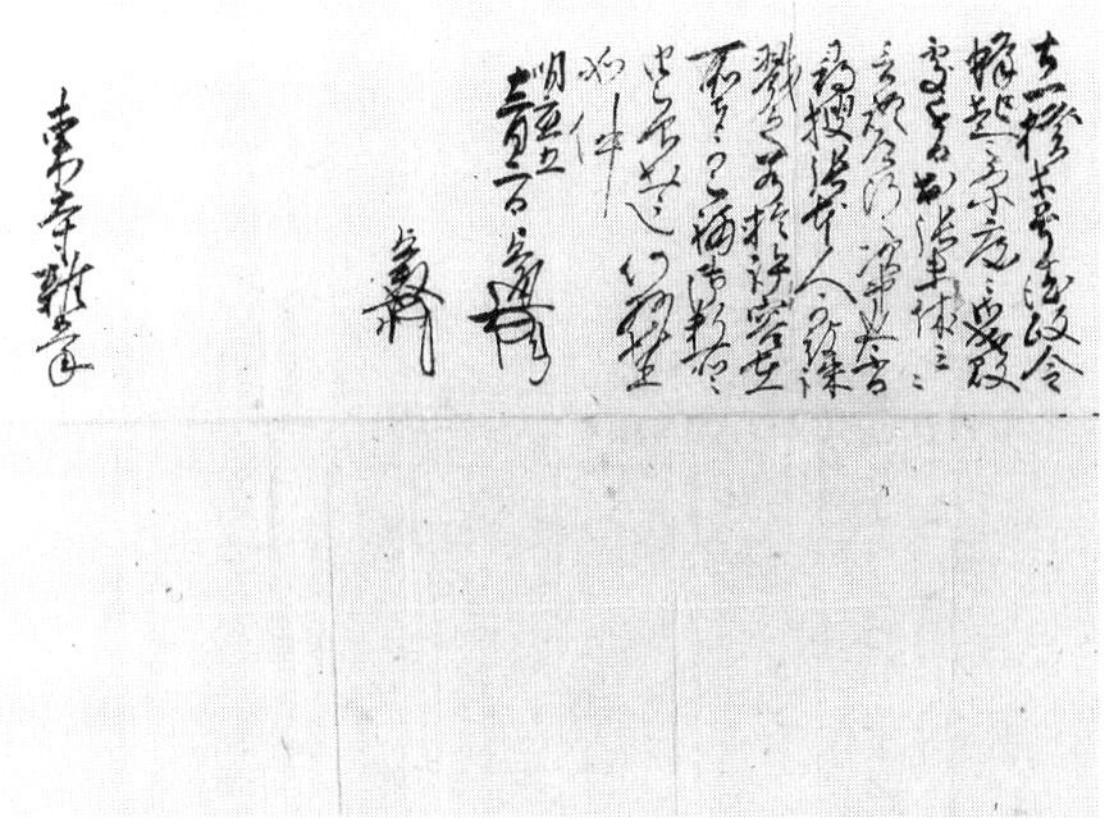

9

◉室町幕府の奉行人奉書
土一揆《つちいっき》の主謀者の捜索を命じたもの。奉行人奉書は紙を横に半分に折る折紙形式のものが多かった。

そもそも所領支配というものは、領家や地頭《じとう》がみずからの力で行なうもので、幕府から所領を安《あん》堵《ど》される場合も、「先例に従って所務を行なえ」と書かれた自分宛の安堵状をもらうだけで事たりていた。きちんと支配するためにわざわざ百姓宛の文書をつくってもらうことなどなかったわけだが、百姓たちを従わせるためには、直接百姓に宛てられた文書をつくってもらわねばならないような、そういう時代になっていたのである。

広がる年貢未進

長い年月の間に蓄えた力を背景として、郷村の百姓たちは決められた年貢を出すことを拒否しはじめるようになる。文明《ぶんめい》一三年（一四八一）一一月のこと、加賀国《かがのくに》苅野《かるがの》村（石川県かほく市）における百姓の年貢難渋に困った京都の祇園社《ぎおんしゃ》は、幕府に訴えて、年貢取り立て役と思われる「大坊主中」宛《あて》の奉書をつくってもらっている。前々のとおりきちんと年貢を徴収せよ、何か言いたいことがあったら上洛《じょうらく》して弁明せよと、そこには書かれていた。百姓に対して直接命令しているわけではないが、百姓たちの年貢難渋という状況を領主は自力で解決できず、幕府のお墨付きを求めるようになっていった。

比叡山延暦寺《ひえいざんえんりゃくじ》の子院《しいん》である西塔院《さいとういん》は、琵琶湖《びわこ》西岸の近江《おうみ》高島《たかしま》郡木津《こうつ》荘（滋賀県高島市）を領していたが、やはり深刻な年貢未進に直面していた。名主沙汰《みょうしゅさた》人《にん》らの年貢難渋に困り果てた西塔院の雑掌《ざっしょう》は、幕府に頼んで文明一五年に年貢上納を命じる奉書をもらい、名主沙汰人たちに年貢を出せと要求したが、彼らはそれでも応じなかった。五年後の長享《ちょうきょう》二年（一四八八）になって西塔院の雑掌は年貢を納めようとしない名主たちの名前を列記した注文《ちゅうもん》（記録）を携えて幕府に訴え、これを受理した幕府は、彼らを退治することにするから、山門《さんもん》（延暦寺）と合力して忠節を尽くせと、近江西部の雄族である朽木《くつき》氏に命じている。朽木氏の拠点朽木荘は木津荘の隣にあるが、こうした近隣の豪族に助けてもらわなければ百姓を退治することはできなかったのである。

たんに年貢を未進するだけでなく、年貢徴収役の代官《だいかん》に対して狼藉《ろうぜき》を繰り返す百姓たちもいた。山城《やましろ》国紀伊《きい》郡の高畠荘（京都市）では、百姓たちが田を隠したり、年貢を未進したりするだけでなく、代官に対してさまざま狼藉を働くありさまで、領主は幕府に訴えて、明応《めいおう》四年（一四九五）五月に奉行人《ぶぎょうにん》奉書をもらっているが、これで百姓たちがおとなしくなったかどうかは定かでない。

郷村の年貢の徴収にあたっていたのは領主の代官で、郷村の代表者ともいえる名主沙汰人もこれにかかわっていたと考えられるが、名主や沙汰人が個々の百姓たちから年貢を集めて一括上納するかたちが一般化していたわけでもなく、百姓一人ひとりが自分の年貢を代官まで納める場

10

●田起こし
鍬《くわ》や鋤《すき》を使って田起こしをしている。右下の田では直接種を播《ま》いている。一服用の茶を運ぶ子供もいる。（『たはらかさね耕作絵巻』）

合もかなりあったようである。このような場合は特定の百姓が年貢未進をした場合、その未進分は郷村ではなくその百姓の負債となる。そして特定の百姓の年貢未進を解決するために、わざわざ幕府の奉行人奉書が発給されることもあった。

九条政基の下向

もともと荘園や郷村の百姓たちは、それぞれの場所で決められた年貢や公事《くじ》を領主に納めていた。毎年の作柄を見て年貢量を決める方法と、豊凶にかかわらず決まった年貢を納めるやり方があり、旱魃《かんばつ》などで実りの少ないときには年貢や公事を減らしてもらうよう訴えることもよくあった。領主と百姓の間に立つ代官《だいかん》は、現地で百姓たちと交渉を重ねながら、どの程度の減免にするかおとしどころを決め、領主の了解をとったうえで徴収にあたった。郷村ぐるみの年貢減免の訴えや、百姓の年貢未進は古くからあったが、幕府の政治体制が安定し、公家《くげ》や寺社の権威も健在だった時代には大幅な年貢減免は実現されず、百姓たちは決まった年貢や公事を毎年納めつづけていた。

応仁《おうにん》の乱《らん》のあとの幕府政治の動揺によって、こうした安定的な年貢収納は各地で破綻《はたん》をきたしてゆく。公家や寺社の所領を中心として百姓たちの年貢未進の動きが広がり、これに対処するために幕府の奉行人《ぶぎょうにん》奉書が発給されたが、どれほどの効果があったかは疑わしい。現地の管理と年貢徴収にあたる代官たちも、場合によっては百姓と結託して、領主に年貢を届けないことすらあった。また各国の守護《しゅご》や地域に根を張る武士たちも勢力を伸ばし、郷村に迫って年貢を出すよう要求し、そのため領主のもとに年貢がこなくなることも大きな悩みの種だった。

　こうした状況を克服するべく、代官を罷免してみずから現地支配に乗り出す領主もいた。和泉国《いずみのくに》の日根野《ひねの》荘（大阪府泉佐野《いずみさの》市）を領していた九条政基《くじょうまさもと》もそのひとりである。九条家の当主として関白《かんぱく》をつとめた政基は、関白を辞したのち家督を子息に譲り、隠居の身となっていたが、九条家の経済立て直しのために、中心的家領《けりょう》だった日根野荘に乗り込んだのである。時に文亀《ぶんき》元年（一五〇一）、政基は五七歳になっていた。

　日根野荘は大きく日根野村と入山田《いりやまだ》村に分かれ、日根野村は東方と西方、入山田村は槌丸《つちまる》・大木《おおぎ》・菖蒲《しょうぶ》・船淵《ふなぶち》の四か村から構成されていた。樫井《かしい》川《がわ》上流に入山田の村々が点在し、山の向こうは紀伊《きい》で、大きな勢力を誇る根来寺《ねごろでら》（和歌山県岩出《いわで》市）や粉河寺《こかわでら》（同紀《き》の川《かわ》市）が存在していた。日根野村と入山田村とでは風土が異なり、番頭《ばんとう》（村人の代表）や百姓たちの政基に対する対応も、二つの村では大きく異なっていた。

　和泉の守護は二人いて、地域を分けずに一国を共同で統治するかたちが長く続いており、政基が下向《げこう》したときには細川元常《ほそかわもとつね》と細川政久《まさひさ》が守護《しゅご》の地位にいた。また日根野光盛《みつもり》をはじめとして、守護に連なって権益を増やそうとしている武士たちがいた。こうした守護勢力が九条家の家領支配を阻む元凶だったが、九条家と守護勢力の対立のなかで、村の百姓

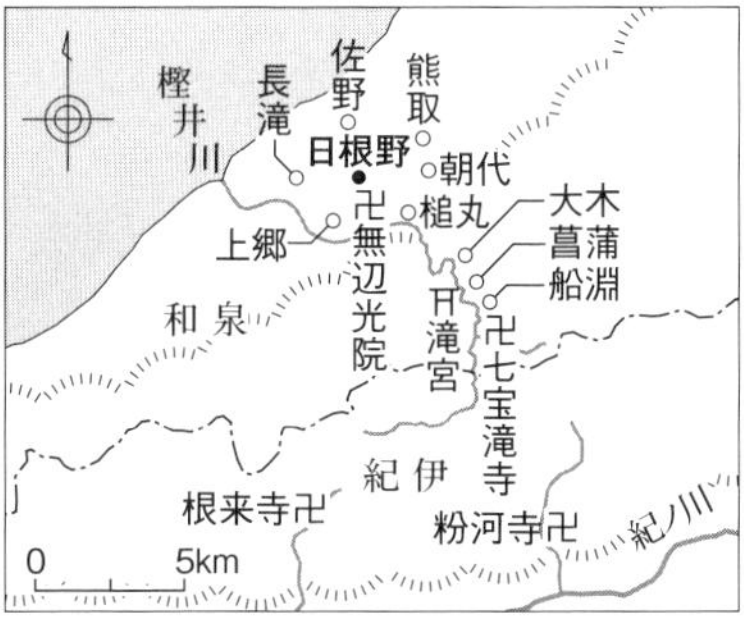

●日根野荘とその周辺
山間部から川を下って平地に出るところに槌丸村があり、その先に日根野村が展開している。

の対応は一枚岩ではなかった。入山田の番頭や百姓たちは基本的に政基の支配に従う姿勢を見せたが、日根野村のほうは守護とのつながりが深く、政基の要求をたやすくは受け入れなかったのである。

　三月二八日に京を出発した政基は、両守護のいる堺《さかい》を経て日根野の無《む》辺光院《へんこういん》に入った。日根野村東方と西方の番頭や百姓たちは酒樽《さかだる》を進上して領主の下向を受け入れたが、百姓たちにしてみればあまり歓迎できない客だったようである。政基はここから入山田村に入り、大木村の長福寺《ちょうふくじ》を居所に定めた。四月七日の夜、入山田四か村の番頭たちを召し出した政基は、一人ひとりに盃《さかずき》を与え、守護方との対応については追って指示するから、百姓たちは当方のために忠節を尽くすようにと厳命した。村からの引き出物は、酒樽三荷と鯛《たい》が六尾、串柿《くしがき》三連だった。

　居所を定めた政基は、さっそく年貢の催促にとりかかるが、簡単には事は進まなかった。日根野東方の百姓たちが年貢を未進しているということで、まずこれを払えと要求したが、東方の番頭たちはあれこれ懇願して、まず冬の段銭《たんせん》を納めるから勘

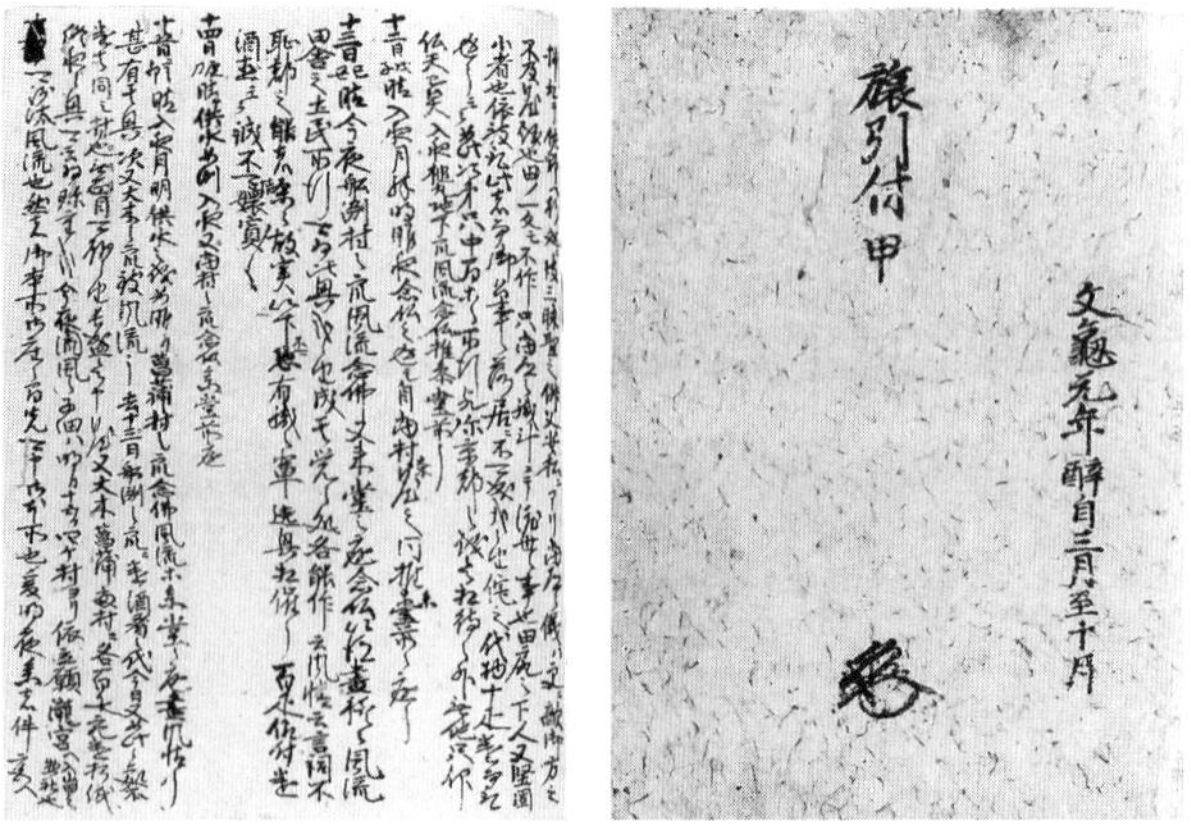

11

◉政基公旅引付《たびひきつけ》
政基が和泉にいたときの日記。甲《こう》・乙《おつ》・丙《へい》・丁《てい》・戊《ぼ》の五つの冊子にまとめられている。右は一冊目の表紙で、題名の下に九条政基の花押《かおう》が見える。左は一冊目の本文で、文亀元年七月に入山田の村々の人々が風流念仏を披露した記事の部分。

弁してほしいと訴え、これを受けて五月になって日根野と入山田に夏の段銭を出すよう命じる配符《はいふ》が下された。当国の諸権門《けんもん》領では段銭をかけていないから、今回は免除してほしいと村側はまた訴えてきたが、政基はこれを却下した。守護の段銭が重ね重ねかかってきて大変だというので、夏冬二度の段銭以外は賦課していないのだから、要求を認めるわけにはいかないというのが政基の言い分だった。

このように守護方も村に対して事あるごとに段銭を出せと迫っていたのである。このときも日根野の西方に守護から段銭の配符が出されていた。領主の政基が在荘しているから出せないと村側は突っぱねたが、こうした状況のなか、守護方は百姓をからめ捕るという実力行使に出る。日根野の北にある佐野《さの》村はそれなりの町場で、毎月二回の市《いち》が立っていたが、六月一七日の市の日、そこに出かけていた大木村の百姓三人が守護方の手の者によって捕縛されてしまったのである。そのうちひとりが縄をほどいて逃げてきて、突然襲われた状況を細かく語った。

百姓を人質にとって村側を脅迫し、自分に従わせようと守護方は考えていたのである。堺に送られた二人の百姓のうち、ひとりは自力で脱走して、三昧聖《さんまいひじり》に連れられて村に戻り、一二、三歳だったもうひとりの囚人は、身柄は解放されたもののほうぼうで召し使われ、村には帰ってこなかった。

村人たちの平穏と有事

守護《しゅご》方による百姓捕縛事件が一段落してひと月たらずの文亀《ぶんき》元年（一五〇一）七月一一日の夜、槌《つち》丸《まる》村の百姓たちが大木《おおぎ》村に来て堂の前に集まり、風流念仏《ふりゆうねんぶつ》を披露した。さまざまの衣装を凝らした姿で念仏踊りをしたのである。翌日には大木村の百姓たちがお返しの念仏踊りを堂前で行ない、つぎの日にも船淵《ふなぶち》村の人々がやってきて、念仏踊りのあとさまざまな出し物をした。「その風情といい言詞《げんし》といい、都の能者と遜色《そんしょく》ない」と九条政基《くじょうまさもと》は感じ入った。

一五日になると菖蒲《しょうぶ》村の百姓がやってきて踊りを披露し、大木村の衆も加わった。「明日入山田《いりやまだ》の四か村で入山田の惣社《そうじゃ》の滝宮《たきのみや》に立願のための風流念仏を行なう予定だが、それが終わってからこちらに来ると夜になってしまうから、まずは御本所様《ごほんじょさま》（領主）にお見せしたいと思い今晩参上しました」。百姓たちの言葉を聞いて機嫌をよくした政基は、「神妙々々」と日記にしたためている。滝宮の風流に政基は出かけなかったが、その様子はすぐに伝えられた。社頭において槌丸と大木、次いで菖蒲と船淵の衆が立ち合って風流囃子《ふりゆうばやし》がなされ、そのあと船淵の衆が『式三番《しきさんば》』を奏で、さらに謡曲の『鵜羽《うのは》』を一番披露した。

このころ炎天が続いていたため、七月二〇日には滝宮の社頭で雨乞《あまご》いがなされ、二日後に待望の雨が降った。しばらくたった八月一三日、入山田四か村の人々は滝宮に集まり、雨喜《あまよろこび》の風流に興じた。上《かみ》の二か村（菖蒲と船淵）は絹の旗、下《しも》の二か村（槌丸と大木）は紺の旗をひらめかせて、さまざまの風流を尽くし、社頭では相撲が行なわれた。申《さる》の刻《こく》（午後四時頃）になって槌丸と大木の百姓が風流を披露したあと社頭に参上して、真夜中の丑《うし》の刻（午前二時頃）に儀式はようやく終わった。たび重なる守護方の侵犯を防ぐためにも、「御本所様」九条政基の下向《げこう》は、入山田の人々にとってとりあえずは歓迎すべきことだった。さまざまな趣向を凝らしたパフォーマンスによって、村人たちははるばる京都からやってきた政基とその一行をもてなしたのである。しかしこうしているうちにも守護方は攻撃の準備を整えていた。八月二八日、守護被官《ひかん》となっていた日根野《ひねの》光盛《みつもり》が日根野村東方に打ち入り、番頭《ばんとう》と脇百姓ひとりを生け捕った。日根野にいちばん近い槌丸の衆がさっそく馳《は》せ向かい、政基のもとに使いを走らせて事件を告げた。政基の命を受けて重臣の信濃小路《しなのこうじ》長盛《ながもり》と石井《いしい》在利《ありとし》が百姓たちを従えて日根野に入り、さらに追いかけて佐野《さの》のあたりで少々矢戦《やいくさ》をした。

敵の兵士を少しばかり負傷させたが、百姓二人は生け捕られ、いつまた守護方に襲われるかと不安な日々が続いた。九月一九日のこと、日根野村の番頭から政基のもとに折紙《おりがみ》（文書）が届いたが、そこにはこう書かれていた。「明日か明後日に大勢で出てきて年貢を納めさせると、守護方から言われている。年貢を納めなければ敵と見なして攻め寄せるというので、明日こちらにいらして、しかるべく調停してほしい。そうしてくれ

12

●風流念仏
花や鳳凰《ほうおう》を付けた笠をかぶり、鉦《かね》や太鼓をたたきながら踊る人々。まわりには見物の男女が集まっている。（『洛中洛外図屏風《らくちゅうらくがいずびょうぶ》』上杉本）

なければ、仕方がないから守護方に年貢を納めるつもりだ」

少しでも守護方に年貢を納めたら罪科に処すと、政基は冷たく突っぱねたが、きょうにも兵士が来て年貢を納めさせられたら、地下《じげ》はどうしようもないと、翌日すぐに返事がきた。なかなか折れない日根野の百姓たちを従わせるために、二三日になって長盛と在利が日根野の西方に向かい、番頭ひとりを捕らえて帰ろうとしたところ、日根野光盛らの守護方が押し寄せてきた。ここであちらこちらから一〇〇〇人ばかりの人々がどっと集まって守護方の軍勢に矢を浴びせかけ、近くに逃散していた日根野東方の百姓たちも二〇〇人ほど加わって戦いが始まった。三時《みとき》の間戦いは続いたが、結局は村側の勝利に終わり、守護方の軍勢は仕方なく引きあげた。地域を守るために結集した村人たちは、壮絶な戦いの結果、とうとう敵を追い返したのである。

日根野の百姓たちは結束して守護方を撃退したが、決して政基に従う姿勢を見せたわけではなかった。日根野西方の百姓を従わせるために番頭を捕らえた政基方の行動は、佐野村の市で百姓を捕縛した守護方と大差ないともいえる。番頭を人質に取られた日根野西方の百姓たちは、結局秋の年貢を上納したが、翌年の文亀二年になって政基と守護に半分ずつ年貢を納める半済《はんせい》のかたちにしてほしいという訴えを起こした。「去年は番頭を人質に取られたので本所（政基）に年貢を納めたが、守護方の催促にも抵抗できず、こちらにも年貢を納めてしまった。これでは地下は立ちゆかないので、守護方と交渉して年貢は半分ということで納得してもらった。そういうことなので本所の側も年貢は半分ということにしてほしい」。日根野西方の訴えの内容はこのようなものだった。

八月になると守護と対立した佐藤久信《さとうひさのぶ》という武士が軍勢を出し、佐野の市と日根野西方の内を焼き払うという事件が起きた。守護方もこれに対抗して出兵したが、紀伊根来寺《きいねごろでら》の衆徒《しゅと》たちが佐藤と結んで決起し、国境を越えて入山田に乱入、槌丸に陣を構えようとした。とにかく軍勢を追い払えと政基は命令したが、村の老衆《おとなしゅう》たちは根来寺の衆と問答を重ね、これを撤退させることに成功した。

根来寺の軍勢が退いてほっとした直後、地域一帯にかかわる災難が起こる。樫井川《かしいがわ》の洪水によって槌丸と菖蒲の樋《ひ》が流されてしまったのである。樋は下流の長滝《ながたき》荘（大阪市泉佐野市）まで流れて止まり、これを引き揚げるための人海戦術が展開された。日根野と入山田の百姓がみなここに集まり、樋を引き揚げようとした。百姓は四〇〇人あまりだったが、それだけではどうにもならず困っていたところ、上郷《かみのごう》と長滝の百姓たちが救援に駆け付けてくれて、ようやく樋を引き揚げることができた。個別の利害では対立をはらんでいても、地域の存亡にかかわることに際しては、村々は広く団結し、作業にあたったのである。

その二日後、佐藤久信の軍勢や根来の衆がまた現われ、槌丸に陣取ろうとした。政基に連絡したのち、槌丸・大木・菖蒲の番頭たちは山を越えて根来寺まで出向き、槌丸を陣所にさせることはできないと説得に努めた。佐藤からは五〇石《こく》の兵粮米《ひょうろうまい》と人夫《にんぷ》一五人を出せと要求されたが、村側が拒否していると、翌日になって米二石とひとりでいいと、佐藤は要求を下げてきた。相手の気の変わらないうちにということで、番頭たちは政基に無断で五斗《と》ばかりの米を佐藤のもとに送り届けた。

佐藤にせよ根来寺にせよ、迫ってくる者は追い返せと政基は強く命令していたが、村の人々はもっとしたたかだった。とにかく村の安全を守るために、番頭をはじめとする村の指導者たちは工夫を凝らし、たび重なる危機を乗り切ったのである。

盗人とその成敗

明けて文亀《ぶんき》三年（一五〇三）、日根野《ひねの》一帯は深刻な旱魃《かんばつ》に見舞われた。人々は川流れに少し残っている水を桶《おけ》に汲《く》んで田に入れたが、せっかく出た穂も白く干からびて、葉はよれて赤くなるありさまだった。そしてこうしたたいへんな時期に、佐野《さの》でまた入山田《いりやまだ》の百姓六人が守護《しゅご》方によって捕らえられるという事件が起こる。七月二二日のことである。

その二日後、とらわれの身となっていた二人の百姓の名で、一通の折紙《おりがみ》が入山田の番頭《ばんとう》のもとに届けられた。「早く詫言《わびごと》をして、私たちの命を助けてほしい」と書かれた折紙を見た番頭たちは、すぐに返事をしたためたが、「今回のことはあなた方の不運としかいいようがない、願いを聞き入れることはできないが、入山田の谷中《たにちゅう》を恨んではならぬ。不憫《ふびん》なことだが不運と思ってほしいと御本所《ごほんじょ》様《さま》もおっしゃっているので、そのように覚悟してほしい」とそこには書かれていた。二人の百姓の署名はあるが、年貢の半済《はんせい》を認めさせるために守護方が作文したもので、日根野の東方も守護方と内通していると踏んだ九条政基《くじょうまさもと》と入山田の番頭たちは、助命嘆願書を冷たく突き放したのである。

文亀四年は年明け早々から事件が起きた。正月一一日の夕刻、御厨子所《みずしどころ》にあった大木村《おおぎ》の職事《しきじ》の刀がなくなっていることがわかった。知らせを聞いた政基はさっそく信濃小路《しなのこうじ》長盛《ながもり》を召し寄せ、被《ひ》官《かん》の者たちやそのとき現場にいた百姓たちを滝宮《たきのみや》に集め、湯起請《ゆぎしょう》（熱湯の中の石を取らせて正邪を決める神判《しんぱん》）を取らせよと命じた。夜になって長盛が帰参し、盗人が見つかり刀も取り返したことを伝えた。

犯人とされたのは船淵《ふなぶち》の百姓だった。なんとか許してやったらどうかとの意見もあったが、人によって刑を変えるわけにはいかないので、すみやかに斬《き》り捨てよとの政基の命令によって、一三日に処刑が行なわれた。八歳になる男子がいたが、この家は年貢諸役を負担する公事家《くじや》なので、家は破却せずにその子に相続させることにした。盗人本人は死罪にするけれども、跡継ぎには罪をかぶせないというのが、政基の基本姿勢だった。

生身の人間を処刑することに、村人たちはさしたる違和感をもたなくなっていた。二月一六日には蕨《わらび》の粉を盗んだとして滝宮の巫女《みこ》とその子供たちが現場で殺されている。飢饉《ききん》が続くなか、掘った蕨を川の水の中にひと晩置いておき、それから粉にすることで、人々は露命をつないでいたが、これが毎晩盗まれたのである。困った村人たちが番を置いて見張っていたところ、蕨を盗む者を発見、あとを追っていくと、滝宮の巫女の家の中に消えていった。ためらわず家内に入ったこの村人は、そこ

13

◉飢饉の光景
食糧が潤沢でなかった中世は、慢性的な飢饉状態ともいえる。旱魃や冷害などですぐに餓死者が出た。『日蓮聖人註画賛《にちれんしょうにんちゅうがさん》』

にいた巫女と二人の息子をその場で殺害した。これはさすがにやりすぎだと政基は思ったが、「この一家が盗みを続けているという噂《うわさ》もあったし、現行犯だから仕方がない。盗人だから自業自得ということか。南無阿弥陀仏《なむあみだぶつ》」と日記に記すしかなかった。

なんとも恐ろしい話だが、村人みんなが生命の危険をはらむ飢饉状態だったわけだから、食糧を盗んだ人に厳しい制裁が加えられるのは致し方なかった。三月二五日の夜にも同じような蕨盗人が見つかり、やはりそのまま家内で殺害された。殺されたのは寡婦《かふ》二人と一七、八になる男子だった。

ところでこのとき盗人を殺害した菖蒲《しょうぶ》村の若衆たちは、そのあとすぐ正円右馬《しょうえんうま》という百姓も盗人の罪で処刑しようとした。このときは右馬の弟の高野聖《こうやひじり》が頼み込んで延期になったが、そもそも事の起こりはつぎのようなものだった。亀源七《かめのげんしち》という百姓が犬鳴山七宝滝寺《いぬなきさんしっぽうりゅうじ》の西坊に米俵を一俵預けておいたところ、正円右馬がやってきて、これは自分のものだと札をつけて、しばらくして取りにきた。ちょうど俵を取りに帰った亀源七が驚いて、「これは私のものだ。その証拠に自分の名前を書いた切紙を俵の中に入れてある」と主張、調べてみるとそのとおり切紙が発見され、正円右馬は盗人と見なされたのである。

亀源七自身は訴えを起こす様子を見せなかったが、村の番頭たちはいきりたち、事の次第を政基に伝え、政基は菖蒲村の番頭の源六宮内《げんろくくない》を呼び出して事情を聞いた。源六宮内の話によると、右馬の弟の高野聖はなんとか過料《かりょう》（罰金）を払って助命できないかと提案したが、その場にいた兄の大屋《おおや》右近《うこん》は「盗人なのに過料で助かるというのは親類の面汚しだ」と言っているということだった。斬《ざん》罪《ざい》にしようか、訴人を召し出して対決させようかと政基が思案していたところに、右馬が内々に二〇貫文《かんもん》の献料を払うと言いだしたとの知らせが届く。無実ならば過料銭を払おうとはしないだろうから、これは白状したも同然だ、献銭で盗人の成敗をしないことにするというのでは、今後のしめしがつかないと、政基は右馬の処刑を命じ、翌朝刑は執行された。

なんとか兄を救おうと努める高野聖と対照的に、長兄の大屋右近は冷淡だった。過料を出して助命してもらったとあっては面子《メンツ》が立たないと、彼は強く主張したのである。村で生きるためにはそこの秩序に従わねばならず、そのためには身内の生命もたいした重みをもたないという発想がここにはみえる。右馬には一四歳になる長女と六歳の弟、それに二歳の妹がいたが、路頭に迷って救いを求めた幼い子供たちを、その伯母《おば》は冷たく突き放した。三人の母は以前に離別していて、親身になってくれる身寄りもなかったが、さすがに哀れに思った政基は、菖蒲村の番頭たちに命じて米や麦を子供たちに与えさせ、大屋右近やこの伯母に三人を扶助するようにと命を下した。正円右馬は譜代《ふだい》の百姓だから、子孫は絶やしてはならぬ。政基はこう言い置いている。

このころ、またまた根来寺《ねごろでら》の僧徒たちが山を越えて乗り出し、粉河寺《こかわでら》の衆もこれに加わった。入山田の谷に現われたのは粉河寺の僧徒で、知らせを聞いた政基は家司《けいし》を遣わして粉河の大将と交渉させた。政基のいる入山田村には手出ししないから、道案内をしてほしいと粉河寺側は申し出、これを受けて船淵《ふなぶち》の番頭をはじめ二〇人ばかりが選ばれて案内役となった。兵士たちを先導した彼らは、日根野ではなく朝代《あさしろ》（大阪府熊取町《くまとりちょう》）のほうに誘導し、家を二軒焼いたのち、一行は熊取谷に進んで放火しようとした。ここで熊取の惣地下衆《そうじげしゆう》が現われて懇願した。「こちらはあなた方をないがしろにしているわけではありません。誰であろうと強いほうに従うのが村の習いです。草のなびくような百姓を焼き滅ぼしても、なんの意味もありません」。話を聞いた粉河衆は、罪がないのに放火するわけにはいかないと、武士たちの館を三つばかり焼いただけですませた。

日根野村が焼き払われないように、先導役をつとめた百姓は巧みに僧徒たちを違う道に誘い込んだ。そして村に放火されそうになった熊取の百姓たちは、とにかく村は無力だと訴えて危機を乗り越えた。武士や僧徒を押し返す武力をもちながら、時には巧みな政治交渉を行なうことで、百姓たちは村の平穏を守ったのである。

九条政基が入山田に入ってから、はや三年が経過していた。入山田村の百姓は政基に従っていたが、日根野村は相変わらず下知《げち》に従わず、政基もしだいに意欲を失い、京都に帰りたいと思いはじめた。結局根来寺閼伽井坊《あかいぼう》の明尊《みようそん》を日根野と入山田の代官《だいかん》に任命することで話がまとまり、政基は上洛《じようらく》の途についた。三年あまりの直務《じきむ》支配は幕を閉じ、もとの代官による支配に戻ったのである。

村掟の世界

村のなかで盗みが起きたとき、入山田《いりやまだ》の番頭《ばんとう》や百姓たちはみずからの手で犯人を処刑していた。領主の指示を仰いではいるが、現行犯の場合はその場で斬《き》り殺しているし、どのように成敗するかについても村側の意向が強く働いていることは否《いな》めない。領主本人が在村している場合でさえこうだから、代官《だいかん》がいるだけのときは村側の主導性はより強く表に出たことだろう。

村で起きた事件は村で処断する。「自検断《じけんだん》」あるいは「地下《じげ》検断」と呼ばれるこうした状況は、この時代の郷村に一般的に広がっていた。永禄《えいろく》一一年（一五六八）一二月、近江《おうみ》菅浦《すがうら》（滋賀県西浅井《にしあざい》町）の百姓たちは惣《そう》（村落共同体）の掟《おきて》に背いた百姓たちの処分にかかわる決め事をしているが、その定《さだめ》文《ぶみ》の中で「当所は守護《しゅご》不入《ふにゅう》、自検断の地なり」と高らかに宣言している。守護勢力の介入を許さず、村独自の裁判を行なうのだという強い意志が読みとれるが、そうした場所であるにもかかわらず、四人の百姓が地頭《じとう》の権威を背景にして悪事を企てたことが、ここでは問題になっていたのである。村のまとまりを脅かす、よからぬ参会をした四人はもちろん、今後もそういう人がいたら成敗する、と定文には書かれている。守護や地頭の干渉を受けずに独自に政治を運営するというのが村側の方針だったが、村人は必ずしも一枚岩ではなく、守護や地頭などと結託して何事かを企てる人もいたことがわかる。

延徳《えんとく》三年（一四九一）一〇月に定められた紀伊《きい》粉河寺《こかわでら》東村の掟書《おきてがき》には、「上下へ口をきき候《そうら》わん人は、地下の悪人にてあるべく候」と書かれている。地頭などよその者と通じてあれこれ話す者は、地下にとっては悪人だ、ということであろう。村の秩序に従わず、守護や地頭、さらには他村などと通じる百姓の存在を警戒していることがわかるが、この掟書には盗人成敗のこともみえる。「もし盗人を見つけたらその場で討て。もしあとで咎《とが》められたら、地下で責任をもって弁明する」。入山田《いりやまだ》村の場合と同じように、ここでも盗みの現行犯はその場で斬《き》り捨ててもかまわないとされていたのである。領主や代官がこれを聞きつけて咎めだてをすることも想定されていたが、そのときは村で責任をもって対応し、盗人を斬った人を罪にはしないと約束しているわけである。

やや時代は下るが、天正《てんしょう》一六年（一五八八）の近江今堀《おうみいまぼり》（滋賀県東近江市）の惣掟には、盗人制裁にかかわるより詳しい規定がみえる。「田や野良で盗みをしている者を見つけて仕留めたら、昼の場合は米を一石《こく》五斗《と》、夜だったら三石を褒美として与える。暮れ六つ（午後六時頃）から明け六つ（午前六時頃）までの夜中に稲を持って歩いていたら盗人と見なして成敗する」。やはり現行犯はその場で斬り捨ててもよかったわけだが、夜中の場合には盗人かどうか判断に迷う場合もありうる。夜中に稲を持って歩いていても、それが自分の田の作物か盗んだものかはわからないが、そもそも夜中に稲を持っていること自体が問題なのだと、この掟書は主張しているのである。

先にみた入山田村の場合、盗人本人は死罪になってもその子供に罪はかからず、跡目相続を許されているが、ほかの村ではどうだったのか。文明《ぶんめい》一五年（一四八三）八月の近江菅浦の惣掟には「地下において、道にはずれたことをしたことによって死罪になったり、地下から追放され

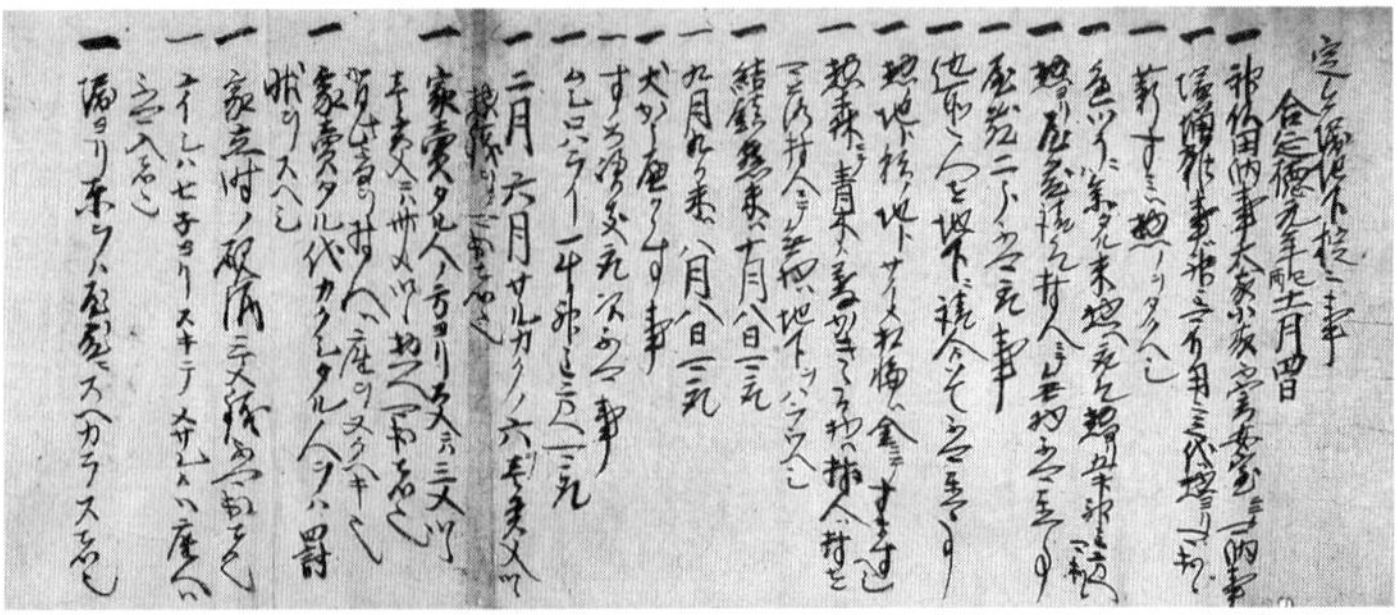

14

◉近江今堀の地下掟書
延徳元年につくられた、二〇か条にわたる細かな掟書。一二条目に「犬かうへからす事」と見える。

たりしても、その跡目については子供に相続させるのが妥当である。前々にこのように取り決めていろいろ置文《おきぶみ》を残したが、最近あまりにも情けない処罰が目立つので、不憫《ふびん》だと思いこのように改めて定めた」と書かれている。文明一五年という早い時期に、かなり厳しい制裁を科す状況になっていたことが知られるが、やはり年貢や公事《くじ》を負担する百姓の家は絶やすべきではないというのが一般的な認識だった。

村掟に書かれていることは、盗人制裁に限らずさまざまである。延徳元年一一月の近江今堀の地下掟（前ページ図版）は二〇か条に及び、その内容は多彩である。「犬を飼ってはならない」といったためずらしい決め事もあり、「惣の森で木の葉をかき取った者は、村人ならばその身分を剝奪《はくだつ》し、村人でなければ、地下から追放する」という一文からは、住人のなかにも村人身分をもてない人々がいたことがわかる。ここでも他村の人の介入を警戒していたとみえ、保証人もないのに他所の人を村に置いてはならないという規定が書かれている。また家を売った人は、一〇〇文《もん》ならば三文、一貫文《かんもん》なら三〇文を惣に出せという条文もあり、家屋売買のときは代金の三パーセントを惣に上納することになっていた。消費税まがいの税金を、惣は村人たちに課していたのである。

村と村の争い

近江今堀《おうみいまぼり》の掟《おきて》にみられるように、ほかの村の人が入ってくることを村人たちは極度に警戒していたが、これにはそれなりの理由があった。守護《しゅご》や地頭《じとう》に対して村は団結して対処し、その独立を保っていたが、村の相手は彼らだけではなく、むしろ並びたつ関係にある近隣の村との争いのほうが深刻な問題だったのである。

長享《ちょうきょう》三年（一四八九）のこと、近江と丹波《たんば》の境において地下人《じげにん》たちの争いが起きた。丹波久多《くた》荘（京都市）の地下人たちが東に進んで山越えし、近江葛川《かつらがわ》（滋賀県大津《おおつ》市）の領域内に入り込み、炭竈《すみがま》などを打ち壊したのである。葛川の訴えを受けた幕府は、その言い分を認め、近くの武士に対しても、もしものことがあったら葛川に合力するようにと奉書で命令している。葛川と久多の百姓たちが実力行使に及んで戦う事態がすでに想定されているのである。

これは山を越えた境界争いだが、平野部においては用水をめぐる相論《そうろん》が頻繁に起きていた。明応《めいおう》五年（一四九六）の山城五箇荘《やましろごかのしょう》と西荘《にしのしょう》（ともに京都市）の争いはその様子がよくわかる事例といえる。両方が訴えを起こしたのは五箇荘の側で、対する西荘のほうも召し出されて問答が繰り返された。両方がともに在所《ざいしょ》の絵図をもちだして主張しあうが、なかなか決着がつかないなか、五箇荘内の牛瀬《うしがせ》の地下人たちが、掟破りの行動を起こす。五箇荘の側には決まった奉行人《ぶぎょうにん》がいて、その申し出を取り次いでいたが、これでは埒《らち》が明かないと、別の奉行を通して訴えを起こそうとし、さらに川の堰《せき》を切り落とす挙に出たのである。これには幕府の首脳部も驚いたが、処分を下すわけにもいかず、今回の挙動については目をつむるから冷静になって裁決を待つようにと諭している。

結局この相論は勝負がつかず、争いが続くのは困るから、今後は用水を半分ずつ分けて仲よく耕作に励めとの命が下された。少しばかりの実力行使はあったものの、とりあえず無難におさまったわけだが、水争いがもとでたいへんな喧嘩《けんか》や合戦になることもまれにはあった。永正《えいしょう》一三年（一五一六）のこと、京都市中のすぐ南、七条《しちじょう》と朱雀《すじゃく》の間で用水をめぐるもめごとが起こる。水口《みなくち》（用水の取り入れ口）での喧嘩がきっかけで戦いが始まり、優勢に立った朱雀の住人たちがそのまま敵を追いかけた。騒動を聞きつけて、縁の深いほうを合力しようと近辺の人々も立ちあがり、大合戦となって死者まで出した。用水確保は村にとって死活問題で、こうした争いが繰り返されたが、二つの村の争いは簡単に広範の村々を巻き込む騒乱に発展する危険性を帯びていたのである。

境相論《さかいそうろん》がなかなか解決しないときには、両方の村から解死人《げしにん》と呼ばれる人が出て、鉄火《てつか》や湯起請《ゆぎしょう》をして勝負を決めることもあった。真っ赤に焼けた鉄をつかんだり、煮えたぎる湯に手を入れたりして、やけどの少ないほうを勝ちとする、いまでは想像もつかないような裁判だが、負けたほうの解死人は結局処刑される運命にあった。村のために一命を犠牲にするこうした人々は、正規の村の構成員ではない者のなかから指名されていたらしいが、村の側もさすがになんらかの恩恵を与えねばならないと考えたらしい。かなり時代は下るが、慶長《けいちょう》一一年（一六〇六）三月に近江宇治河原村《うじかわら》（滋賀県甲賀市《こうか》）のなかの酒人村《さこうど》と芝村との間で相論が起き、鉄火起請を行なうことに決まったとき、宇治河原村の惣《そう》では掟をつくって取り決めをしている。鉄火を取った人には、いま二〇石《こく》、秋に追加で一〇石を与える。その者の家筋の惣領《そうりょう》に対しては、永代に諸役を免除するとそこには書かれていた。村の自治と平穏は、こうした人々の犠牲のうえに成り立っていたのである。

コラム1　名前を変える

現代を生きる私たちは、生後まもなく付けられた名前をそのまま使いつづけるのがふつうだが、かつての人々は何度も名前を変えていた。幼少時には「吉法師《きちほうし》」といった幼名で呼ばれ、元服《げんぷく》すると「信長《のぶなが》」といった実名と「三郎」のような仮名《けみょう》（通称）をもち、「上総介《かずさのすけ》」などの官職を得るとその官職名で呼ばれたが、一度付けられた実名も簡単に変えることがよくみられた。

戦国時代の足利《あしかが》将軍は、その実名をしばしば変えている。義政《よしまさ》から義昭《よしあき》までの歴代将軍のなかで、生涯ひとつの実名しか使わなかったのは義晴《よしはる》だけであった。

また、織田信長の長男の信忠《のぶただ》ははじめ信重《のぶしげ》といっていたし、次男の信雄《のぶかつ》もかつては信意《のぶおき》と名のっていた。越後《えちご》の上《うえ》杉謙信《すぎけんしん》は最初長尾景虎《ながおかげとら》といったが、上杉憲政《のりまさ》から家督を継いで上杉政虎《まさとら》と改め、さらに将軍義輝《よしてる》の一字を拝領して輝虎《てるとら》と改名した。なんともややこしいが、これが当時の実状だったのである。

◉足利将軍の名の変化

義晴以外の七人の将軍はみな名前を変えている。とくに義稙《よしたね》と義澄《よしずみ》は生涯に三つの実名をもった。

〔義政〕	義成《よししげ》→義政
〔義尚《よしひさ》〕	義尚→義熙《よしひろ》
〔義稙〕	義材《よしき》→義尹《よしただ》→義稙
〔義澄〕	義遐《よしとお》→義高《よしたか》→義澄
〔義晴〕	義晴
〔義輝《よしてる》〕	義藤《よしふじ》→義輝
〔義栄《よしひで》〕	義親《よしちか》→義栄
〔義昭〕	義秋《よしあき》→義昭

第二章

地域勢力の台頭

——細川高国の時代

1

政元から高国へ

細川政元という人

目の前まで敵に迫られながらも、細川政元《ほそかわまさもと》は京都を守り抜いたが、これで政元による独裁政治が展開するわけではなかった。将軍足利義高《あしかがよしたか》も二〇歳を超え、政元も若い将軍との関係に苦慮しなければならなくなった。また明応《めいおう》九年（一五〇〇）に後土御門《ごつちみかど》天皇が死去して、子息の勝仁《かつひと》親王が三七歳で践祚《せんそ》し（後柏原《ごかしわばら》天皇）、即位の儀式をどうするかが問題になる。文亀《ぶんき》二年（一五〇二）になると義高が宰相中将《さいしょうのちゅうじょう》（参議《さんぎ》兼左近衛《さこのえ》中将）に任官したいと言いだし、これも悩みの種になった。

即位式にしても宰相中将任官の儀にしてもかなりの費用が必要だが、幕府財政は豊かではなく、各国に段銭《たんせん》（田地の面積に応じて賦課される税）や棟別銭《むねべちせん》（家屋税）を賦課したところで、金の集まる見込みはなかった。そうしたなかでなお形式にこだわる天皇や将軍に政元は不満を抱いていたらしく、一条冬良《いちじょうふゆよし》との問答のなかでこう発言した。「宰相中将などになっても詮《せん》ないことだ。私は（義高のことを）将軍だとしか考えていない。どんなに昇進しても人々が従わなければ意味がない。いまのままで十分だ。それから即位式を行なうこともまったく無益だ。そんなことをしても、まともでない者は王とは思われないものだ。このままでいらっしゃっても、私は（勝仁のことを）王だと思って

●伊勢宗瑞

北条早雲《ほうじょうそううん》の名で知られるが、伊勢《いせ》新九郎《しんくろう》という武士で、入道《にゅうどう》して早雲庵宗瑞《そうずい》と名のる。北条と称したのは子の氏綱《うじつな》から。戦国の幕を開けた傑物である。前ページ図版

いる。だからいっさいの儀式は必要ない」

儀式のときだけ形式的に管領《かんれい》をつとめただけで、公的な立場に身を置くことを政元は拒みつづけたが、格式や職務にこだわることなく、実力や信望といった実体しか信用しない姿勢を貫いていたということができよう。天皇や将軍に対して、特別の儀式をしなくてもいまのままで十分ですと言っているわけで、相手を持ちあげているといえなくもないが、あなた方の存在は私が認めていると いう発言は、実力随一の権力者の自信の現われとしかいいようがない。細川政元は、天皇や将軍に対してこうした大胆な発言ができる人物だったのである。

しかし若い将軍はかなり強気で、政元との関係は一時険悪になった。宰相中将任官の儀は結局実行されるが、即位式のほうはなかなか進まず、やる気のない政元に不満を抱いた将軍義澄《よしずみ》(このころ義高から改名)が、突然京都を出て長谷《ながたに》にこもってしまうひと幕もあった。こうしたことに嫌気がさしたのか、政元はまもなく京都を離れて真木島《まきのしま》(槇島《まきのしま》。京都府宇治《うじ》市)に赴き、ここで越年した。翌文亀三年になっても政元は摂津《せっつ》や真木島にいることが多く、将軍との距離をとりつづけた。

困った義澄はみずから真木島に赴いて政元と面会する。政元も機嫌を直して京都に戻り、翌文亀四年正月には義澄に従って参内し、天皇から盃を下された。細川のような者が天盃《てんぱい》を受けるのは異例なことだが、将軍がいろいろ算段して実現した。当代随一の実力者を、天皇も将軍もそれなりに尊重せざるをえなかったのだろう。栄誉に浴した政元は、さっそく一万疋《ひき》(一〇〇貫文《かんもん》)を献上しますと書いた折紙《おりがみ》(文書)を進上したが、約束しただけで結局上納しなかった。将軍はそれなりに伝統的権威を重んじていたが、政元はそうした心性をほとんどもっていなかったのである。

天皇や将軍に対しては悠然と対応した政元だったが、重臣たちには頭が上がらず、その統制に苦慮しつづけた。上原元秀《うえはらもとひで》を重用して細川の名字を与えようとしたとき、ほかの家臣たちの猛烈な反発を受けて撤回を余儀なくされたことは前述したが、自己主張を繰り返す個々の家臣たちを尊重しつつ、内部抗争も未然に防ごうと、政元はそれなりの努力をしていた。

しかし勢いづいた家臣たちの行動は、政元の予想をはるかに超えるものとなっていった。安富元家《やすとみもといえ》や薬師寺元長《やくしじもとなが》らの古老は一線を退き、香西元長《こうさいもとなが》や薬師寺元一《もとかず》（元長の子）といった若い世代が台頭してきていたが、彼らはやがて主君をものともしない行動に踏み出すことになるのである。

政元暗殺

数多い家臣のなかでも異彩を放っていたのは、大和《やまと》方面に勢力をふるう赤沢朝経《あかざわともつね》だった。かつて政元《まさもと》の危機を救った、功績抜群の家臣だったが、大和や河内《かわち》の現地では不法な行動を繰り返し、人々の反感も買っていた。はじめは功績を認めていた政元も、しだいにその行動を問題視するようになり、二人の関係は微妙なものとなった。

永正《えいしょう》元年（一五〇四）三月、朝経討伐を決意した政元は、摂津《せっつ》守護《しゅご》代《だい》でもある薬師寺元一《やくしじもとかず》に、朝経のいる真木島《まきのしま》城を攻めるように命じた。朝経はすぐに遁走《とんそう》したが、元一は裏で朝経と通じていたらしく、やがて朝経の赦免を願い出、政元もこれを受け入れた。ところが九月初旬になって元一は突然淀《よど》城（京都市）に入り、政元に対して公然と反旗を翻した。

摂津守護代の職を没収しようと政元が考えていると聞かされて謀叛《むほん》に及んだともいわれているが、政元にかえて養子の澄元《すみもと》を家督に据えようというのが、彼のもくろみだったらしい。この前年に阿《あ》波《わ》守護細川成之《しげゆき》の孫の澄元が養子として迎えられたとき、元一は受け取り役を果たしていた。みず

細川氏系図

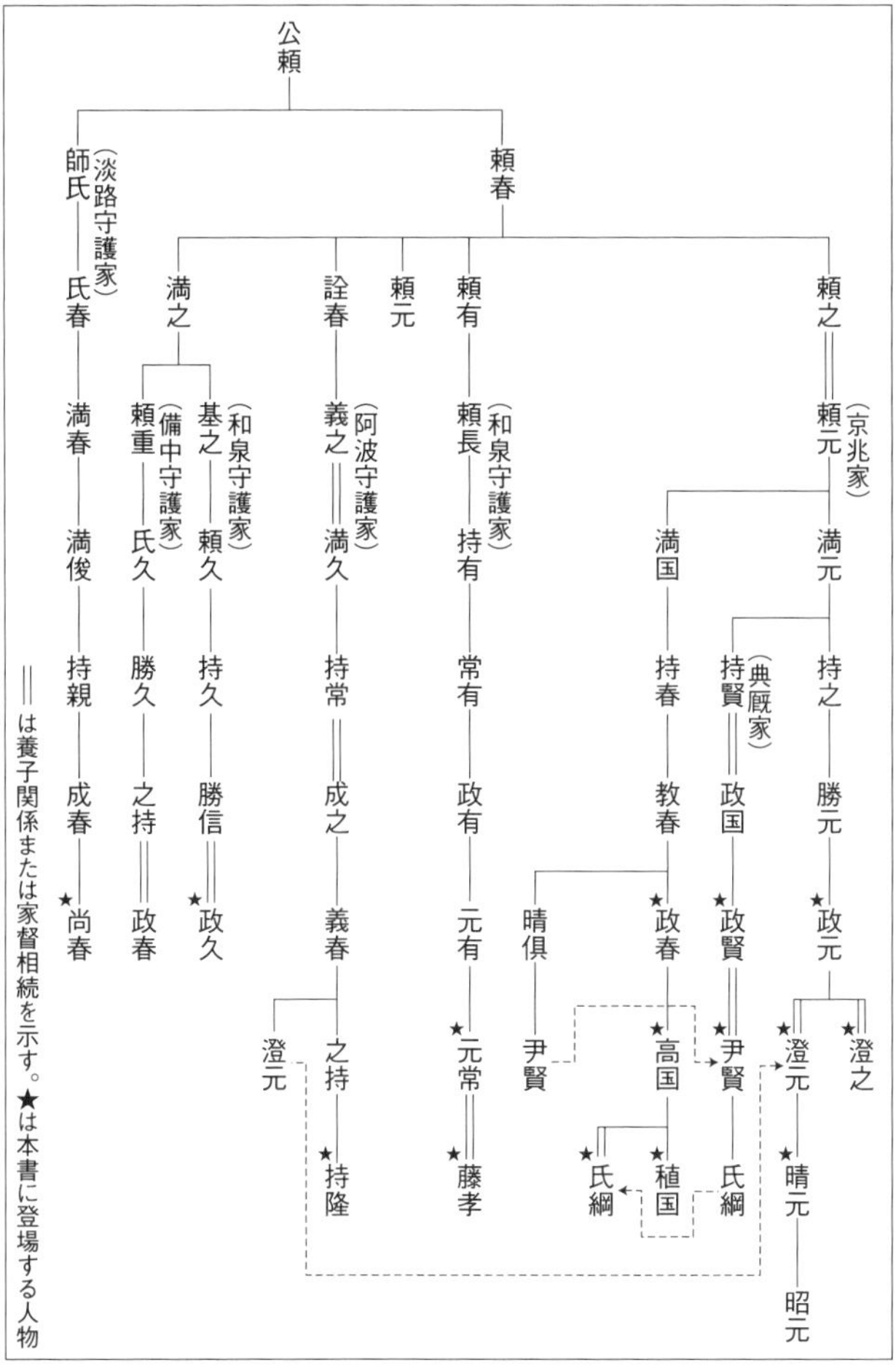

からの立場を脅かしかねない政元にかえて、息のかかった青年を当主に据えようと考えて決起に及んだのであろう。

しかし政元の対応は素早かった。山城《やましろ》守護代の香西元長《こうさいもとなが》らの軍勢が淀城に攻め込み、また薬師寺元一の実弟長忠《ながただ》が、兄と袂《たもと》を分かって軍勢に加わったことで、元一の敗北は決定的となった。九月一九日、淀城はついに陥落し、元一は捕らえられて京都で切腹させられた。

薬師寺の反乱はあっけなく終わったが、これが新たな内紛の火種となった。淀城攻略を実現させた最大の功労者は香西元長だったが、自信をもった彼の行動はエスカレートしていく。京都近郊の荘園からの兵粮米《ひょうろうまい》徴収を試みたことが公家《くげ》や寺院の反発を招き、政元もその所行を問題視するようになっていった。永正二年九月、兵粮米供出を拒んだ一乗寺《いちじょうじ》・高尾《たかお》や山科《やましな》に、元長の率いる軍勢が攻め込み、放火を繰り返したが、政元は元長を叱責《しっせき》しようと山科に赴き、元長は嵯峨《さが》まで逃れた。

薬師寺元一の滅亡によって細川澄元は立場を失って、政元のもうひとりの養子の聡明丸《そうめいまる》（九条政基《くじょうまさもと》の子）が脚光を浴びることになり、元服して澄之《すみゆき》と名のった。政元はこの段階では彼を後継者と考えていたらしいが、香西元長との確執によって事情は一変する。永正三年二月、阿波守護代の三好之長《みよしゆきなが》が招かれて京都に入り、四月には澄元自身が三〇〇〇人の軍勢を率いて入京を果たした。こうして澄元は政元の後継者の地位を約束され、一方の澄之は一五〇〇人の軍勢を伴って丹波《たんば》に赴いた。丹波を与えることでなんとか不満を抑えようという政元の配慮かもしれないが、家督の地位を奪われた澄之とその一派の憤懣《ふんまん》が解消されることはなかった。

この年の七月、大和の反対派を鎮圧しようと、政元は赤沢朝経に出陣を命じた。ところが朝経の大和攻略は難航し、三好之長が救援に赴くが、三好が奈良に出ている間に、香西元長が謀叛を企てているという噂《うわさ》が広まり、政元は三好を京都に召還、帰った三好はさっそく香西と喧嘩《けんか》を始めた。京都とその周辺は不穏な状況が続いており、大和鎮圧どころの騒ぎではなかった。

永正四年六月二三日の深夜、細川政元は浴室で暗殺された。翌日の午の刻《うまこく》(正午頃)、香西元長が率いる軍勢が細川澄元の邸宅を襲い、数刻の合戦ののち、澄元は敗れて逐電した。とりあえず香西の決起は成功をおさめ、丹後《たんご》にいた細川澄之が迎え入れられた。七月八日、入京を果たした澄之は遊初軒《ゆうしょけん》を居所《きょしょ》に定めた。

細川澄元の家督継承がほぼ固まり、三好之長らの勢力が強まるなかで危機を覚えた香西が、薬師寺長忠《ながただ》らと結んで決起に及んだわけで、澄之とも相談ずみのことだった。突然の襲撃によってライバルの追い落としに成功した香西だったが、何ゆえ政元までなきものにしようとしたのか。澄元と三好を撃退す

2

◉細川澄元
ライバルの澄之を滅ぼして上京した直後に描かせた肖像で、当時澄元は一九歳。騎馬武者像としては屈指の名品である。

れば事はすむともいえようが、政元が存命していれば何を言いだすかわからないと、元長は考えたのではあるまいか。政元と香西の間に緊張が続いていたのは確かだが、主君を暗殺するというのは尋常ではない。目的のためには手段を選ばない。香西元長はそうした面をもっていたのだろう。

しかしさしたる準備もなく決行されたクーデターが簡単に成功をおさめるはずはなかった。近江《おうみ》の甲賀《こうか》に逃れた澄元と三好之長は、まもなく反撃に転じ、あっというまに形勢は逆転した。香西が澄元邸を攻撃したとき、細川高国《たかくに》・尚春《ひさはる》といった細川一門は幕府の警固にあたったが、彼ら一族も澄之を見限り、その旗色を鮮明にした。八月一日、細川高国が薬師寺長忠の邸宅を攻め、細川政賢《まさかた》が香西元長と戦い、細川尚春が澄之のいる遊初軒を襲うというかたちでいっせいに襲撃がなされて、香西と薬師寺は討ち取られ、澄之は切腹して果てた。そしてその翌日、細川澄元は五万の大軍を率いて入京を果たし、将軍足利義澄《あしかがよしずみ》に謁見した。

細川高国は備前《びぜん》守護細川政春《まさはる》の子、細川政賢は典厩家《てんきゅう》（右馬頭《うまのかみ》を名のる）と呼ばれた一門の当主で、尚春は淡路《あわじ》守護だった。細川嫡流（京兆家《けいちょう》。右京大夫《うきょうのだいぶ》を称する）の内紛にあたって、彼ら一門の人々は情勢を見きわめながら独自の行動をとっていた。澄元が動く前に先手を打って澄之と香西を討ち取ったのも、澄元が家督を継承したのちに敵方と判断されないための工作だった。

晴れて家督の地位を手にして、澄元と補佐役の三好之長は得意満面だったが、このときすでに新たな危機が迫っていた。混乱に乗じて畠山尚順《はたけやまひさのぶ》がまた動き出していたし、遠く周防《すおう》にいた前将軍足利義尹《よしただ》も情報を得て、京都に乗り込む準備を着々と整えていたのである。

細川高国の決起

紀伊《きい》で潜伏していた畠山尚順《はたけやまひさのぶ》は、京都の騒乱を知ってすぐさま決起した。長年の宿敵である畠山義英《よしひで》とも、この時期には関係を確保していて、はじめは共同して事にあたり、大和《やまと》の筒井《つつい》らとも結んで細川澄元《ほそかわすみもと》に向かって立ち上がった。澄元の命を受けた赤沢長経《あかざわながつね》が奈良に入ると、尚順は義英とふたたび袂《たもと》を分かち、いったん澄元と和議を結んで、義英の攻撃にとりかかった。

このようななか、細川高国《たかくに》は摂津《せっつ》や和泉《いずみ》の軍勢を率いて尚順に協力した。年が改まって永正《えいしょう》五年（一五〇八）正月、義英のこもる河内《かわち》嶽山《だけやま》城（大阪府富田林《とんだばやし》市）は陥落するが、このとき赤沢長経が高国や尚順と仲違《なかたが》いして、義英を城から脱走させるという事件が起きた。

細川一門を代表しながら戦いに参加していた細川高国は、畠山尚順との関係を築き上げて独自の行動をとった。これ自体は細川澄元の意向に反するものではなかったはずだが、赤沢との反目もあって京都に戻れなくなった高国は、伊勢神宮《いせじんぐう》（三重県伊勢市）に参詣《さんけい》したのち伊賀《いが》に入って、仁木《にっき》高長《たかなが》のもとに身を寄せた。

こうして高国は澄元と決別する。事の成否はわか

◉細川高国
没後一二年目に描かれた肖像で、妙心寺《みょうしんじ》派の名僧大休宗《だいきゅうそう》休《きゅう》の賛がある。顔だちからも温厚な人柄がしのばれる。

らなかったが、はるか遠い周防から七〇〇艘《そう》の船が京都に向かっているという情報が彼を勇気づけた。若い細川当主におめおめ従うよりも、京都に向かってくる前将軍と通じて一旗あげよう。高国はこう考えて決起した。二四歳のときである。

高国の軍勢がやってくるという噂《うわさ》は、四月早々から京都で流れはじめた。人々が恐れおののくなか、四月九日の亥《い》の刻《こく》（午後一〇時頃）、三好之長の宿所に火が放たれ、まもなく澄元の在所も炎上した。軍勢の襲来にさきがけて、澄元と三好は三〇〇人ばかりを連れて近江《おうみ》の坂本《さかもと》に逃れた。そしてその翌日、高国は一万の軍勢を率いて堂々と上洛《じょうらく》を果たした。戦いもなく政権交替がなされたことを京都の人々は祝賀し、将軍足利義澄《あしかがよしずみ》は四、五人の供を連れて京都を脱走した。

そして四月二七日、足利義尹《よしただ》と大内義興《おおうちよしおき》の一行が和泉の堺《さかい》に着岸した。船の数は四、五〇〇艘、たいへんな軍団だった。細川高国と畠山尚順はさっそく堺に出向いて義尹に謁見し、五月六日、高国は晴れて細川の家督として認められた。ひと月後の六月六日、義尹は堺を出発、翌日には高国が上洛を果たし、八日には義尹が軍勢を率いて京都に入り、その日の晩に大内義興が上洛した。七月一日、義尹は朝廷から権大納言《ごんだいなごん》に任じられ、征夷大将軍《せいいたいしょうぐん》の地位も回復した。

京都を脱走してから一五年、足利義尹は宿願の将軍復職を果たし、四三歳の将軍を細川高国と大内義興が補佐するかたちになった。義興は京都に長居するつもりはなかったらしいが、将軍に慰留されて、山城守護《やましろしゅご》もつとめながら政治に参与することになる。

船岡山の戦い

京都を脱出した足利義澄《あしかがよしずみ》が向かった先は、近江甲賀《おうみこうか》の九里《くのり》氏のもとだった。三好之長《みよしゆきなが》も近江に潜伏して、再起の計画が着々と進められた。永正《えいしょう》六年（一五〇九）六月、之長は近江で決起して山城《やましろ》に入り、如意嶽《にょいがたけ》に布陣したが、細川高国《ほそかわたかくに》の被官《ひかん》や大内《おおうち》家臣の陶《すえ》・杉《すぎ》らが率いる大軍の襲来を受けて退散した。一〇月の末には二人の賊が将軍足利義尹《よしただ》の寝所に忍び入り、義尹が七か所の傷を受けながら奮闘して撃退するという事件が起こるが、これも義澄や三好之長の差し金に違いなかった。

刺客に襲われてさすがに怒ったのだろう、翌永正七年になると将軍義尹は義澄と三好之長の討伐を日程にのせ、雲竜軒《うんりゅうけん》という遁世《とんせい》者を大将とする軍団が組織された。ところが甲賀の九里に攻め込んだ幕府軍は惨敗を喫し、大将の雲竜軒も討ち取られる始末だった。

永正八年になると義澄方の動きは具体化した。阿波《あわ》に戻っていた細川澄元《すみもと》が決起し、細川政賢《まさかた》や細川尚春もこれに呼応した。この両人はかつて高国と共同歩調をとったこともあった

3

◉**船岡山遠景**（京都市）
大徳寺《だいとくじ》の南にある海抜一一〇mの小さな山で、建勲《たけいさお》神社や船岡山公園がある（写真中央）。ここに登ると京都の街が見渡せる。

が、なみ居る細川一門のなかで高国だけが出世したことに不満をもっていたのであろう。七月には摂津《せっつ》で合戦が繰り広げられ、幕府軍は結局押し切られて、義澄方がひしひしと京都に迫ってきた。

しかし兵力では幕府軍のほうが勝っていた。八月一六日、将軍義尹は細川高国や大内義興らを引き連れて京都を出発し丹波《たんば》に入ったが、その軍勢は二万五〇〇〇人ばかり、落人《おちゅうど》の風情にはみえなかった。そのあと細川政賢に率いられた兵士たちが京都に入ったが、その数はすべて合わせても六〇〇〇程度にすぎなかった。京都を去った義尹の軍勢は、入京した軍勢を圧倒していたのである。

丹波に入った義尹は、さっそく反撃の準備を整えた。八月二三日、義尹は軍勢を率いて北山《きたやま》まで進み、対する京方は船岡山《ふなおかやま》に布陣した。明けて二四日、細川高国や大内義興、畠山政国《はたけやままさくに》（尚順《ひさのぶ》の子）らが率いる軍勢がいっせいに攻撃をしかけ、激戦の末、船岡山は制圧され、細川政賢は戦死した。前代未聞の激戦で、討ち取られた首は三八〇〇に及んだ。

壮絶な戦いはこうして終わるが、軍勢の中心に立つはずの足利義澄はこれに先立って近江岡山《おかやま》（滋賀県近江八幡市《おうみはちまん》）で三二歳の生涯を閉じていた。前将軍の死去を隠しながら細川澄元らの戦いは続けられたが、戦意喪失は覆いがたく、圧倒的な大軍を前に敗退を余儀なくされたのである。澄元は阿波に逃れるが、その一派はいったんなりをひそめ、義尹と細川・大内が主導する政治体制は安定度を増すことになる。

戦国大名の誕生

長尾為景の台頭

一時の混乱を経て、京都は安定を取り戻し、新たな政権が歩みを始めたが、細川政元《ほそかわまさもと》の時代に比べて幕府の力の及ぶ範囲はせばまり、京都から離れた地域では、守護《しゅご》や守護代《しゅごだい》、あるいは国人《こくじん》たちが勢力を競い、地域権力として台頭する時代が到来した。越後《えちご》の長尾為景《ながおためかげ》もそのひとりである。

永正《えいしょう》四年（一五〇七）八月一日、越後の府中《ふちゅう》で大事件が起きた。守護代の長尾為景が決起して、守護の上杉房能《うえすぎふさよし》に攻撃をしかけたのである。房能は府中を逃れたものの追手《おって》に囲まれて自害した。為景は房能の従兄弟《いとこ》の定実《さだざね》を擁して事に及んでおり、守護にとってかわろうとしていたわけではないが、守護代が守護を討ち取るという下剋上《げこくじょう》のクーデターだったことは間違いない。

関東で内乱が続くなか、越後は平和を謳歌《おうか》し、守護の上杉氏は着実に領国支配を進めていた。しかし長年守護代をつとめた長尾氏の実力もあなどりがたく、上杉氏の支配も実質的には長尾氏の力に依存しているといえなくもない。守護と守護代の関係が保たれているうちはいいが、いずれ両者が決裂するのは、ある意味では必然だった。前年の永正三年に為景は若年で家督を継承するが、この機会に押さえつけにかかろうとした守護を、先手をとって討ち取ったということかもしれない。

為景が決起したのは政元暗殺のひと月あまりのちで、京都の変事の情報はすでに越後に届いていたに違いない。政元は越後に来たこともあり上杉氏とは昵懇《じっこん》の間柄だったから、政元の死去によって為景の行動も自由になったのかもしれない。主君を討ち取るという行為は褒められたものではないが、為景は新たな主君を戴《いただ》きながら幕府への接近を試み、みずからの行動の正当化に成功する。永正五年には上杉定実を正式に越後守護として認めるとの、将軍足利義尹《あしかがよしただ》の御内書《ごないしょ》が出され、同時に為景に対しても、定実を補佐せよとの内容の御内書が渡された。ようやく京都を押さえた義尹や細川高国《たかくに》にとっても、敵方に対抗するために越後の長尾為景との連携は不可欠だった。こうした事情をとらえながら、為景は幕府との円満なつながりを確保することに成功したのである。

それから半年あまり過ぎた永正六年七月、関東管領《かんれい》の上杉顕定《あきさだ》が大軍を率いて越後に攻め込んだ。顕定は房能の実兄で、弟の仇《かたき》を討つという名目があったが、越後に対するみずからの影響力が低下することを危惧《きぐ》して、こうした進軍を決行したとみてよかろう。顕定は長い間扇谷《おうぎがやつ》上杉氏との戦いを続けてきたが、永正二年には扇谷上杉朝良《ともよし》を屈伏させて勝利をおさめ、関東の統括者として自信を深めていた。そうした実力を背景にして、一挙に越後も手中に入れようとしたのであろう。

大軍の襲来に直面した為景は、定実とともに越中《えっちゅう》に逃れ、翌永正七年には海路佐渡《さど》に渡って再起をはかった。そして四月に蒲原津《かんばらのつ》（新潟市）に上陸し、反撃を開始した。上杉顕定は味方の敗戦を聞きつつ踏みとどまったが、六月二〇日の長森原《ながもりはら》（新潟県南魚沼市《みなみうおぬま》）の戦いで討ち取られた。時に五七歳、まさかの敗戦だった。こうして危機を克服した為景は、守護の定実との確執も乗り越えて、越後の国主ともいえる存在になっていく。

伊勢宗瑞と北条氏綱

関東の統帥としてまとめ役を果たしていた上杉顕定《うえすぎあきさだ》の敗死は、関東各地に大きな影響を与え、時代は転換していった。古河公方《こがくぼう》家でも関東管領《かんれい》家でも、深刻な分裂が起きたのである。顕定には男子がなく、古河公方足利政氏《あしかがまさうじ》の弟の顕実《あきざね》と、みずからの甥《おい》の上杉憲房《のりふさ》を養子にしており、顕定が死去すると顕実が関東管領の職を継いで武蔵《むさし》の鉢形《はちがた》城に拠《よ》り、憲房は上野守護《こうずけしゅご》となって平井《ひらい》城（群馬県藤岡《ふじおか》市）に入ったが、両者の間は円満ではなかった。同じ時期に古河公方政氏の子の高基《たかもと》が父と袂《たもと》を分かって下総《しもうさ》の関宿《せきやど》（千葉県野田市）に入り、公方家も二つに分かれた。そして平井の上杉憲房は関宿の足利高基と通じ、対する上杉顕実は古河の政氏とつながるかたちになる。永正《えいしょう》九年（一五一二）六月、憲房は鉢形城を攻めて顕実を追い出し、山内《やまのうち》上杉の家督と関東管領の地位を手中にしたが、これも影響してか、古河公方家の争いは高基の勝利に終わり、彼は古河城に入って公方の座につくことになる。

こうした権力の分裂状況を見逃さず、一気に勢力を伸ばしたのが伊豆《いず》の伊勢《いせ》宗瑞《そうずい》（北条早雲《ほうじょうそううん》）である。永正九年になって相模《さがみ》の中部に進軍した宗瑞は、三浦《みうら》義同《よしあつ》の守る岡崎《おかざき》城（神奈川県伊勢原《いせはら》市）を攻めて、ここを奪い取った。宗瑞が伊豆に入ったのは明応《めいおう》二年（一四九三）で、二年後には相模西端の小田原《おだわら》城（神奈川県小田原市）を接収していたが、そこから東に進むのは容易ではなく、二〇年近くの歳月が過ぎていた。上杉顕定戦死後の混乱に乗じて、宗瑞はようやく出兵したのである。岡崎から逃れた三浦義同は三浦半島の住吉《すみよし》城（神奈川県逗子《ずし》市）に入るが、宗瑞は東に進んで鎌倉《かまくら》に入り、三浦半島を除く相模の制圧に成功する。
鎌倉を制した宗瑞は、その西郊の玉縄《たまなわ》の地に城を築き、ここを三浦氏に対する前線基地とした。住吉城にいた三浦義同は、戦い敗れてここも放棄し、半島南端の新井《あらい》城（神奈川県三浦市）にこもった。海に面した要害に入って起死回生を試みたのである。しかし宗瑞は三浦討伐を断念せず、永正一三年七月、総攻撃の末、新井城を陥落させた。三浦義同はここに滅亡し、宗瑞は相模の制圧を成し遂げた。このころには宗瑞の子息の氏綱《うじつな》が家督を継承していたらしいが、永正一六年に宗瑞が死去すると、氏綱は名実ともに伊勢家の中心に立った。時に氏綱は三四歳だった。

ちょうど同じころ、関東ではもうひとつの新たな権力が台頭してきていた。古河公方足利高基の弟の義明《よしあき》が、上総《かずさ》の小弓《おゆみ》（千葉市）に拠点を据えて周囲の武士を吸引しはじめたのである。義明を擁立したのは上総真里谷《まりやつ》（千葉県木更津《きさらづ》市）の武田《たけだ》恕鑑《じょかん》で、名族武田氏の一門である。鎌倉公方足利成氏《しげうじ》の近臣だった武田信長《のぶなが》が上総に入ったのが出発点で、いつしか上総の領主として成長を遂げていた。同じく成氏の近臣の里見《さとみ》義実《よしざね》を祖とすると伝えられる安房《あわ》の里見氏も、安房一国をまとめあげ、上総南部までその勢力を伸ばしていた。

4

◉北条氏綱
領国拡大を進める一方で、鎌倉の鶴岡八幡宮《つるがおかはちまんぐう》の再建を成し遂げ、関東随一の大名の地位を手に入れた。立派な二代目。

弟の小弓入城は、古河公方の足利高基を刺激した。危機を感じた高基は、相模の小田原に入っていた伊勢氏綱と連携して義明を牽制《けんせい》しようとした。永正一八年（一五二一）二月、高基の子晴氏《はるうじ》と氏綱の娘との婚儀がなされ、伊勢氏は古河公方家の姻戚となった。外部からの侵略者にすぎなかった伊勢氏にとっても、古河公方とのつながりをもつことは有益だったが、このようななか、氏綱は対面する扇谷上杉《おうぎがやつうえすぎ》氏との戦いを続けてゆく。そして大永《だいえい》四年（一五二四）正月、扇谷家の拠点である武蔵江戸城に攻め込んだ氏綱は、城将太田《おおた》資高《すけたか》の内応を得て、ここを接収することに成功した。関東の中心部に位置する枢要の地を、ついに手に入れたのである。

このころすでに氏綱は伊勢から北条へとその名字を変えていた。改姓の理由は定かでないが、他国からの侵略者だという上杉側の言い分に対抗して、相模の支配を順調に進めるために鎌倉幕府執《しっ》権《けん》北条氏をもちだしたのだと考えてよいだろう。

今川氏親と武田信虎

伊勢《いせ》宗瑞《そうずい》はもともと幕府の政所執事《まんどころしつじ》の一門で、その姉が駿河守護《するがしゅご》の今川義忠《いまがわよしただ》に嫁いでいた縁で東国とのかかわりをもった経緯がある。義忠が遠江《とおとうみ》で横死したのち、宗瑞は甥《おい》にあたる竜王丸《りゅうおうまる》を補佐して、これを今川家当主に据えることに成功した。やがて竜王丸は元服して今川氏親《うじちか》と名のるが、宗瑞の後援も受けながら、遠江さらには三河《みかわ》に兵を進め、今川氏の領国を大きく広げてゆく。

今川軍の遠江侵攻は明応《めいおう》三年（一四九四）に開始された。このときは伊勢宗瑞が大将となって、遠江の東部一帯に攻め込んでいる。その後も出兵は続き、遠江を越えて三河まで今川氏の勢力は及んだ。文亀《ぶんき》元年（一五〇二）には遠江西部の拠点である堀江城《ほりえ》（静岡県浜松市《はままつ》）まで今川軍の攻撃が及び、遠江全体の制圧がおおかた実現した。

　遠江を押さえた氏親は、三河侵攻を本格的に開始する。東三河の中心ともいえる今橋《いまはし》（豊橋市）の地には、牧野《まきの》古《こ》白《はく》という武将がいて、今川との友好関係をそれなりに保っていたが、永正《えいしょう》三年（一五〇六）になって氏親は軍勢を派遣して今橋城を攻め落とし、牧野古白は戦死した。こののち今川軍は西三河に進み、松平《まつだいら》氏と戦いを交えたのち帰国の途についた。

　永正七年になると斯波《しば》義達《よしみち》が遠江の回復を企てて動きはじめ、遠江はふたたび戦場となる。斯波氏は尾張《おわり》と遠江の守護だったが、今川によって遠江を失い、義達は尾張を出て失地回復を試みたのである。戦いは数年に及んだが、永正一四年、氏親は自身出馬して大河内《おおこうち》貞綱《さだつな》のこもる引間城《ひくま》（浜松市）に向かい、天竜川《てんりゅうがわ》に三〇〇余艘《そう》の船をつなぎあわせた船橋を架けていっせいに攻め込ませた。命を受けた安部山《あべやま》（静岡市）の金掘りたちが城のなかの井戸を掘り尽くしていたので、城中に水は一滴もなくなり、引間城は落城を余儀なくされた。貞綱は戦死し、義達は捕らえられて尾張に送り返され、長年の戦いに決着

◉今川氏親
自身が再興した駿河の増善寺《ぞうぜんじ》に木像がある。晩年は中風に悩まされていたようだが、領国を広げた功績は大きい。

がつけられた。このとき氏親は四三歳、三〇年ほどの間に今川氏の勢力範囲を大きく広げることに成功したのである。

ちょうどこのころ、駿河の隣国甲斐《かい》では武田《たけだ》信虎《のぶとら》が国内の統一を進めていた。信虎（はじめは信直《のぶなお》と名のる）は永正四年に一四歳で武田の家督を継承したが、叔父《おじ》にあたる武田信恵《のぶよし》があからさまに敵対し、前途は多難だった。しかしこの若い当主は、翌年には信恵を討ち取って一門の分裂を防ぎ、国内各地に拠点をもつ独立性の強い国人《こくじん》たちを取り込みながら、領国の基盤を着実に固めていった。

最大の難敵は甲斐西部に勢力をもつ大井《おおい》信達《のぶさと》で、信虎は夫人の父である信達と戦いを繰り返さざるをえなかった。永正一二年の戦いでは大敗を喫したが、くじけずに対戦を続け、永正一七年にようやく信達を降伏させる。大永《だいえい》元年（一五二一）には駿河の今川氏の大軍が河内《かわち》方面に現われ、信虎は危機に陥るが、なんとかこれを撃退し、大永四年には東から攻めてきた上杉憲房《うえすぎのりふさ》の軍勢を食い止めた。国内統一をほぼなしおえた信虎は、やがて西に進んで信濃《しなの》の諏訪《すわ》氏と戦いを始め、これからしばらくは武田と諏訪の戦いが繰り返されることになる。

6

◉武田信虎
四八歳のとき、子の晴信《はるのぶ》に追放されたが、諸国遍歴を続け、八一歳の長寿をまっとうした。肖像は三男信廉《のぶかど》が描いたもの。

高国の栄光と挫折

義稙・義興・高国

船岡山《ふなおかやま》の一戦で敵方を撃退した将軍足利義尹《あしかがよしただ》は、めでたく京都に戻り、将軍が細川高国《ほそかわたかくに》や大内義興《おおうちよしおき》らとともに政治にあずかるかたちが回復した。永正《えいしょう》九年(一五一二)四月一六日、細川高国の邸宅で、将軍を招いて盛大な宴が開かれ、能登《のと》守護の畠山義元《はたけやまよしもと》と大内義興、さらに細川尹賢《ただかた》をはじめとする御供衆《おともしゅう》が参加した。

義尹の渡御《とぎょ》は申《さる》の刻《こく》(午後四時頃)で、三献《さんこん》の儀《ぎ》のあとは無礼講になった。夜明けまで延々と酒宴が続いたが、座敷には牧谿《もっけい》筆の絵画など唐物《からもの》の優品が並び、人々の目を楽しませた。これだけするにはかなりの費用がかかっただろうが、将軍や諸将を歓待することで、これからの京都での政治運営が円滑に進むようにしたいと高国は願ったのであろう。

戦いに敗れた細川澄元《すみもと》は阿波《あわ》に戻り、これと提携していた播磨《はりま》の赤松義村《あかまつよしむら》も和議に応じて、当面の危機は消滅した。赤松のもとには前将軍義澄《よしずみ》の遺児がかくまわれていたが、この少年も赤松とともに義尹に臣従することになった。永正一〇年一一月、将軍義尹は義稙《よしたね》と改名、公家《くげ》や武将たちはこぞってこれを祝賀した。このとき義稙は四八歳、大内義興は三七歳で、細川高国はいちばん若い三〇歳だった。

このあと数年間は三人の間に目立ったトラブルはなく、京都やその周辺は平穏な時代が続いた。大内義興も山城《やましろ》守護の職務をまっとうしながら、幕府の関係者とも円満な関係を築き上げていた。永正一三年八月、伊勢神宮《いせじんぐう》に参詣《さんけい》しようと考えた義興は、従者の行列をどのようにしたらいいかわからず、有職故実《ゆうそくこじつ》に詳しい政所執事《まんどころしつじ》の伊勢貞陸《さだみち》から行列の図を書いてもらったうえで京都を出発、奈良の興福寺《こうふくじ》を経由して神宮への参詣を果たしている。義稙も義興の長年の功績を認め、永正一四年には石見《いわみ》の守護職《しゅごしき》も与えた。

しかし長期にわたる京都での職務は大変で、物入りも多く、いつまでも在京するわけにはいかなかった。この年の閏《うるう》一〇月、義稙は病気治療のために摂津《せっつ》の有馬《ありま》（兵庫県神戸《こうべ》市）に湯治に行くが、義興もこれに従いつつ和泉《いずみ》の堺《さかい》まで進み、ここにとどまって年を越すことになった。

永正一五年正月、さすがに困った義稙が伊勢貞陸を堺に遣わして、早く上京するようにと頼むが、義興はいうことをきかず、義稙も結局折れざるをえなかった。八月になって帰国の許可が正式に下され、義興は堺を出帆して周防《すおう》山口に帰った。ちょうど一〇年に及ぶ在京だった。

7

◉足利義稙
京都を逃れて一五年、苦難を乗り越えて将軍復職を果たした不屈の精神はたいしたものである。

三好之長の入京

細川澄元《ほそかわすみもと》は阿波《あわ》に入って再起の時をうかがっていたが、復活戦に執念を燃やしたのは、むしろその重臣の三好之長《みよしゆきなが》だった。六年の雌伏ののち、之長はようやく決起する。永正《えいしょう》一四年（一五一七）の閏《うるう》一〇月、淡路《あわじ》に乱入した之長は、淡路守護《しゅご》細川尚春《ひさはる》と戦って勝利をおさめ、尚春は堺《さかい》に逃亡した。永正一六年一一月、澄元と之長はついに四国を出発して摂津《せっつ》に入り、越水城《こしみず》（兵庫県西宮市《にしのみや》）の攻撃を始めた。細川高国《たかくに》も対応を迫られ、一門の細川尹賢《ただかた》がまず出陣し、そのあと軍勢を率いて高国がようやく出発した。にらみあいのまま年が明けるが、永正一七年二月に越水城がついに陥落、高国は尼崎《あまがさき》で大敗して京都に引き返し、将軍足利義稙《あしかがよしたね》に使者を遣わした。御所を警固すべきか、自分の宿所に帰るべきかと問う使者に対して、近くに来るなと義稙は冷たく突き放した。

立場を失った高国は、軍勢を率いて京都を去り、近江《おうみ》の坂本《さかもと》に退却した。やがて摂津の細川澄元から将軍義稙に対しては他意はないとの申し入れがなされ、義稙の身には累が及ばないことが確認された。三月二七日、きらびやかな甲冑《かっちゅう》を身にまとった一〇〇余騎の武者と、二万余人の兵士を率いて、三好之長は上洛《じょうらく》を果たした。しかし、澄元の姿はなぜかそこにはなかった。

しばらくして澄元が細川の家督を相続したことに対する礼物が、三好の手で幕府に進上されたが、宿願を果たしたはずの本人がいないのはなんとも不自然だった。そしてこうしたなか、いったん坂本に逃れた細川高国の復帰作戦が着々と進められてゆく。五月三日に京都への出陣が決行され、高国の軍勢は如意嶽《にょいがたけ》や一乗寺《いちじょうじ》の上山、さらには東山《ひがしやま》のあたりに配置され、対する三好軍は三条御所や等持寺《とうじじ》の四方に陣取って待ち構えた。一夜を明かしたのち、四日の巳《み》の刻《こく》（午前一〇時頃）から合戦が始まった。三好の兵は無勢ながら懸命に戦ったが、さすがにかなわず、戌《いぬ》の刻（午後八時頃）には退散してしまった。三好之長は曇華院《どんげいん》に隠れていたが一一日についに捕らえられ、切腹して果てた。

翌一二日、細川高国は将軍義稙と対面した。自分を助けてくれずに保身をはかった将軍に対して、恨みがなかったはずはないが、さすがに追い出すわけにもいかず、高国はそのまま義稙とともに政治をとりしきることになる。しかし両者の関係は往年のようにはいかなかったとみえ、翌永正一八年三月七日の夜、義稙は京都を抜け出して和泉の堺に赴き、船に乗って淡路に入った。高国との仲《なか》違《たが》いが原因らしいが、これまでの経緯を考えれば、それも致し方ないといえなくもない。突然のことに困惑した高国ではあったが、播磨《はりま》の赤松義村《あかまつよしむら》のもとにいた足利義澄《よしずみ》の遺児を引き取って後継者にすることにし、さっそく話をもちかけた。七月六日、輿《こし》に乗った一一歳の少年が、数十人の騎馬武者を引き連れて京都に入ってきた。

淡路に逃れた義稙は、一〇月になって堺に上陸して再起をはかるが、駆け付ける大名があまりいないので、あきらめて淡路に帰っていった。一一月二五日、京都に入った少年は朝廷から左馬頭《さまのかみ》に任じられ、一二月二四日には元服の儀がなされて足利義晴《よしはる》と名付けられた。このときの加冠《かかん》役は細川高国がつとめ、その翌日、義晴は正式に征夷大将軍《せいいたいしょうぐん》に任命された。それから一年あまり経過した大永《だいえい》三年（一五二三）四月九日、足利義稙は阿波の撫養《むや》（徳島県鳴門《なると》市）で五八歳の生涯を閉じた。

細川高国の失脚

大永《だいえい》五年（一五二五）四月、細川高国《ほそかわたかくに》は出家を遂げ、家督を子息の稙国《たねくに》に譲った。ちょうど四二歳の厄年で、細川の家督を継承してから、はや一七年の歳月が経過していた。一線を退くわけではないが、そろそろ余生を楽しみたいと、彼は考えていたに違いない。

しかし半年後に不幸が襲う。家督を譲った稙国が、黄疸《おうだん》を患ってあっけなく死去してしまったのである。まだ一八歳だった。陰陽師《おんようじ》に呪《のろ》い殺されたのだという噂《うわさ》が広まり、自身に反感をもつ人々の存在を意識せざるをえなくなったが、やがて不安は現実のものとなる。翌大永六年七月、細川尹賢《ただかた》の中傷をまに受けて、高国は家臣の香西元盛《こうさいもともり》を自害させてしまうが、これがきっかけとなって、予想を超える内乱が始まったのである。

元盛の兄弟である波多野稙通《はたのたねみち》と柳本賢治《やなぎもとかたはる》が、元盛の仇《かたき》をとろうと丹波《たんば》で決起するが、事を起こすにあたって彼らは阿波《あわ》の細川晴元《はるもと》と連絡をとりあった。細川澄元《すみもと》は三好之長《みよしゆきなが》が滅びたすぐあとに三二歳で死去し、子息の晴元が跡を継いでいた。細川高国と尹賢に恨みを抱いた波多野と柳本は、長く京都を追われて逼塞《ひっそく》していた一派の支援を得ようとしたのである。

8

◉三好元長
足利義維を擁して堺を押さえ、小幕府を築き上げた元長は、山城南半の守護代の地位を得たが、急速な栄進は周囲の反発を招いた。

一一月になって細川尹賢が軍勢を率いて京都を出発するが、丹波で惨敗して逃げ帰った。一二月になると阿波の細川と三好の軍勢がいっせいに海を渡って堺《さかい》に上陸した。年明けて大永七年、丹波方面からの敵の来襲に備えて、高国らは準備を進めた。二月一二日、高国は東寺《とうじ》に陣取り、将軍義晴は本圀寺《ほんこくじ》に陣をしいた。翌日の一三日に市中で合戦が繰り広げられるが、寄《よせ》手《て》に押し切られ、義晴と高国は近江《おうみ》の坂本《さかもと》に逃れた。

柳本賢治の軍勢はまもなく京都を押さえ、細川晴元は三好元《もと》長《なが》（之長の孫）とともに堺に到着したが、前将軍義澄《よしずみ》の遺児もそこにいた。将軍義晴の兄にあたるこの青年は、元服して足利《あしかが》義維《よしつな》と名のり、朝廷から左馬頭《さまのかみ》に任じられた。義維を戴《いただ》きながら、晴元と元長の両者が、とりあえずは協力しながらも、独自の動きを続けてゆくことになる。

近江の守山《もりやま》まで逃れた義晴は、坂本を経て一〇月に京に入り、細川高国も晴れて上洛《じょうらく》を果たした。足利義維や細川晴元らは堺におり、柳本賢治も京都を離れていたので、さしたる抵抗もなく入京することができたが、敵方の勢力は温存されたまま

9

◉堺の大道
遣明船《けんみんせん》の発着点、さらには南蛮貿易の拠点として堺は繁栄し、三六人の会合衆《えごうしゅう》を中心に住人の自治がなされていた。（『住吉祭礼図屏風《すみよしさいれいずびょうぶ》』）

なので、早晩反撃があることは十分予想できた。敵に備えるため、義晴は東寺に出陣し、高国は唐橋《からはし》のあたりに野陣をしいた。

一一月になると柳本賢治らが丹波の軍勢を率いて京都に入り、三好元長もこれに呼応して上京した。大きな合戦はなかったが、敵対する双方が京都とその近郊でにらみあいを続けるという、尋常ならざる事態になったのである。年明けて大永八年、こうした状況を克服しようと、細川高国は三好元長と連絡をとりあい、和睦《わぼく》工作を進めるが、これが事態をいっそう複雑にした。元長は高国の意向を受け入れるつもりだったらしいが、細川晴元はこれをかたくなに拒絶し、これがもとで、晴元と元長の関係が険悪になったのである。晴元にとって高国は、庶流でありながら細川の家督を奪い取った人物で、どうしても許せない存在だったのだろう。

和平工作が不調に終わるなか、高国はしだいに立

10

●桑実寺
近江に入った将軍義晴は、しばらく桑実寺《くわのみでら》を居所としたが、その間に土佐《とさ》光茂《みつもち》に命じて寺の本尊薬師《やくし》如来《にょらい》の由来と霊験《れいけん》を語る絵巻を描かせた。(『桑実寺縁起絵巻《えんぎえまき》』)

場を失っていった。晴元や元長にしても、将軍義晴に恨みはなく、彼らの標的は高国と尹賢だったのである。ここに至って高国も観念し、五月一四日、尹賢を伴って近江坂本に入り、さらに進んで山上に潜伏した。将軍義晴も京都を離れて坂本に入った。

高国の復活戦と敗死

京都やその周辺では、細川晴元《ほそかわはるもと》と三《み》好元長《よしもとなが》、さらに柳本賢治《やなぎもとかたはる》と、それにつながる人々がうごめいていたが、晴元と元長は仲違《なかたが》いしており、元長と柳本の関係も円満ではなく、状況は混迷していた。

こうした情勢を見据えながら、将軍足利義晴《あしかがよしはる》は再起をはかり、細川高国《たかくに》も復権の機会をねらいつづけた。享禄《きょうろく》元年（一五二八）九月になって義晴は坂本《さかもと》から朽木谷《くつきだに》（滋賀県高島《たかしま》市）に移って朽木稙綱《くつきたねつな》のもとに身を寄せ、高国は一一月に近江《おうみ》から伊賀《いが》に入った。翌享禄二年、高国はいったん伊勢《いせ》に入ったのち、近江に戻って越前《えちぜん》に出、海路出雲《いずも》まで赴いて尼子経久《あまこつねひさ》のもとに飛び込んだ。復権への意欲は盛んで、尼子があてにならないとみるや、出雲を去って備前《びぜん》の三石《みついし》城（岡山県備前市）に入り、浦上村宗《うらがみむらむね》に協力して戦ってほしいと頼み込んだ。

浦上村宗は京都所司代《しょしだい》もつとめた浦上則宗《のりむね》の養子で、播磨守護《はりましゅご》赤松義村《あかまつよしむら》の重臣だったが、主君に敵対して八年前にこれを殺害し、実権掌握に成功していた。長尾為景《ながおためかげ》と同じような所行だが、細川高国のとりなしで名誉を失わず、将軍との謁見も果たしたという経緯があった。こうした恩義もあったので、村宗は喜んで高国を迎え入れたのである。

高国と村宗がまず標的にしたのは、播磨まで来ていた柳本賢治だった。享禄三年六月二九日の夜、賢治は大和山伏《やまとやまぶし》と称する者の手で殺害されたが、おそらく高国か村宗の指令によるものであろう。やがて高国は摂津《せっつ》に進み、冬になると高国方の内藤《ないとう》彦七《ひこしち》が京都の勝軍地蔵山《しょうぐんじぞうさん》に拠点を据えて、木沢長政《きざわながまさ》が率いる兵と戦いを繰り返した。長政はもと畠山《はたけやま》の被官《ひかん》で、のちに高国に仕え、いまでは細川晴元に従っていて、節操のなさが話題にされていたが、その軍団は意外に強かった。

享禄四年三月、高国は摂津の池田《いけだ》城（大阪府池田市）を陥落させ、さらに中島《なかじま》（大阪市）まで進むが、一戦に敗れて天王寺《てんのうじ》に移った。五月には内藤彦七が丹波《たんば》で敗死し、形勢は思わしくないほうに動きだす。そして六月四日、堺《さかい》から襲来した三好《みよし》の軍勢に攻められて天王寺の陣は解体、浦上村宗は溺死《できし》し、高国は船で尼崎《あまがさき》まで逃れたものの、捕らえられて切腹させられた。六月八日のことである。

高国切腹の知らせを聞いた公家《くげ》の鷲尾隆康《わしのおたかやす》は、日記にこうしたためた。「高国は細川の惣領《そうりょう》の座を取り戻したい一心でがん

●細川高国の復活戦
近江から伊勢、伊勢から越前、越前から出雲、出雲から備前。長い旅を続けながら、高国は再起の時をうかがっていた。

ばったわけではない。ただ寺社や公家の所領を守りたいと思って、ここまでしてくれたのだ」。京都の公家や寺社にとって、高国は彼らの権益を保護してくれる、ありがたい政治家だったのである。しかし、いかに善政をしいたとしても、政権の座を奪われた側の不満を消し去ることは不可能だった。そして高国敗死ののち、京都とその周辺は核を失って、さまざまな勢力がせめぎあう場となってゆくのである。

コラム2

日記をつける

鷲尾隆康《わしのおたかやす》が日記をつけようと思い立ったのは文亀《ぶんき》四年（一五〇四）、二〇歳の春だった。何も書けない日もあったが、毎月の御楽《ごがく》や臨時の神楽《かぐら》のときには演目や参加者を細かくチェックした。公家たちが扱う楽器は決まっていて、隆康は箏《そう》の担当だった。行事のときの振る舞いを勉強しようと努めたのである。

しかしなかなか根気が続かず、二年もたたないうちに挫折《ざせつ》してしまう。それから一一年後、隆康は一念発起してまた日記を書きはじめた。元旦の節会《せちえ》のとき、彼は頬《ほお》かむりをして見物人にまぎれこみ、儀式の一部始終を見届けようとする。不覚にも途中で眠ってしまうが、目覚めると気を取りなおして観察を再開し、あとで儀式の様子を詳しく日記に書いた。うとうとしていた場面については、「このあたりは眠ってしまったのでよくわからない」と正直に書いた。

こののち隆康は真面目《まじめ》に日記をつけつづけた。そして「昨日の行水で風邪をひいたようで、ちょっと熱っぽい」と日記に書いた一一日後にこの世を去る。四九歳だった。

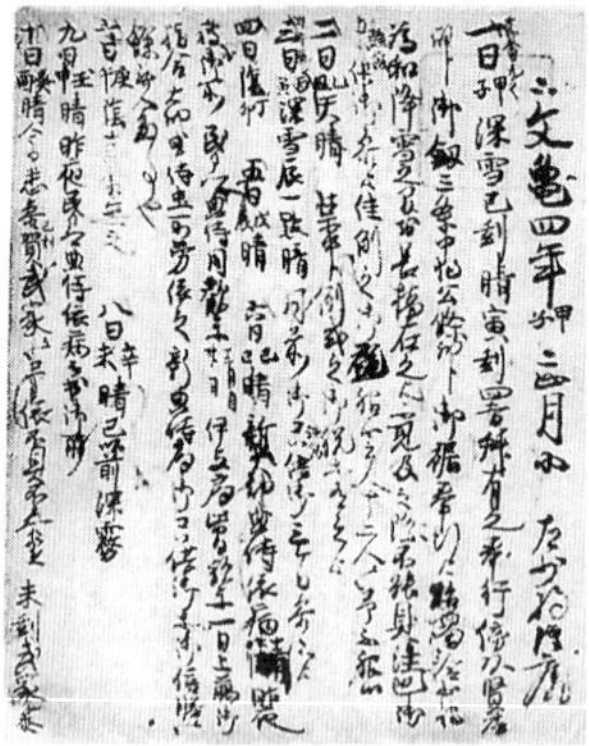

◉『二水記』
鷲尾隆康の日記『二《に》水記《すいき》』の冒頭部分。時代の流れを読む、持ち前の鋭敏な感覚で、隆康は事件の記事に自分なりのコメントを加えた。

第三章

戦国大名の成熟

――細川晴元と三好長慶

1

細川晴元の時代

一揆の世

宿敵だった細川高国《ほそかわたかくに》の滅亡は、細川晴元《はるもと》にとってもうれしい知らせだったが、これで晴元が京都や畿内の支配者になれるわけでもなく、情勢はいっそう混沌《こんとん》としていった。和泉《いずみ》の堺《さかい》から天王寺《てんのうじ》に攻め込んで高国を破ったのは三好元長《みよしもとなが》の軍勢だったから、この功績を盾にして元長が自己主張を強めるのは目に見えていた。もともと晴元は元長と仲違《なかたが》いしていたが、享禄《きょうろく》五年（一五三二）正月に元長が勝手に柳本賢治《やなぎもとかたはる》の子息を討ち取ったことで晴元の怒りは爆発、元長は直接の主人にあたる阿波《あわ》守護《しゅご》細川持隆《もちたか》の勧めで髻《もとどり》を切り、とりあえず反省の姿勢を見せた。

しかしまだ一九歳だった晴元の怒りはおさまらず、元長を殲滅《せんめつ》するため新たな手段に訴えた。山《やま》科《しな》の本願寺《ほんがんじ》を通じて、そのもとに組織された一向宗《いっこうしゅう》の門徒たちに動員要請をかけたのである。ちょうど河内《かわち》でもめごとがあり、三好の軍勢が木沢長政《きざわながまさ》のこもる飯盛《いいもり》城（大阪府大東《だいとう》市）に押し寄せていたが、晴元の要請を受けた一向宗徒たちは、一団となって三好軍を襲撃し、三〇〇〇人ほどを討ち取った。勢いにのった門徒たちは、河内誉田《こんだ》城を攻めて城主の畠山義宣《はたけやまよしのぶ》を滅ぼしたのち、元長のいる堺に押し寄せた。六月二〇日、大軍の襲来に耐えきれず、元長は一族らとともに自害して果てた。

●三宝荒神形兜

上杉謙信《うえすぎけんしん》所用と伝えられる具足に付属している兜《かぶと》。憤怒の相をした三宝荒神《さんぽうこうじん》の立物《たてもの》（装飾）は取りはずしができ、革紐で固定されている。　前ページ図版敵を葬り去るためには大軍を組織しなければならない。そう考えた晴元は一向宗の門徒に目をつけ、彼らの活躍によって宿願を達成したわけだが、圧倒的な勢力を誇る門徒たちが、功績を主張して晴元の思惑《おもわく》を超える行動に出ることは、容易に予想できたはずだった。案の定、晴元と一向宗徒の関係はまもなく決裂し、八月になると門徒の一揆《いっき》が堺に押し寄せてきた。このときの一戦は晴元方が勝利し、一揆衆数百人が討死《うちじ》にしたが、この知らせを聞いた鷲尾隆康《わしのおたかやす》は日記のなかでこう慨嘆している。

「こんなふうに所々で一揆衆は討死にしているのに、それでも彼らは諸国に充《み》ち満ちていて滅亡することがなく、すぐに合戦をしはじめる。風聞によれば、天下は一揆の世といっていい状況らしい。だんだんとそういう世の中になるのだろうか」

つぎつぎに現われる一向宗徒との対応に苦慮した晴元は、同じように大軍を組織できる法華宗《ほっけしゅう》の門徒に注目し、彼らを一向宗徒の鎮圧にあたらせるという手段に訴えた。八月一六日、本願寺の門徒が京都に押し寄せたが、法華宗徒を中心とする京都の軍勢は、滑谷口《しるたにぐち》でこれを撃退し、勝利をおさめて凱旋《がいせん》した。一九日には摂津《せっつ》富田《とんだ》（大阪府高槻《たかつき》市）の一向宗徒が蜂起《ほうき》するが、西岡《にしおか》まで進んだところではね返され、多数の死者を出した。こ

2

◉証如光教
本願寺の第一〇世で蓮如《れんにょ》の曾孫《ひまご》にあたる。山科焼き討ちにもめげず、大坂に移って本願寺を隆盛に導いた。『天文《てんぶん》日記』という日記を残す。

うした勝利に勢いづいた法華宗徒たちは、近江《おうみ》の六角定頼《ろっかくさだより》の軍勢と合体して、一向宗の拠点である山科に向かった。戦いの末、本願寺の伽藍《がらん》は焼け落ち、周辺の在家も一軒残らず灰燼《かいじん》に帰した。八月二四日のことである。

当時一七歳だった本願寺法主《ほうしゅ》の証如光教《しょうにょこうきょう》は、摂津小坂《おさか》（大坂）石山《いしやま》の坊に逃れ、以後はこの地が本願寺の拠点となった。五〇年にわたって繁栄を見せた山科の堂舎を失ったのは痛手だったが、それでも一向宗の門徒たちはしばらく晴元に対して戦いを続けた。晴元は家臣を差し向けて小坂を攻めるが、かえって一揆衆の勢いに押されるありさまだった。

年明けて天文《てんぶん》二年（一五三三）二月、戦い敗れた晴元は堺から海路淡路《あわじ》に逃れた。しかし一向宗徒もいつまでも戦いを続ける余裕はなく、やがて守勢に転じることになる。法華宗徒と木沢長政の軍勢が摂津で一向宗徒を撃破すると、晴元は淡路を出発して摂津に入り、晴元の軍勢と法華宗徒たちが、まとまって小坂攻撃を開始した。情勢の転換のなかで証如も和平工作を始めざるをえず、六月になって晴元と本願寺の和睦《わぼく》がようやく実現した。

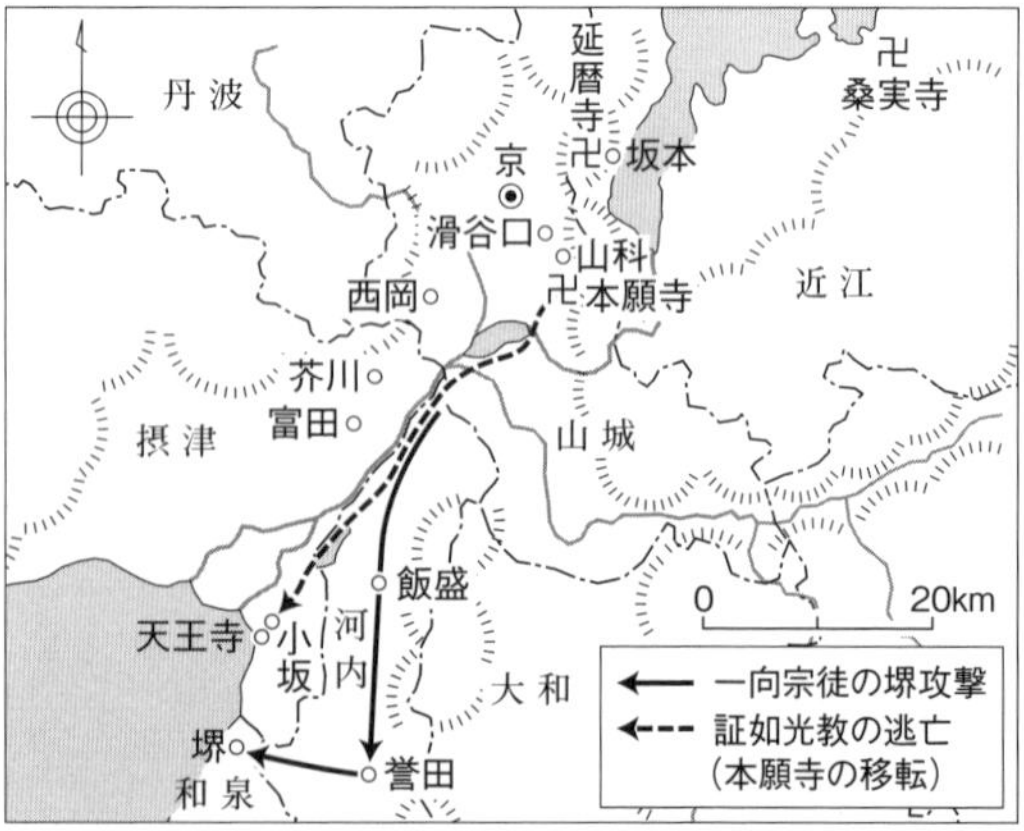

●天文元年の畿内
一向宗の門徒たちは堺を攻めて三好元長を滅ぼしたが、わずか二か月後には法華宗徒によって本拠の山科を焼き討ちされた。

細川晴元の入京

一向宗徒《いっこうしゅうと》との抗争を克服した細川晴元《ほそかわはるもと》は、京都に入ることなく、摂津《せっつ》の芥川城《あくたがわ》（大阪府高槻市《たかつき》）を居所《きょしょ》と定め、ここから近国ににらみをきかせる方針をとった。将軍足利義晴《あしかがよしはる》は相変わらず近江《おうみ》の桑《くわ》実寺《のみでら》（滋賀県安土町《あづち》）にいて、京都で大きな顔をしているのは法華《ほっけ》宗徒という状況だったが、天文《てんぶん》三年（一五三四）になって義晴は桑実寺を出発して坂本《さかもと》に入り、九月には上洛《じょうらく》を果たした。享禄《きょうろく》元年（一五二八）以来六年続いた将軍の近江滞在は、こうしてひとまずピリオドが打たれることになる。

将軍帰京ののちも、法華宗徒が京都の市政をあずかるかたちは変わらなかったが、こうした状況がしばらく続いたのち、京都市中は一大事件に見舞われる。古代以来の権威を誇る延暦寺《えんりやくじ》の衆徒《しゅと》たちが、法華宗徒の専横を見かねて決起したのである。天文五年七月二二日、三万人の法華宗徒が京都に現われて、田中《たなか》・弥勒堂《みろくどう》や河崎観音堂《かわさきかんのんどう》などに放火したが、これから両者の駆け引きが続いた。二五日には衆徒が敗れて五〇人ほどが討死《うちじ》にしたが、二日後の二七日、延暦寺の衆徒と六角定頼《ろっかくさだより》の軍勢がいっせいに攻めかかり、四条口《しじょうぐち》で法華宗徒を撃破、そのまま市中に放火して、京都は火の海となった。乱戦のなか、日蓮宗《にちれんしゅう》の僧侶《そうりょ》や門徒が多数落命し、下京《しもぎょう》全体と上京《かみぎょう》の三分の一が焼失するという大惨事となった。

一向宗も日蓮宗も、新たに勃興《ぼっこう》してきた富裕な町人や下級武士たちを門徒としていたという共通点をもつ。大きな財力をもちながら、身分的には恵まれない立場に置かれつづけていた彼らは、この時期になって集団蜂起《ほうき》のかたちで歴史の表舞台に姿を現わし、互いに争いあいながら政治を左右するまでになった。しかしこうした状況は長くは続かず、一向宗徒の動きもしだいに沈静化し、法華宗徒は旧来の仏教勢力の恨みを買って大敗を喫する結果となったのである。

法華宗徒が一掃されたことを見てとった細川晴元は、ようやく芥川を出発して入京を果たした。九月二四日のことである。考えてみれば晴元は将軍義晴を近江に追いやった張本人で、かたちのうえでは将軍とは敵対関係にあったが、かつて擁立した足利義維《よしつな》（義晴の兄）はすでに堺《さかい》から逃走していたので、義晴と対立する理由もなくなり、正式に和睦《わぼく》がなされることになった。こうして将軍と細川本宗家の家督がともに京都にいて政治にあずかるかたちが、久方ぶりに再現された。

三好範長の登場

三好元長《みよしもとなが》の遺児が京都に姿を現わしたのは、まさにこうした時期だった。天文《てんぶん》八年（一五三九）正月一四日、二五〇〇の軍勢を率いて、三好範長《のりなが》は上洛《じょうらく》を果たし、細川晴元《ほそかわはるもと》と面会した。このとき範長は一七歳。一〇歳で父を喪《うしな》ったのち、阿波《あわ》の地で実力を蓄え、ようやく表舞台に登場したのである。父の仇《かたき》である晴元とあくまで敵対するか否《いな》か、さまざまな議論があっただろうが、将軍とも円満な関係を築いている晴元と争うのは得策ではないと判断したのであろう。

範長が臣従の姿勢を見せてくれたのは、晴元にとっても歓迎すべきことだったが、昔の記憶を消し去ることもできず、なんとも複雑な心境だったと推測できる。また三好一族の三好政長《まさなが》が、範長の台頭を快く思っていないという状況も、範長を喜んで迎えられない要因のひとつだった。政長は一族のなかでも長老格で、これまで晴元に従って活動し、実力を蓄えてきた経緯があった。三好の一門は必ずしも一枚岩ではなかったのである。晴元と政長のつながりは深かったので、範長と政長の反目が解消されないなか、晴元と範長の関係が疎遠になるのは時間の問題だった。

案の定、半年もしないうちに二人の関係は決裂し、範長は公然と反旗を翻した。驚いた将軍足利《あしかが》義晴《よしはる》は、挙兵を思いとどまるようにとの御内書《ごないしょ》を範長に宛《あ》てて出したが、なかなか了解を得られなかった。細川晴元も軍勢を率いて高雄《たかお》の竜安寺《りょうあんじ》に布陣し、範長の動きをうかがった。

七月になって三好政長らが高雄の陣を出発して妙心寺《みょうしんじ》や西京《にしのきょう》に陣取り、晴元も嵯峨《さが》の角倉《すみのくら》まで出てきた。対する範長は山崎《やまざき》（京都府大山崎《おおやまざき》町）に布陣していたが、にらみあいのなかで和睦《わぼく》工作が進んだとみえ、範長はまもなく山崎から退却し、晴元も六《ろっ》角定頼《かくさだより》の説得に応じて和睦を受け入れた。九月二六日、晴元は京都に帰り、範長も一〇月一日に入京して、和睦が正式に実現した。

こうしてふたたび将軍義晴と晴元が、ともに京都で政務にあずかるかたちになった。二人の関係はそれなりに円満だったようで、翌天文九年の七月には、五歳になっていた菊幢丸《きくどうまる》（義晴の長男）のために、晴

三好氏系図

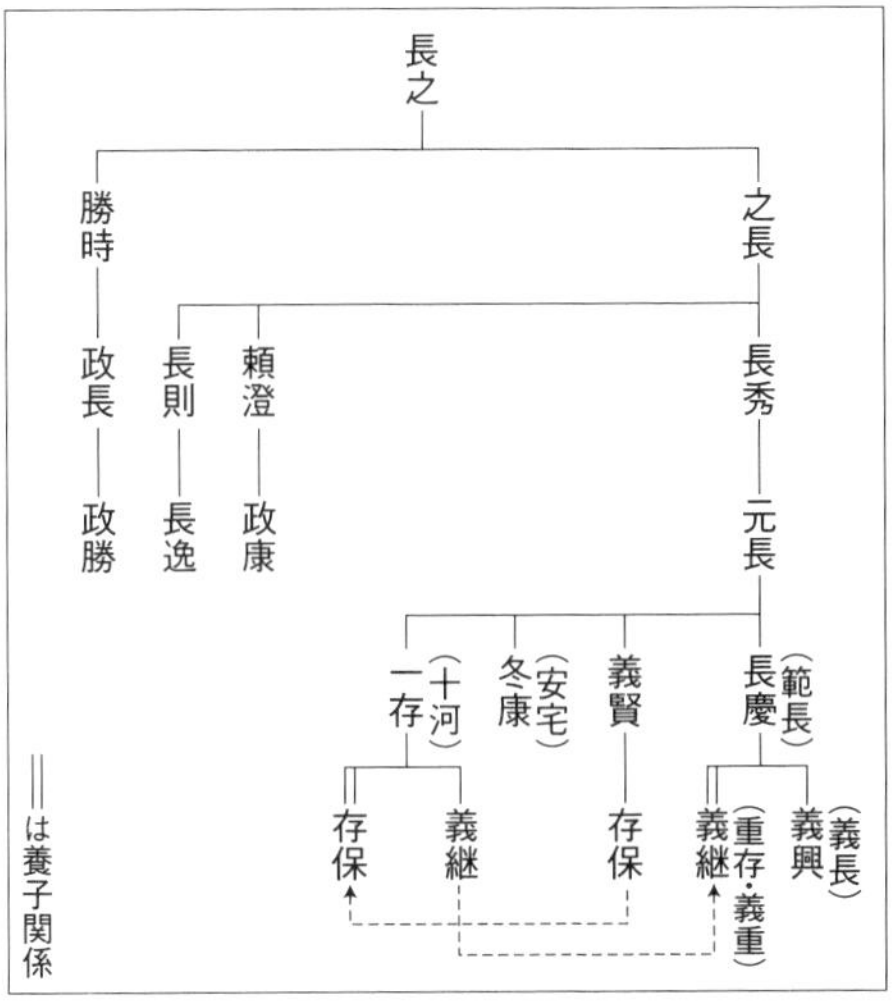

元自身が数十人を引き連れて参上し、盆踊りを見せてやるというひと幕もあった。将軍の権威と実力はそれなりに健在で、晴元も関係確保に腐心していたのである。

木沢長政の戦死

三好範長《みよしのりなが》の反乱を克服して平和を取り戻した幕府だったが、二年もたたないうちに新たな内紛が発生し、畿内はふたたび不穏な情勢になる。前述したように三好政長《まさなが》は、細川晴元《ほそかわはるもと》に従いながら勢力を広げていたが、天文《てんぶん》八年（一五三九）の範長との対峙《たいじ》の際にも中心に立ち、いっそう発言力を増していった。そしてこうした政長の専横ぶりに反発した木沢長政《きざわながまさ》が、その処分を将軍足利義晴《あしかがよしはる》に要求してきたのである。驚いた義晴は晴元に相談するが、晴元はあくまでも政長をかばって突っぱねた。ここに至って長政は晴元との絶縁を宣言し、京都に押し寄せる構えを見せた。

天文一〇年一〇月、細川晴元は京都を出て北岩倉《きたいわくら》に入った。将軍義晴も危険を感じたらしく、東山《ひがしやま》の慈照寺《じしょうじ》（銀閣寺《ぎんかくじ》）に入り、さらに近江《おうみ》の坂本《さかもと》まで進んだ。七年ぶりの坂本の地である。明けて天文一一年正月、晴元は坂本に赴いて義晴に年頭の礼を述べ、いったん上洛したのち、かつて拠点としていた摂津《せっつ》の芥川《あくたがわ》城に入った。木沢長政も大軍をかかえたまま容易に動こうとせず、不穏な空気のまま時が過ぎた。

情勢が動いたのは三月になってからだった。河内《かわち》の高屋《たかや》城にいた畠山政国《はたけやままさくに》の重臣である遊佐長教《ゆさながのり》が、主君と仲違《なかたが》いして、その兄の畠山稙長《たねなが》を擁立し、危機を悟った政国が大和《やまと》に逃れ、木沢長政に救援を求めたのである。稙長は難なく高屋城に入るが、まもなく木沢の軍勢が迫ってくることになった。稙長救援のため三好範長も兵を動かし、三好政長も一緒になって遊佐長教を支援した。そして三月一七日、太平寺《たいへいじ》（大阪府柏原《かしわら》市）の地で決戦が展開、激戦の末、木沢長政は大敗を喫して討死《うちじ》にした。

もとは畠山の一家臣でありながら、主を変えつつ身を興《おこ》し、享禄《きょうろく》三年（一五三〇）に京都の戦いで活躍して政治の舞台に躍り出た木沢長政は、以後一〇年あまりの間にあなどりがたい勢力を築き、細川や三好と対抗できるまでに成長したのである。さしたる出自でないにもかかわらずここまでの地位を築いた手腕はさすがともいえるが、自己の力を頼みとした決起は結局失敗に終わった。

そしてまたもや危機を乗り切った細川晴元は芥川を出て帰京を果たした。坂本にいた将軍義晴もまもなく京都に帰り、四月には新築なった室町殿《むろまちどの》に移った。

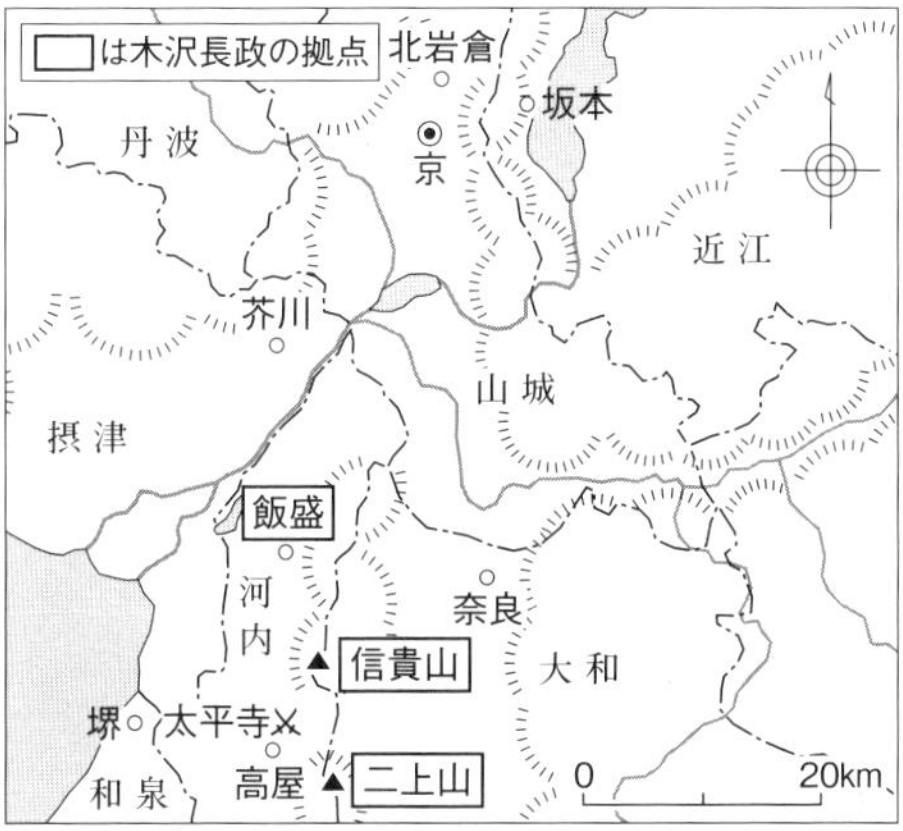

●太平寺の戦い
木沢長政は河内飯盛《いいもり》城を本拠としながら、大和《やまと》の信貴山《しぎさん》や二上山《にじょうさん》にも城を築いて勢力を広げた。敵の根拠地のそばまで迫ったが太平寺の一戦で敗死した。

義晴・晴元・範長

将軍足利義晴《あしかがよしはる》と細川晴元《ほそかわはるもと》の政権は数度にわたる混乱を克服したが、不安要因がなくなることはなかった。天文《てんぶん》一二年（一五四三）になると、細川高国《たかくに》の残党が高国の養子の氏綱《うじつな》を擁立して、和泉《いずみ》の槇尾寺《まきおでら》（大阪府和泉市）で決起した。晴元はさっそく摂津芥川《せっつあくたがわ》城に赴いてこれに対峙《たいじ》し、三好範長《みよしのりなが》も晴元の命に従って出兵して、和泉の堺《さかい》で氏綱を破った。敗北を喫した氏綱はその後河内《かわち》の八尾《やお》（大阪府八尾市）を拠点としながら抵抗を続けた。

いつまでたっても安心できない状況が続いて、細川晴元もこのころには精神的安定を欠いていたようである。天文一三年八月、三好の被官《ひかん》のある武士が、晴元の命令で鋸引《のこぎりび》きの刑に処された。また同時に菊幢丸《きくどうまる》の侍女も市中を引きまわされたうえ、六条河原《ろくじょうがわら》で斬《き》られた。

こうしたなか、三好範長の立場は微妙だったが、それでも彼は細川晴元に抗弁することもなく、その尖兵《せんぺい》としての役割を確実に果たした。天文一四年、細川氏綱討伐のために晴元は宇治《うじ》まで出陣するが、範長は一五〇〇の兵を率いて軍勢の中心に立っている。翌天文一五年にも範長は晴元の命を受けて堺まで出て、氏綱や遊佐長教《ゆさながのり》の軍勢の進出を防いだ。こののち遊佐の軍勢に攻められて晴

●足利義晴
一一歳で将軍になったとき、幸運な少年だと人人からいわれた義晴だったが、その生涯は苦難の連続だった。

元は一時窮地に陥り、三好政長《まさなが》とともに丹波《たんば》に逃れるが、ここで範長の弟の三好義賢《よしかた》と十河一存《そごうかずまさ》が四国から摂津に上陸、三好軍の活躍によって情勢は転回していった。

晴元が苦境に陥っている間に、将軍義晴は突然近江坂本《おうみさかもと》に下向《げこう》し、子息菊幢丸の元服の儀を挙行して義藤《よしふじ》と名付け、将軍職も彼に譲った。元服の儀式では管領《かんれい》が加冠《かかん》役をつとめるのが先例だったが、義晴はこれを無視して六角定頼《ろっかくさだより》に加冠役を頼み、晴元不在の状況で儀式は決行された。各地で苦戦を続ける晴元を、義晴父子は完全に見限っていたのである。

しかしこの見通しは甘かった。三好範長とその一門の活躍によって、細川晴元方はいつしか挽回《ばんかい》し、天文一六年三月には摂津の三宅《みやけ》城（大阪府茨木《いばらぎ》市）をわがものとすることに成功した。ここに至って将軍義晴父子と晴元の決裂は明らかとなり、戦いに備えるため、義晴と義藤は京都を出て北東の山中にある勝軍地蔵山《しょうぐんじぞうさん》の城に入った。ついに将軍自身がこうした要害にこもる時代が訪れたのである。

まもなく拠点の摂津芥川城を回復した晴元は、七月になって京都に入り、勝軍地蔵山城の攻撃にとりかかった。六角定頼も結局は晴元に味方し、観念した義晴は城に火を放って近江坂本に逃れ、まもなく晴元と和睦《わぼく》した。こうして晴元はまたもや苦境を乗り越えたが、これもみな三好範長のおかげだった。はじめて京都の土を踏んでからすでに九年、範長自立の時は間近に迫っていたのである。

地域統一をめざす大名たち

今川義元の登場

大永《だいえい》六年（一五二六）四月、駿河《するが》の今川氏親《いまがわうじちか》は、家中統制や領国支配にかかわる三三か条からなる家法を制定した。「今川仮名目録《いまがわかなもくろく》」と呼ばれるこの家法は、現存する戦国大名の分国法《ぶんごくほう》としては最古のもので、家臣たちの配下の武士の帰属をめぐる問題や、武士たちの喧嘩《けんか》、さらには所領などの売買や貸借にかかわる規定が盛り込まれている。こうした家法を制定しなければならないほど問題が山積していたともいえるが、やはり整然とした法令を出せるまで今川氏の支配は順調に進んでいたとみるべきであろう。東国の戦国大名のなかでも、今川氏は一歩先んじていたのである。

この二か月後、今川氏親は五四年の生涯を閉じた。跡目は嫡男の氏輝《うじてる》が継いだが、一〇年後の天《てん》文《ぶん》五年（一五三六）三月、二四歳の若さで死去してしまう。彼には子がなかったので、弟たちのなかから後継者が選ばれ、善徳寺《ぜんとくじ》（静岡県富士《ふじ》市）に入っていた梅岳承芳《せんがくじょうほう》が擁立された。承芳はまもなく還俗《げんぞく》し、将軍足利義晴《あしかがよしはる》から一字を拝領して義元《よしもと》と名のるが、花倉《はなぐら》（静岡県藤枝《ふじえだ》市）の遍照光寺《へんじょうこうじ》にいた兄の玄広恵探《げんこうえたん》が、福島越前守《くしまえちぜんのかみ》に擁立されて挙兵し、やがて福島の一党が駿府《すんぷ》（静岡市）に攻め寄せた。このときは義元方が勝利したが、内乱はおさまらず、駿河国内を二分する争いとなった。ここで義元は隣国の北条氏綱《ほうじょううじつな》の援軍を得てようやく窮地を脱し、恵探を討ち取ることに成功する。

このとき義元は一八歳、氏綱の援助によって内乱を克服したが、まもなく方針を一転させて、甲斐《かい》の武田信虎《たけだのぶとら》と提携することになる。天文六年二月、義元と信虎の娘との婚儀がなされ、今川と武田の同盟が締結されたが、氏綱が黙っているはずもなく、ただちに東方から北条軍の侵攻を受けることになった。これからしばらくの間、駿河の東部一帯で今川と北条の戦いが繰り広げられる。

小田原《おだわら》の北条氏綱にとって、駿河東部の確保はひとつの課題だが、一方で武蔵《むさし》方面の情勢も緊張を増し、駿河と関東の両面に気を配らねばならない状況にあった。江戸城を失って以来、北条打倒を宿願としてたびたび攻撃をしかけてきた上杉朝興《うえすぎともおき》は、天文六年に死去し、子息の朝定《ともさだ》が跡を継いでいたが、まもなくして上杉と北条との戦いが武蔵で繰り広げられることになる。戦いは氏綱の勝利に終わり、朝定は河越《かわごえ》城を放棄して北方の松山《まつやま》城（埼玉県吉見《よしみ》町《まち》）に逃れた。

もうひとつの相手は下総《しもうさ》小《お》弓《ゆみ》の足利義明《あしかがよしあき》だった。古河公方《こがくぼう》の足利晴氏《はるうじ》は北条氏綱と連携していたが、これと反目していた義明は、安房《あわ》の里見義堯《さとみよしたか》に軍事動員をかけ、氏綱と戦うべく行動を開始した。そして天文七年一〇月七日、下総の国府台《こうのだい》（千葉県市川市《いちかわ》）で決戦がなされ、氏綱は歴史的な勝利をおさめた。義明は討死《うちじ》にし、義堯は敗軍を率いて安房に帰っていった。

4

●今川義元
兄の氏輝の菩提のために開創した臨済寺《りんざいじ》（静岡市）に木像がある。京都かぶれの文弱な武将というイメージはそろそろ払拭《ふっしょく》していいだろう。

北条氏康と武田晴信

天文《てんぶん》一〇年（一五四一）七月、北条氏綱《ほうじょううじつな》は五五歳で死去した。長男の氏康《うじやす》はこのとき二七歳、家督はすでに継承していたらしいが、ここで一門の中心に立つことになる。またこのひと月前には甲斐《かい》の武田信虎《たけだのぶとら》が、長男の晴信《はるのぶ》を擁する家臣たちによって追放され、駿河《するが》に逃げ込む事件が起きていた。時に晴信二一歳。戦国武将として名高いこの二人は、ほぼ同時に家を担う立場に立ったのである。

武田家当主の座についた晴信は、数年の間に信濃《しなの》方面への侵攻を繰り返し、武田の領国を大きく拡大させた。天文一一年には諏訪《すわ》に攻め込んで諏訪頼重《よりしげ》を滅ぼし、翌年には佐久《さく》方面に入って大井貞隆《おおいさだたか》を捕らえ、天文一四年には高遠《たかとお》（長野県伊那《いな》市）にいた諏訪頼継《よりつぐ》を破って伊那地方を手中におさめた。このように信濃出兵を進める一方、駿河の今《いま》川《がわ》との関係確保にも努め、天文一四年の八月には、駿河に赴いて今川義元《よしもと》と対面し、正式に同盟を結んだ。

いったん沈静化していた今川と北条との戦いは、この時期になって再燃し、各地で戦いが繰り返されたが、北条方の劣勢は覆いがたかった。ちょうどこのころ武蔵《むさし》方面の情勢が急を告げており、氏康としても駿河にかまっているわけにはいかなくなった。天文一五年、山内《やまのうち》家の上杉憲政《うえすぎのりまさ》と扇谷《おうぎがやつ》家の上杉朝定《ともさだ》が

5

◉北条氏康
今川義元より四歳年長、武田信玄は六歳年下である。同盟を結んだ三国の大名のなかではいちばんの兄貴分といえる。

連合して兵を挙げ、これに古河《こが》公方《くぼう》足利《あしかが》晴氏《はるうじ》の軍勢も加わって、北条一門の綱成《つなしげ》が守る河越《かわごえ》城を取り囲んだのである。

山内家と扇谷家は長年対抗しつづけてきたが、北条氏の勢力伸長に直面して、共同して事にあたることになったのである。また古河公方の晴氏は北条氏と同盟関係にあったが、国府台《こうのだい》の一戦ののち北条氏の勢いが予想以上に伸びたことに危機感を覚え、上杉連合に加担する決断をした。関東を代表する諸家の連合軍に取り囲まれて、河越城は窮地に立たされたが、北条氏康は自身軍勢を率いて救援に駆け付け、夜討ちをしかけて連合軍を大破した。四月二〇日のことである。上杉朝定は敗死して扇谷上杉氏は断絶し、上杉憲政は上野《こうずけ》の平井《ひらい》に退いた。この一戦で武蔵中央部の諸城は北条氏のもとに帰し、古河公方の晴氏は、北条氏への屈伏を余儀なくされた。

一方、武田晴信の戦いはまだ続いていた。天文一五年にはまた佐久地方に出陣し、内山《うちやま》城（長野県佐久市）の大井貞清《さだきよ》を降伏させ、翌年には志賀《しが》城（同）を陥落させて、城主の笠原清繁《かさはらきよしげ》らを討ち取った。天文一七年二月には上田《うえだ》原《はら》（長野県上田市）で村上義清《むらかみよしきよ》らと戦って大敗を喫したが、七月には塩《しお》尻《じり》峠（同塩尻市）で小笠原長時《おがさわらながとき》の軍勢を大破し失点を回復した。そして天文一九年、晴信は小笠原氏の拠点の府中《ふちゅう》（松本市）に攻め込み、小笠原長時を追い出して信濃の中央部を手中におさめた。

6

◉武田晴信
高野山《こうやさん》の持明院《じみょういん》（和歌山県高野町）に伝わる肖像は、信玄の青年時代の相貌《そうぼう》を描いている。直垂《ひたたれ》には武田家の家紋の花菱《はなびし》が散らされている。

並びたつ西の大名

大内義興《おおうちよしおき》が将軍足利義稙《あしかがよしたね》の許しを得て周防《すおう》に帰ったのは、永正《えいしょう》一五年（一五一八）のことだった。長年に及ぶ在京による財政圧迫が理由だったが、義興が帰国を急いだわけはほかにもある。出雲《いずも》を本拠として勢力を広げていた尼子経久《あまこつねひさ》が、大内の領国を脅かしかねない情勢になっていたのである。

出雲の守護代《しゅごだい》だった尼子経久は、すでに無力化していた守護の京極政経《きょうごくまさつね》が死去すると、事実上の国主の地位におさまり、出雲の各地に攻め込んで国内統一を進め、さらに伯耆《ほうき》・備後《びんご》・安芸《あき》・石見《いわみ》といった隣接の諸国に勢力を及ぼしはじめた。こうした尼子氏に対抗するべく、大内義興も軍勢を派遣、大永《だいえい》二年（一五二二）には重臣筆頭の陶興房《すえおきふさ》が安芸に攻め込み、尼子方の兵と戦いを繰り返した。しかし尼子方もなかなか撃退されず、翌大永三年には経久自身が出陣して、安芸東部の要所である鏡山城《かがみやま》（東広島市）を攻めて開城させた。このとき城攻めの先鋒隊《せんぽうたい》をつとめていたのは、安芸吉《よし》田《だ》の毛利《もうり》氏の軍勢で、当主の幸松丸《こうまつまる》が幼少のため、叔父《おじ》の元就《もとなり》が指揮にあたっていた。この直後に幸松丸は死去し、二七歳の元就が毛利家当主の地位についた。

尼子経久の鏡山城攻略は成功したが、大永四年になると前年の屈辱を晴らすべく、大内義興が自身安芸に攻め込んできた。毛利元就は尼子方に与《くみ》して戦ったが、翌年には経久と断交して大内氏に従う姿勢を明確にした。元就の転身もあって、大内氏の安芸回復は順調に進み、やがて戦いの舞台は備後に移動することになるが、なかなか決着がつかず、やがて両者ともに撤退した。

享禄《きょうろく》元年（一五二八）一二月、大内義興は五二歳で死去し、子息の義隆《よしたか》が跡を継いだが、義隆は九州方面の確保と勢力拡大を当面の課題とし、享禄三年には少弐氏《しょうに》を討伐するために軍勢を派遣した。大内軍が九州に入ると、豊後《ぶんご》の大友義鑑《おおともよしあき》が反発し、大内氏と大友氏の戦いが開始されることになった。天文《てんぶん》元年（一五三二）には筑前《ちくぜん》や豊前《ぶぜん》で戦いが繰り広げられ、翌天文二年には陶興房が軍勢を率いて九州に入り、少弐氏と戦ったのち大宰府《だざいふ》に入った。そして翌天文三年四月、豊後の大村山《おおむれやま》で大内と大友の決戦がなされた。戦いは大内の勝利に終わり、興房は天文五年には少弐資元《すけもと》のこもる肥前多久城《ひぜんたく》（佐賀県多久市）を陥落させて、ついにこれを滅ぼした。興房の活躍によって筑前と肥前はおおかた大内氏に帰属し、天文七年には大内と大友との和議が正式に結ばれた。

大内氏が九州経略を進めたころ、尼子氏は播磨《はりま》や備中《びっちゅう》への進出を企てていた。尼子経久はすでに老齢で、一門の中心にいたのは孫の詮久《あきひさ》だったが、天文七年になって詮久は播磨侵攻を決行し、続いて安芸方面への進出をはかった。天文九年八月、詮久は大軍を率いて安芸に攻め入り、毛利元就の居城である郡山城《こおりやま》（広島県安芸高田市《あきたかた》）を包囲したが、天文一〇年正月一三日の決戦で敗れ、尼子勢は毛利軍の追撃を受けて多くの死者を出した。

尼子の安芸攻略はこうして失敗に終わるが、これに勢いづいた大内義隆は、翌天文一一年、逆に尼子の拠点出雲に攻め込んだ。この直前に尼子経久が死去したことも、尼子攻略を決意させた要因かもしれない。長途進軍した大内軍は尼子の居城である富田城《とだ》（島根県安来市《やすぎ》）まで迫るが、なかなか陥落させることができず、味方から離反者が現われる始末だった。天文一二年五月七日、大内軍は撤退を開始したが、追撃する尼子勢をかわしながらの退却は惨憺《さんたん》たるものだった。

尼子にしても大内にしても、本拠地を遠く離れて長期の遠征を行なえる状況ではなく、領国を一挙に拡大する企てはもろくも潰《つい》え去った。そして、こうしたなかにあって、安芸の毛利元就は着々とその勢力を伸ばした。享禄《きょうろく》二年には安芸と石見の国境一帯に勢力を張る高橋《たかはし》氏を滅ぼしてその旧領を併呑《へいどん》し、天文二年には五竜《ごりゅう》の宍戸《ししど》氏と和睦《わぼく》する。さらに天文一三年には安芸竹原《たけはら》（広島県安芸高田《あきたかた》市）の小早川《こばやかわ》氏に子息の徳寿丸《とくじゅまる》（のちの隆景《たかかげ》）を送り込み、天文一六年には吉川興経《きっかわおきつね》を捕らえて、やはり自分の子である元春《もとはる》を吉川家の当主に据えることに成功した。

竹原に入った小早川隆景は、天文一九年には沼田《ぬた》（広島県三原《みはら》市ほか）の小早川家の家督も継いで沼田に入り、同じ年、元就は重臣の井上元兼《いのうえもとかね》とその一門を滅ぼして、毛利家にとっての不安要因を除いた。大内と尼子の間に挟まれて苦労しながら、いつしか元就はあなどりがたい勢力を築いていたのである。

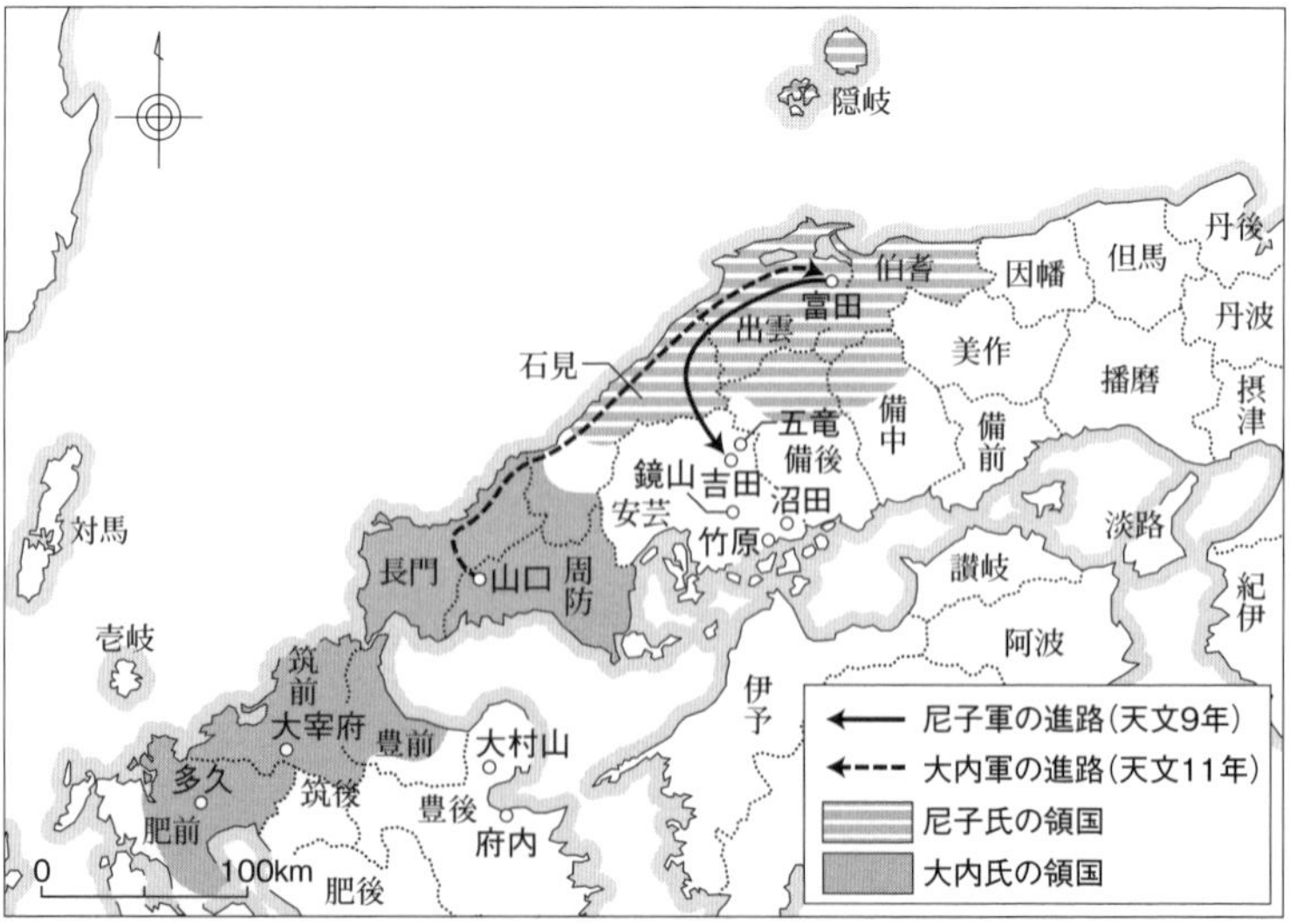

●大内氏と尼子氏の領国
大内氏も尼子氏も相手の領国を衝《つ》こうとして失敗し、大きな犠牲を払ったが、そうしたなか安芸の毛利氏は基礎を固めた。

三好長慶の時代

三好長慶の自立

将軍足利義晴《あしかがよしはる》との和睦《わぼく》を実現した細川晴元《ほそかわはるもと》は、長年敵対してきた河内《かわち》の畠山《はたけやま》と遊佐《ゆさ》の勢力を一掃しようと試み、三好範長《みよしのりなが》に河内侵攻を命じた。天文《てんぶん》一七年（一五四八）になって範長は河内に出陣し、畠山政国《まさくに》と遊佐長教《ながのり》のこもる高屋《たかや》城の攻撃を開始したが、攻めかかるそぶりを見せながら、裏で手をまわして、ひそかに長教と連絡をとりあっていた。遊佐長教の実力を買っていた範長は、彼と関係を結んで、来るべき晴元との対決に備えようと考えたのである。

やがて範長は長教の娘を妻に迎え、ここに三好と遊佐の同盟が成立することになる。晴元からの自立を宣言した格好になった範長は、長教が擁立していた細川氏綱《うじつな》を担ぎ上げて決起し、晴元も三好政長《まさなが》を前面に出して対抗した。摂津《せっつ》を中心に戦いが繰り広げられたが、天文一八年二月に三好長《なが》慶《よし》（このころ範長は長慶と改名している）の弟の安宅冬康《あたぎふゆやす》が淡路《あわじ》から海路救援に駆け付け、長慶方は活気づいた。

危機をさとった細川晴元は、自身摂津まで下向《げこう》して迎え撃とうとし、三好政長も中島《なかじま》城を回復しようと兵を進めた。そして六月二四日、長慶の弟の十河一存《そごうかずまさ》に率いられた軍勢が、政長の布陣する江口《えぐち》（大阪市）の陣を襲った。この一戦で政長は敗死し、晴元は山城《やましろ》の嵯峨《さが》まで逃走した。いったん京都に入った晴元は、敵の襲来を恐れて、将軍足利《あしかが》義晴《よしはる》・義藤《よしふじ》父子とともに近江《おうみ》の坂本《さかもと》に入った。七月四日、長慶は晴れて上洛《じょうらく》を果たすが、長く在京することをせず、すぐに摂津に下向して情勢を注視した。

坂本に逃れた義晴は、京都に近い中尾《なかお》の城に入ろうと、天文一九年三月には穴太《あのう》（滋賀県大津《おおつ》市）まで進んだが、前年冬以来の病が重くなり、五月四日にこの地で死去した。

このとき足利義藤は一五歳。父の無念を晴らすべく、まもなく中尾城に入って再起の時をうかがい、細川晴元も起死回生の機会をねらっていたが、事態は思うようには進まなかった。

一一月一九日、摂津・丹波《たんば》・河内の軍勢四万を率いて三好長慶が上洛、東山《ひがしやま》をはじめとする一帯に火が放たれ、翌日には大津方面も放火された。翌日将軍義藤は城に火を放って坂本に逃れ、さらに堅田《かたた》まで落ち延びて、翌天文二〇年二月には朽木《くつき》に入り、朽木稙綱《たねつな》のもとに身を寄せた。将軍の復活戦は完敗に終わったのである。

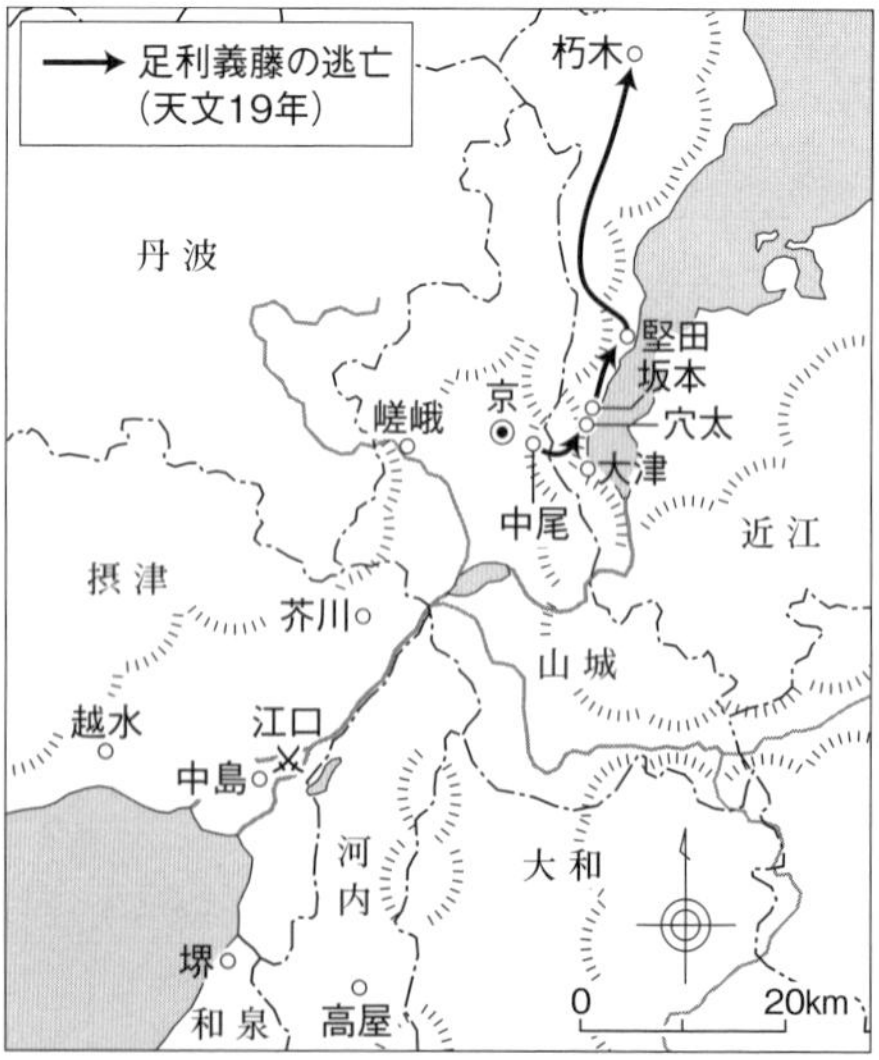

●江口の戦いとその後
三好長慶は摂津《せっつ》の江口で勝利をおさめ実権を掌握。将軍足利義藤は再起をはかったが、戦い敗れて近江の朽木まで逃れた。

将軍と長慶

三好長慶《みよしながよし》はしばらく京都にとどまって政務にあずかっていたが、天文《てんぶん》二〇年（一五五一）三月一四日、ある武士に突然斬《き》りつけられた。幸い傷はたいしたことがなかったが、身の危険が迫っていることを長慶もさとらざるをえなかった。しばらくした五月五日には、長慶の同盟者の遊佐長教《ゆさながのり》が何者かによって暗殺された。誰が指令したのか、証拠はあがらなかったが、敵対する人々の執念に長慶も警戒を強めた。そして近江朽木《おうみくつき》にいる将軍足利義藤《あしかがよしふじ》にも当然疑いの目が向けられることになる。

しかし将軍と表だって戦うことは得策とはいえず、長慶も結局は和睦《わぼく》を模索するに至った。天文二一年正月、義藤はようやく帰京を果たしたが、一七歳の将軍は馬に乗り、御供衆《おともしゅう》の軍勢を率いて、堂々と京都に入っていった。いったん敗れたとはいえ将軍の権威は健在で、その軍事力もあなどれないものがあったのである。将軍と三好の和睦によって立場を失った細川晴元《ほそかわはるもと》は、堅田《かたた》から若狭《わかさ》に向かって逃亡した。

二月二六日、三好長慶は細川氏綱《うじつな》とともに上洛して、将軍義藤と対面して御供衆に列せられた。もともと細川一門の家臣にすぎなかったわけだから、大きな出世ともいえるが、いかに実力で凌駕《りょうが》しようとも将軍に従う立場にあることを、長慶自身も認識せざるをえない結果になった。晴元の敗退によって、将軍義藤のもとに細川氏綱と三好長慶が従うというかたちで、幕府の秩序はそれなりに再現された。

しかし年若い将軍義藤と長慶の間に信頼関係が築かれるのは難しかった。将軍のもとには多くの奉公衆《ほうこうしゅう》がいたが、彼らは陪臣《ばいしん》にすぎない長慶が大きな顔をしていることを快く思わず、義藤に不満を言いつづけ、義藤もいつしか権威を回復するべく画策するようになる。天文二一年の冬に長慶が丹波《たんば》に出陣したとき、義藤は京都を出て霊山《りょうぜん》城に入って、山上から京都をうかがう姿勢をとるが、何かにつけて城を築きたがる義藤の行動に、長慶もさすがに疑念を深めた。天文二二年になると義藤と長慶の不和は覆いがたいものになり、三月八日、義藤は長慶との手切れを宣言して霊山城に入り、将軍と三好のにらみあいが続くことになった。

霊山に入った義藤は、早々に細川晴元を赦免して、その家臣の内藤彦七《ないとうひこしち》や香西《こうさい》・柳本《やなぎもと》などを丹波から召し寄せ、京都攻撃の準備を整えた。七月三〇日、霊山を出発した義藤は、右近馬場《うこんのばば》の松原に陣を取り、さらに西京《にしのきょう》の東南の松の下に移った。内藤彦七らは三、四〇〇〇人で西院《さいいん》の小泉《こいずみ》城を取り巻いていたが、とくに攻撃をしかけることもなく、三好勢が小泉城の救援に来たら攻め込もうと考えていた。しかし三好の兵はひとりも現われず、不気味な静けさのなか一夜が明けた。

そして八月一日、早朝から二万五〇〇〇の三好軍がいっせいに蜂起《ほうき》し、京都に向かって攻め寄せた。義藤は船岡《ふなおか》まで進んだが、三好方の一団が霊山城に攻め込み、ついに城に火を放った。三好方

7

◉足利義輝（義藤）
三好長慶にいったん撃退されながら、結局は和睦して上京を果たす。各地の諸大名に停戦勧告を発するなどして将軍の権威を示そうとした。

の大軍に席巻されて、将軍の手勢は四散し、細川晴元は一戦もできずに逃げ出した。万策尽きた義藤は、北の山に向かって逃走し、竜華越《りゅうげごえ》（滋賀県大津市）を経てまたまた朽木まで逃げ込んだ。

三好領国の拡大

圧倒的な軍勢で将軍足利義藤《あしかがよしふじ》を追い払った三好長慶《みよしながよし》は、摂津《せっつ》の芥川《あくたがわ》城を拠点としながら、時たま京都に入るかたちで、畿内において卓越した地位を保持しつづけた。また三好義賢《よしかた》・安宅冬康《あたぎふゆやす》・十河一存《そごうかずまさ》という三人の弟たちも、それぞれの拠点から兄を支援した。義賢は阿波《あわ》を押さえ、一存が讃岐《さぬき》、冬康が淡路《あわじ》をそれぞれ掌握していたが、摂津から海を隔てたこの地域は長慶の支持基盤だった。摂津・淡路・讃岐・阿波の四か国を母体としながら、長慶はその勢力拡大に努めることになる。

天文《てんぶん》二三年（一五五四）一〇月、長慶はみずから淡路の洲本《すもと》（兵庫県洲本市）に赴いて三人の兄弟と会見した。敵対勢力を排除しながら三好領国を広げてゆく算段がなされたと思われる。そして摂津に戻った長慶はさっそく隣国播磨《はりま》の経略に着手する。天文二四年正月、長慶は別所《べっしょ》氏のこもる三《み》木《き》城（兵庫県三木市）を陥落させて播磨の平定をほぼ実現し、さらに丹波《たんば》の八上《やかみ》城（兵庫県篠山《ささやま》市）に攻め込んだ。城主の波多野晴通《はたのはるみち》はよくもちこたえて三好軍をいったん撃破するが、長慶は弘治《こうじ》三年（一五五七）になってふたたび丹波に出陣、晴通との和睦《わぼく》を実現し、丹波のほとんどを手中におさめた。

ところで近江《おうみ》の朽木《くつき》に逃れた将軍義藤は、まもなく義輝《よしてる》と改名するが、奉公衆《ほうこうしゅう》たちに支えられながら再起の時をうかがい、永禄《えいろく》元年（一五五八）、ようやく朽木を出発して坂本《さかもと》に入った。長慶もこれに対抗するため、一門の三好長逸《ながゆき》に一万あまりの軍勢を与えて京都の警固にあたらせた。六月四日、将軍義輝は坂本を出て如意嶽《にょいがたけ》に入り、勝軍地蔵山《しょうぐんじぞうさん》城から出てきた三好方との間で小競り合いがあった。七日になって三好長逸や池田・伊丹、さらには長慶重臣の松永久秀《まつながひさひで》・長頼《ながより》兄弟が率いる一万五〇〇〇の軍勢が河原まで乗り出し、一方の義輝軍は三好方が放棄した勝軍地蔵山の城に入った。そして六月九日、将軍方の軍勢が河原まで押し寄せたところで合戦となり、奉公衆が七〇人ほど討ち取られ、三好方も二〇人ばかりの戦死者を出した。

多くの死傷者を出したこの戦いは、双方にかなりのダメージを与えたとみえ、厭戦《えんせん》気分が高まっていった。ここで六角義賢《ろっかくよしかた》（定頼《さだより》の子）が調停に乗りだして京都で義輝と長慶の会見が実現し、五年あまりに及ぶ対立にとりあえず終止符が打たれた。一一月二七日のことである。

こののちも長慶は京都にとどまることをせず、摂津芥川を居所《きょしょ》として、必要に応じて上京するという生活を続けながら、領国拡大をいっそう推し進めた。永禄二年、長慶は河内《かわち》に攻め入って守護《しゅご》代《だい》の安見《やすみ》直政《なおまさ》のこもる高屋《たかや》城を陥落させ、直政の主筋にあたる畠山高政《はたけやまたかまさ》をここに迎え入れた。安見直政は飯盛《いいもり》城に逃走するが、永禄三年になって高屋城の高政が飯盛城の直政と和睦する動きを見せると、長慶はふたたび河内に出陣し、高屋城と飯盛城をともに攻めてこれを手中に入れて河内平定を実現、新たに掌握した飯盛城にみずから入城し、高屋城には弟の義賢を入れた。重臣の松永久秀による大和《やまと》侵攻も順調に進み、この年のうちに一国をほぼ制圧して、久秀は大和と丹波をともに押さえつつ、一大勢力を築き上げることになった。

短時日のうちに諸国の制圧を実現し、三好長慶の支配の及ぶ範囲は急速に拡大した。阿波・讃岐・淡路・播磨・摂津・丹波・河内・大和と広がる八か国がとりあえず長慶の支配下に入ったのである。

考えてみれば、細川政元《ほそかわまさもと》の時代からこのかた、畿内の政権の影響力は縮小の一途《いっと》をたどり、権力の分裂が進んで全体をまとめるのが困難な状況が続いていた。細川高国《たかくに》にしても確実に支配していた地域は限定されていたし、細川晴元《はるもと》もさまざまな勢力をまとめあげることができず苦労を続けた。

しかし晴元との対決を乗り越えて実権を掌握した三好長慶は、摂津の芥川を拠点としつつ、弟や部将たちを奔走させることによって、新たな統合を成し遂げることに成功したのである。三好長慶の時代の畿内は、分裂から統合へのターニングポイントにあたるということもできよう。

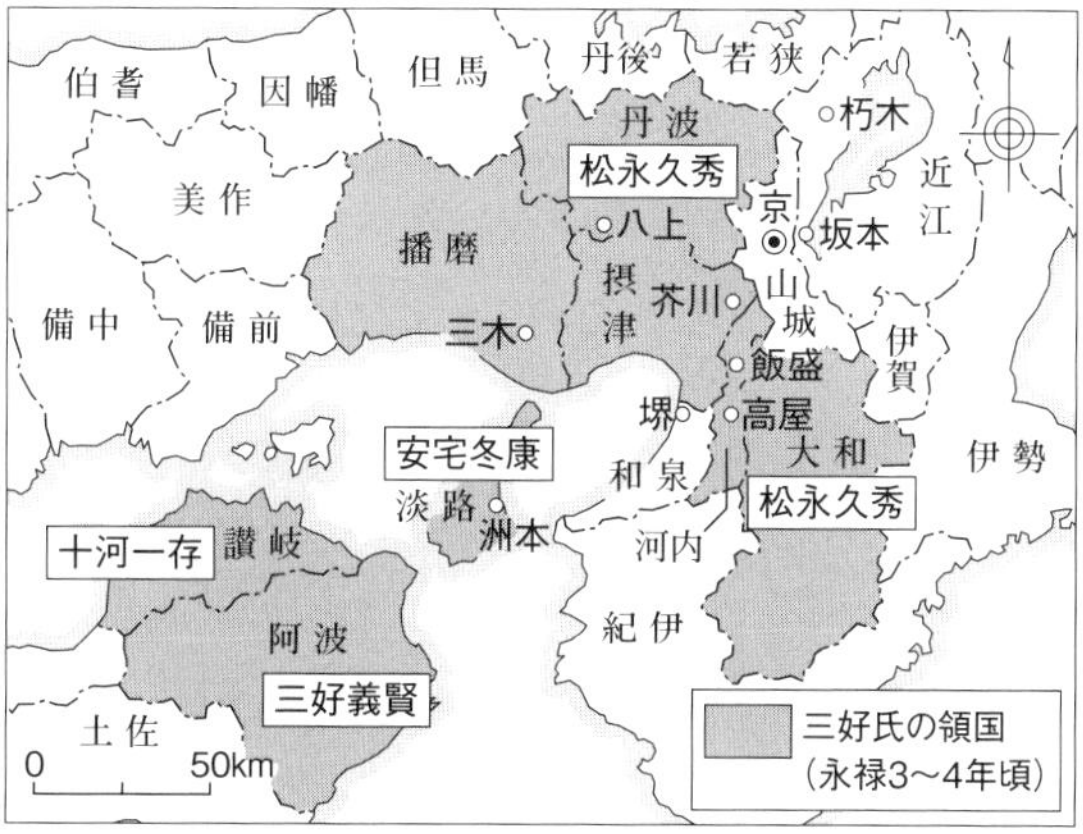

●三好領国の拡大
三好長慶は摂津芥川、次いで河内飯盛を本拠とした。その領国は八か国にまで及んだ。

三好政権の分裂

しかしここまで領国を拡大させた三好長慶《みよしながよし》も、将軍の存在を乗り越えることはできなかった。永禄《えいろく》三年（一五六〇）正月に上洛《じょうらく》して将軍足利義輝《あしかがよしてる》に謁見した長慶は、相伴衆《しょうばんしゅう》の地位を与えられ、また長慶の子は義の一字を授けられて義長《よしなが》と名のった。永禄四年正月には、三好義長が松永久秀《まつながひさひで》とともに上洛し、義輝は義長を相伴衆に列して義興《よしおき》と改名させ、義興と久秀を従《じゅ》四位下に昇進させて、長慶・義興・久秀の三人に桐《きり》の紋章を使用することを許可した。このようなかたちで義輝はみずからの存在意義を示し、長慶らも表面的にはこれに従っていた。

義輝も年長の長慶に対してはあまり大きな顔もできず、両者の関係はそれなりに円満だったようだが、こうした状況が長続きするのは難しかった。長慶が健在のうちは義輝も自己規制を働かせているが、もし長慶が死去したりして関係が変われば、三好とその一党を脅かす存在になりかねなかった。そしてそうした状況は意外に早く訪れることになる。

永禄五年三月、いったん逃亡した畠山高政《はたけやまたかまさ》が再起をはかり、鎮圧に赴いた三好義賢《よしかた》が和泉《いずみ》の久米田《くめだ》（大阪府岸和田《きしわだ》市）で敗死するという事件が起こる。三好方の最初の挫折《ざせつ》だった。高政はいったん河内高屋《かわちたかや》城を回復したものの、松永久秀らの軍勢に

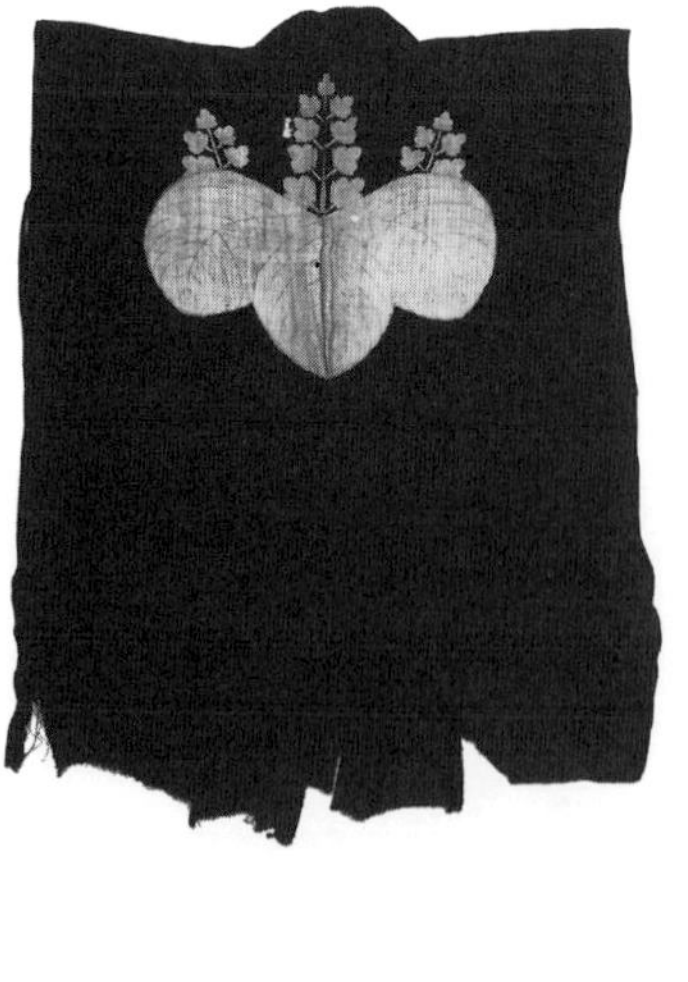

8

●桐の紋章
足利将軍家が使用した紋章だが、これは尊氏《たかうじ》が後醍醐《ごだいご》天皇から拝領したことに由来するといわれる。写真は足利義昭《よしあき》所用の胴肩衣《どうかたぎぬ》。

敗れて紀伊《きい》に出奔し、当面の危機は去ったが、長慶の周辺ではこのあとも不幸な事件が続いた。永禄六年八月、将来を嘱望されていた三好義興が二二歳の若さで死去し、長慶は十河一存《そごうかずまさ》の子で甥《おい》にあたる熊王丸《くまおうまる》を後継者に指名した。最愛のわが子を失った長慶はこのころから精神の安定を欠いていたらしく、永禄七年五月には弟の安宅冬康《あたぎふゆやす》を飯盛《いいもり》城に招いて謀殺している。熊王丸は元服して三好重存《しげまさ》と名のり、上洛して将軍に謁見したが、その直後の七月四日、長慶は飯盛城で四三年の生涯を閉じた。

　このとき将軍義輝は二九歳、若年の三好重存はもとより、三好長逸《ながゆき》らの一門や、重臣の松永久秀・久通《ひさみち》父子にとっても、長慶なきあと将軍との関係をいかにとりつけ、みずからの存在を守ることができるか、真剣に考えねばならない状況に直面したといえる。そして両者の緊張が高まるなか、御所を襲われた義輝が結局殺害されるという未曾有《みぞう》の事件が起こることになる。

　永禄八年五月一日、三好重存と会見した将軍義輝は、みずからの義の一字を与えて義重《よししげ》と改名させ、左京大夫《さきょうのだいぶ》の官途《かんと》を与えた。陪臣《ばいしん》の家の出の者としては破格の待遇である。このように表面的には将軍と三好の関係は円満のようにみえたが、半月あまり過ぎた五月一九日の辰《たつ》の刻《こく》（午前八時頃）、松永久通に率いられた一万の軍勢が将軍御所を取り巻き、乱戦の末多数の奉公衆《ほうこうしゅう》が戦死を遂げ、午《うま》の一点（午前一一時過ぎ）になって義輝自身も自害して果てた。

　三好方としても将軍を殺そうとまでは考えておらず、何事かを訴えるために軍勢を差し向けたところ、戦いが始まってこういう結果になったということらしい。二日後の五月二一日、一門の長老の三好長逸が内裏《だいり》に参上、幕府の奉公衆や奉行衆《ぶぎょうしゅう》、さらには朽木《くつき》稙綱《たねつな》までが三好と松永のもとに挨《あい》拶《さつ》に赴いた。大事を起こしたわりに、周囲の人は三好を咎《とが》めるわけでもなく、将軍不在のまま新たな政治が動き出すようにもみえた。

将軍義輝が横死したとき、弟の鹿苑寺《ろくおんじ》周嵩《しゅうすう》は一緒に討たれ、もうひとりの弟の一乗院《いちじょういん》覚慶《かくけい》も捕らえられたが、七月の末に脱走に成功し、近江《おうみ》の矢島《やじま》（滋賀県守山《もりやま》市）まで逃れた。これによって三好一党は大きな不安要因をかかえることになるが、政権の崩壊を招いた最大の原因は、長慶なきあとの三好関係者の内部分裂だった。当主の三好義継《よしつぐ》（義重はこのころ義継と改名）を支えつつ政治を担っていたのは、三好長逸・三好政康《まさやす》と石成友通《いわなりともみち》の三人で、三好三人衆と呼ばれていたが、こうした面々と松永久秀との関係が決裂したのである。三人衆は久秀と手切れをするようにと義継に迫り、その許可を得たうえで河内の飯盛城に攻め込んだ。一一月一五日のことである。

三人衆と松永の戦いはなかなか決着がつかず、永禄九年になって三人衆はまた出陣し、河内を通って大和まで進み、久秀は反撃を試みたものの敗れて逃亡した。勝利をおさめた三人衆は、やがて上京して政治を仕切るようになるが、今度は三人衆

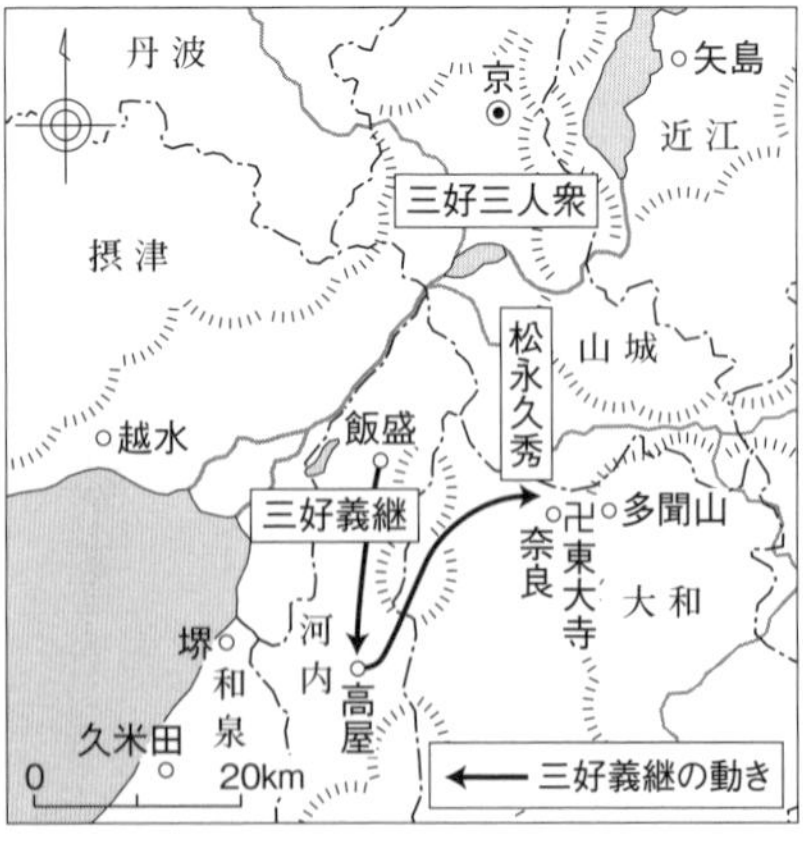

●三好三人衆と松永の戦い
三人衆と松永の争いのなかで、三好義継《よしつぐ》は飯盛から高屋に移り、さらに松永の拠点の多聞山《たもんやま》城に入った。そのあと奈良で戦いが展開される。

と当主の義継との関係が決裂し、翌永禄一〇年二月に戦いが始まった。ここで松永久秀がまた姿を現わし、義継をかかえこんだうえで、自身の本拠である多聞山《たもんやま》城（奈良市）に入った。

三好三人衆は久秀を攻めるために奈良まで出陣し、これから奈良を舞台に両者のにらみあいが始まった。五月には石成友通の率いる一万の軍勢が東大寺《とうだいじ》の念仏堂《ねんぶつどう》や二月堂《にがつどう》、大仏殿《だいぶつでん》の廻廊《かいろう》などに陣取り、対する松永勢は戒壇院《かいだんいん》に立てこもった。長いにらみあいの末、一〇月一〇日、ついに決戦が展開される。多聞山城を出発した松永の大軍が大仏殿に攻め込み、三人衆の軍勢を追い払ったのである。乱戦のなか大仏殿は灰燼《かいじん》に帰した。

その後も三人衆は京都とその周辺で活動を続け、松永との対立は決着をみない状況が続いた。このころ将軍職の獲得を願って阿波《あわ》を出発した足利義栄《よしひで》（義維《よしつな》の子）が摂津《せっつ》の越水《こしみず》城まで出てきていたが、左馬頭《さまのかみ》に任じられたものの将軍宣下の許可はなかなかもらえず、上京もかなわないかたちになっていた。そして矢島の覚慶は、還俗《げんぞく》して足利義秋《よしあき》と名のったのち、越前一乗谷《えちぜんいちじょうだに》（福井市）の朝倉義景《あさくらよしかげ》のもとに身を寄せた。

9

◉一乗谷
越前一国を支配した朝倉氏の居館と城下町は、一乗谷川沿いの細長い谷と両側の山すそに展開していた。写真は江戸末期作成の古絵図。

戦国大名の領国拡大と対決

長尾景虎の登場

今川《いまがわ》・北条《ほうじょう》・武田《たけだ》といった大名たちがその勢力を広げていたころ、越後《えちご》は一種の内乱状況にあった。守護《しゅご》を圧倒して、長尾為景《ながおためかげ》は事実上の国主として振る舞っていたが、盟友細川高国《ほそかわたかくに》が没落したことも作用して、国内で内乱が起き、為景はその収拾に腐心しつづけた。そしてこれをなんとか克服しかけたところで彼はその生涯を終えた。天文《てんぶん》一一年（一五四二）のことである。

長尾為景の子晴景《はるかげ》はすでに家督を継いでいたが、重臣の黒田秀忠《くろだひでただ》が反乱を起こして、国内は騒然となり、晴景の弟の景虎《かげとら》が起用されることになった。天文一二年、景虎は一三歳で越後中央部の蒲原《かんばら》に下向《げこう》し、さらに黒田秀忠を討ち取った。その名声が高まるなか、兄の晴景との関係が緊張を増し、家督争いが起こりかねない状況になったが、守護上杉定実《うえすぎさだざね》の調停によって和議がなされ、天文一七年の大晦日《おおみそか》、景虎は晴れて春日山《かすがやま》（新潟県上越《じょうえつ》市）入城を果たした。一門の長尾政景《まさかげ》が反抗したが、景虎は結局これを従えて国内統一を成し遂げた。守護の上杉定実は天文一九年に死去し、後継者のないまま越後上杉氏は断絶した。一国支配のために守護の権威はもはや必要なく、景虎は名実ともに国主の地位に立ったのである。

このころ関東や信濃《しなの》の情勢は急を告げていた。天文二一年、北条氏の攻勢に耐えきれず、関東管《かん》領《れい》の上杉憲政《のりまさ》が上野平井《こうずけひらい》城から出て越後に入り、景虎のもとに身を寄せた。翌年には武田のために信濃を追われた小笠原長時《おがさわらながとき》も越後に逃げ込み、葛尾《かつらお》（長野県坂城町《さかきまち》）の村上義清《むらかみよしきよ》も景虎に救援を依頼した。秋になって景虎は軍勢を率いて信濃に入って八幡《はちまん》（長野市）で武田軍を破り、筑摩《ちくま》郡まで進んで撤退した。天文二四年にも景虎は信濃に攻め入り、武田晴信《はるのぶ》と川中島《かわなかじま》（長野市）で戦ったのち、しばらくにらみあいを続けた。今川義元《よしもと》の調停で和議がなされ、両軍はともに撤退したが、武田と長尾の戦いはこのあとも繰り返されることになる。

　このように長尾景虎の活動ははなばなしかったが、積極的に対外進出をはかろうとするその志向は、多くの家臣の反発を招いたらしく、家臣内部の争いも激化していった。こうしたなか、景虎は突如として引退を表明した。弘治《こうじ》二年（一五五六）六月のことである。当主を失って困惑した家臣たちは結局景虎の引き戻しをはかり、これを受けるかたちで景虎は帰国を果たした。この一件で景虎の地位は確立し、いままで以上の積極策が講じられることになる。

　弘治三年にも景虎は信濃に出兵、善光寺《ぜんこうじ》（長野市）まで出て、上野《うえの》原《はら》（山梨県上野原市）で武田軍と戦っている。そして永禄《えいろく》二年（一五五九）には上洛して将軍足利義輝《あしかがよしてる》との親交を深め、上杉憲政を補佐して事にあたるようにとのお墨付きももらった。若衆を侍《はべ》らせながら義輝と景虎は連夜酒宴に興じたらしいが、来るべき関東出兵の許可を得るという目的を、景虎はまがりなりにも達成できたのである。

織田信長と桶狭間の戦い

長尾《ながお》景虎《かげとら》が上洛《じょうらく》した数か月前、やはり上京して将軍への謁見を果たした武将がいた。尾張《おわり》の織田《おだ》上総介信長《かずさのすけのぶなが》である。その軍勢は五〇〇人ほどで、異形《いぎょう》の者が多かったという。

管領《かんれい》もつとめた斯波《しば》氏の重臣として、織田氏は古くから勢威を誇っていたが、内部事情は複雑で、多くの一門が並びたっていた。尾張八郡のうち上四郡は岩倉《いわくら》の織田氏が押さえ、下四郡は清洲《きよす》の織田氏が支配していたが、この清洲織田を支える三奉行のなかから、織田信秀《のぶひで》が頭角を現わす。信秀は海に面した勝幡《しょばた》城（愛知県稲沢市《いなざわし》）を拠点として勢力を蓄え、三河《みかわ》や美濃《みの》への軍事行動を展開した。天文《てんぶん》一一年（一五四二）には三河の小豆坂《あずきざか》（愛知県岡崎市《おかざきし》）で今川《いまがわ》氏の軍勢を破り、天文一六年には美濃に入って、斎藤道三《さいとうどうさん》のこもる稲葉《いなば》山《やま》城（岐阜市）を攻めた。このときは道三の反撃にあって手痛い敗北を喫するが、ふたたび美濃に攻め入り斎藤氏との和睦《わぼく》を実現した。道三の娘が信秀の子信長に嫁いだのはこのときである。

一門の傍流出身でありながらここまで勢力を伸ばした信秀の手腕はさすがともいえるが、肝心の国内統一を果たさないまま出兵を繰り返したのはやはり無理があった。まもなく信秀が死去すると、国内の諸勢力が息を吹き返し、後継者の信長を悩ませることになる。信長は父の生前から那古野《なごや》（名古屋市）に居を構え、清洲には守護《しゅご》の斯波義統《よしむね》と守護代《しゅごだい》の織田《おだ》彦五郎《ひこごろう》がいて、坂井《さかい》大膳《だいぜん》らの家臣が補佐していたが、この清洲城の攻略が信長の当面の課題となった。天文二三年、斯波義統が坂井大膳らによって殺害され、翌天文二四年には守護代の織田彦五郎が、信長の叔父《おじ》信光《のぶみつ》の計略によって討ち取られる。坂井大膳も逃亡して、清洲の城は信光に与えられるが、まもなく彼が死去すると、信長はこれを手中におさめ、那古野から清洲に拠点を移した。

南尾張の統一はほぼ成就したが、家臣の内部には信長の弟の信勝《のぶかつ》を擁立しようという者も多く、信長の前途は多難だった。弘治《こうじ》二年（一五五六）、には林通勝《はやしみちかつ》と柴田勝家《しばたかついえ》が信勝擁立をはかって決起したが、信長はこれを破ってなんとか反乱をおさめ、翌年には信勝を殺害した。こののち信長は北尾張に兵を進め、永禄《えいろく》二年（一五五九）には岩倉城を陥落させて、尾張統一をほぼ成し遂げた。

今川義元《よしもと》が大軍を率いて尾張に迫ったのはこうしたときだった。天文二一年、義元は娘を武田晴《たけだはる》信《のぶ》の子義信《よしのぶ》に嫁がせて、武田氏との関係を確保し、天文二三年には子息の氏真《うじざね》と北条氏康《ほうじょううじやす》の娘との婚儀を成立させて、長く争ってきた北条氏とも連携した。この年に武田晴信の娘と北条氏康の子氏《うじ》政《まさ》との婚儀もなされて、今川・北条・武田の三大名の同盟がここに成立した。北の長尾景虎に対抗するための措置ともいえるが、この同盟は今川にとっても歓迎すべきもので、北条や武田に背後を襲われる心配をせず西に馬を進めることが可能になった。ようやく手に入れた三河の支配を安定させるためにも、尾張以西への勢力拡大は必要と義元は考えたのである。

永禄三年、今川義元は軍勢を率いて尾張に迫り、五月一八日、沓掛城《くつかけ》（愛知県豊明市《とよあけ》）に入った。織田信長もこれを阻止するため清洲を出発、熱田（名古屋市）を経て善照寺（同）まで進んだ。翌一九日、沓掛を出発した今川軍は桶狭間山《おけはざまやま》（豊明市）に陣を取り、その一隊は丸根《まるね》・鷲津《わしづ》（名古屋市）の砦《とりで》を攻め落とした。午《うま》の刻《こく》（正午頃）過ぎ、織田軍の最前線にいた佐々隼人正《さっさはやとのかみ》と千秋四郎《せんしゅうしろう》が、三〇

○人ほどを率いて今川軍めがけて突入する。彼らはあっというまに撃退されるが、これを見た信長は、善照寺の陣を飛び出して中島《なかしま》まで進み、軍勢に攻撃を命じた。乱戦のなか今川軍はしだいに後退し、桶狭間山に陣取っていた義元はあえなく討ち取られた。

丘の上に布陣している敵の様子を見て取れるはずもなく、大将を討ち取ったのは幸運としかいいようがないが、今川軍は総崩れとなり、信長は苦境を乗り切った。このとき信長は二七歳だった。

小田原攻めと川中島の合戦

桶狭間《おけはざま》の戦いの数か月後の永禄《えいろく》三年（一五六〇）八月、越後《えちご》の長尾《ながお》景虎《かげとら》はついに関東出兵を決行した。山越えして上野《こうずけ》に入った景虎は、厩橋《うまやばし》（前橋《まえばし》市）にとどまり、ここで年を越した。北条《ほうじょう》氏の関東制圧に危機感をもつ各地の武士たちが集まり、翌永禄四年二月、武蔵《むさし》に向かって進軍が開始された。南に向かってひたすら進んだ長尾軍は、三月には北条氏の拠点である小田原《おだわら》城を包囲した。

しかし長駆してきた軍勢には疲れもみえ、長陣は無理だった。閏《うるう》三月になって景虎は撤退を開始し、そのまま鎌倉《かまくら》に入り、ここで上杉憲政《うえすぎのりまさ》から家督を譲り受ける儀式を挙行、憲政から一字を拝領して上杉政虎《まさとら》と名のったが、上杉の家督を継承したことは、関東管領《かんれい》の職《しき》も手にしたことを同時に意味した。関東の武将たちを統括する名目を、とりあえず政虎は手にしたのである。

一応目的を達成して帰国した政虎は、息をつく暇《ひま》もなく、今度は信濃《しなの》に向けて出兵した。八月に兵を出した政虎は、妻女山《さいじょざん》（長野市）を陣と定め、武田《たけだ》晴信《はるのぶ》（信玄《しんげん》）も甲府《こうふ》を出発して川中島《かわなかじま》まで進み、海津城《かいづ》（長野市）を拠点とした。そして九月一〇日、川中島の地で歴史に名を残す激戦が展開され、晴信の弟の信繁《のぶしげ》をはじめ、両軍ともにかなりの戦死者を出す結果となった。上杉政虎と武田晴信の一騎打ちはさすがになかったようだが、関白近衛前嗣《かんぱくこのえさきつぐ》の書状に政虎が自身「太刀打《たちうち》」に及んだと書かれているから、政虎が刀を抜いて戦いに加わったのは事実かもしれない。

信濃から帰国した上杉政虎は、ふたたび関東に出兵し、上野で年を越す（このころ政虎は将軍足利《あしかが》義輝《よしてる》から一字を拝領して輝虎《てるとら》と改名）。翌永禄五年、輝虎は下野佐野城《しもつけさの》（栃木県佐野市）を攻めるが、目的を達成できないまま帰国した。永禄六年の二月には、武蔵松山城《まつやま》を救援するために石戸《いしと》（埼玉県北本市《きたもと》）まで進み、ここに布陣した。しかし武田晴信の調略《ちょうりゃく》によって松山城が開城してしまったため、輝虎は方針を改めて、崎西城《きさい》（埼玉県騎西町《きさいまち》）を囲んで城主を降伏させ、さらに下野の小山城《おやま》（祇園城《ぎおん》、栃木県小山市）を攻めて小山秀綱《おやまひでつな》を降《くだ》し、そこから佐野城に進んで圧力を加えた。この年もいったん帰国ののち、冬になってまた関東に入り、厩橋で越年して、永禄七年正月には常陸《ひたち》の小田城《おだ》（茨城県つくば市）を陥落させた。

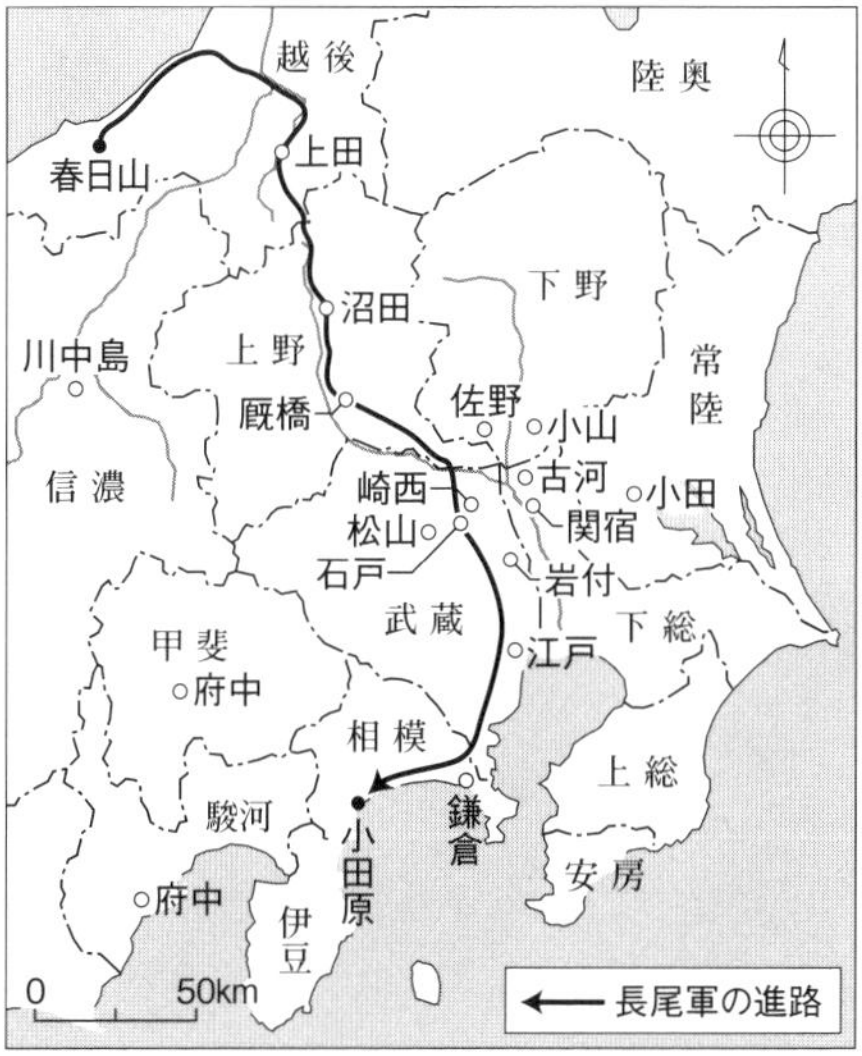

●長尾景虎の関東出兵
春日山《かすがやま》から小田原までの四〇〇㎞を、越後の軍勢は進んだ。北条氏に反感をもつ関東の武士たちもこれに加わった。

永禄三年の出兵ののち、四年にわたって上杉輝虎は関東で越年することになった。冬のうちに雪道をかき分けて関東に入り、各地を転戦したのちいったん帰国して、また出兵するということを繰り返したのである。関東一帯を動きまわりながら、輝虎はその存在を周囲に示そうと努めたが、成果は芳しくなかった。こうした間にも北条氏康《うじやす》は関東南部の支配を着々と進めていたのである。

永禄七年正月、安房《あわ》の里見義弘《さとみよしひろ》が北条氏康に戦いを挑んだが、氏康はこれを下総国府台《しもうさこうのだい》で撃破した。また同年七月には上杉輝虎に属していた武蔵岩付《いわつき》（埼玉県岩槻市）の太田資正《おおたすけまさ》が、北条と通じた子息の氏資《うじすけ》によって城を追われ、岩付とその一帯も北条の傘下《さんか》に入った。輝虎はこの後も関東出兵を繰り返すが、武蔵や下野・下総方面の経略は思うに任せず、上野一国の確保のみが課題とされるようになった。武田との戦いも決着がつかないまま推移し、川中島の地は結局武田の支配のもとに置かれることになった。こうして東国の情勢は膠着《こうちゃく》状態になってゆく。

◉描かれた川中島の合戦
川中島の合戦も屏風絵《びょうぶえ》のかたちで多く描かれた。写真は政虎（謙信《けんしん》）と晴信（信玄《しんげん》）の一騎打ちの場面。（『川中島合戦図屏風』）

大内氏の滅亡

大内《おおうち》と尼子《あまこ》の両巨頭がせめぎあいつつ、一定の勢力均衡状態を現出させていた西国の政治状況は、天文《てんぶん》二〇年（一五五一）に起きた大事件によって、新たな展開を見せることになる。大内義隆《よしたか》の重臣陶隆房《すえたかふさ》が、本拠の周防富田《すおうとんだ》（山口県新南陽市《しんなんようし》）で挙兵して山口に攻め込み、長門《ながと》に逃れた義隆は追いつめられて大寧寺《たいねいじ》（山口県長門市）で自害した。九月一日のことだった。

陶氏は大内氏の重臣筆頭で、隆房の父興房《おきふさ》も九州経略を進めた実績をもつ。家臣のなかでも卓越した地位と実力をもつ陶氏が、主家と雌雄を決することになるのは必然ともいえるが、隆房にしても大内氏そのものを滅ぼそうと考えていたわけではなく、義隆にかえて新たな当主を擁立する算段を進め、豊後《ぶんご》の大友義鎮《おおともよししげ》の弟晴英《はるひで》（その母は義隆の姉）を迎え入れた。天文二一年、晴英は山口に入り、隆房はその一字をもらって晴賢《はるかた》と改名した。

しかし主君の殺害という手段によって生まれた陶晴賢の政権が、大内家臣全体の支持を得ることは難しく、領国の国人《こくじん》たちも自立の動きを見せた。これに対して晴賢は強硬姿勢で臨み、豊前守護代《ぶぜんしゅごだい》の杉興運《すぎおきゆき》や、筑前《ちくぜん》守護代の杉重矩《しげのり》を滅ぼし、さらに

11

●毛利元就
厳島《いつくしま》で陶晴賢を滅ぼしたとき元就は五九歳、すでに隠居の身分だったが、七五歳で死去するまで領国拡大に邁進《まいしん》した。

石見《いわみ》の吉見正頼《よしみまさより》の討伐に乗りだした。安芸《あき》の毛利元就《もうりもとなり》は晴賢から石見出陣を命じられるが、彼は去就を明らかにしなかった。

天文二三年三月、陶晴賢は大内義長《よしなが》（晴英は義長と改名していた）を奉じて山口を出発し、石見に向かったが、五月になって毛利元就・隆元《たかもと》父子は晴賢との断交を正式に宣言し、安芸各地にある陶方の拠点の攻略を始めた。晴賢はさっそく軍勢を差し向けるが、明石口《あかしぐち》（広島県廿日市《はつかいち》市）で毛利軍に敗れ、その本拠である周防富田城まで毛利方の水軍に襲われる始末だった。

南方が危ないとさとった晴賢は、吉見正頼と和議を結んで山口に帰り、天文二四年の年明けとともに反撃を開始、九月になって晴賢自身が大軍を率いて厳島《いつくしま》（広島県宮島《みやじま》町）に現われて、宮尾《みやのお》城の攻撃を開始した。これを知った毛利元就も兵を進めて地御前《じごぜん》に陣を構えた。ここでかねてから約束していた伊予《いよ》

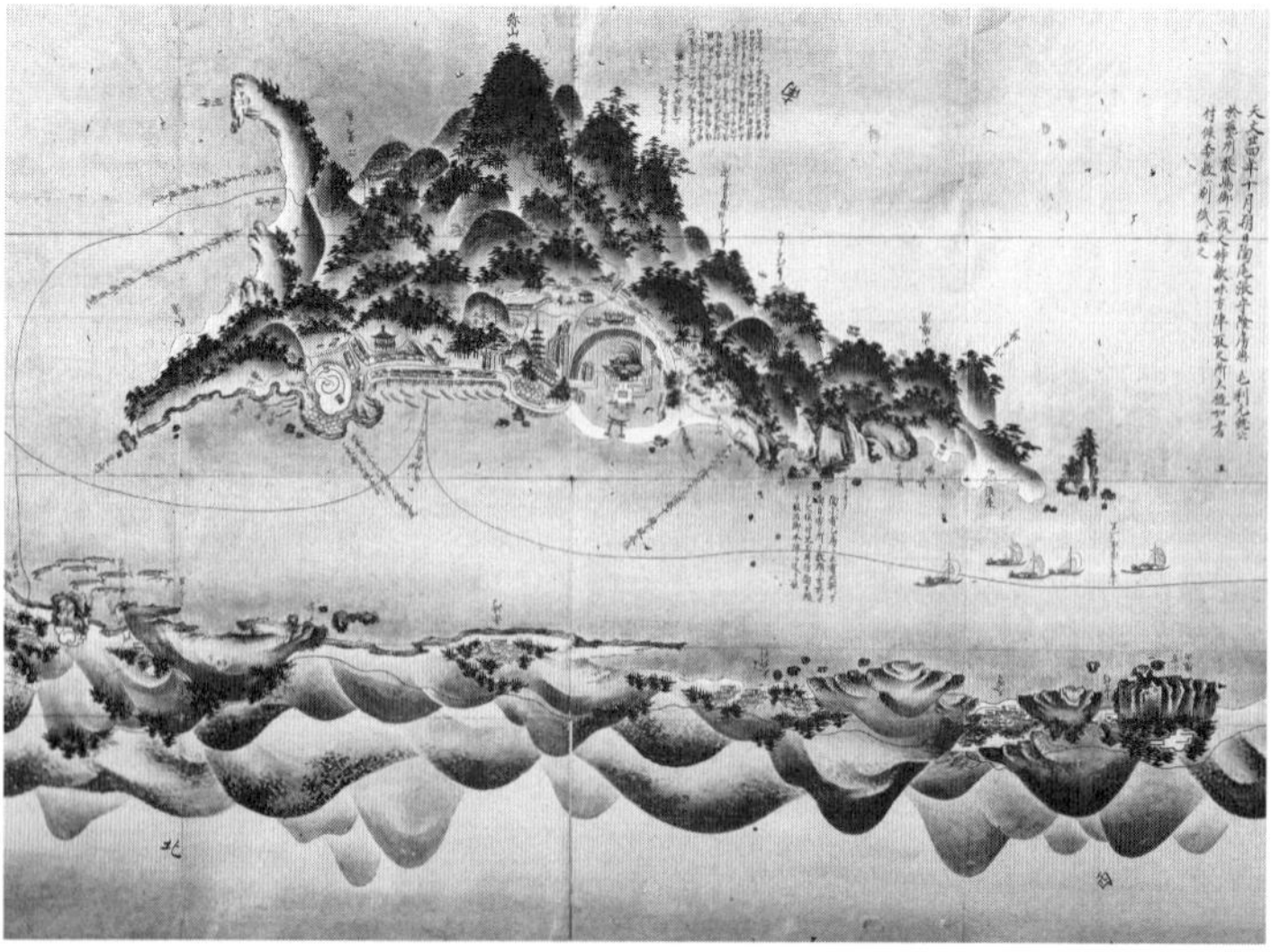

12

●厳島の戦い
島の中央に陣取った陶晴賢は、左側に見える宮尾城を攻めたが、海を渡った毛利軍に背後から襲われ敗北した。（『芸州《げいしゅう》厳島御一戦之図』）

来島《くるしま》氏の警固船が到着、翌日の夜、毛利軍は海を渡って厳島に上陸し、晴賢の陣を襲った。総崩れとなった陶方の兵士は撤退を試みるが、海上を埋め尽くした警固船に阻まれて果たせず、厳島の中で全滅、大将の晴賢は自害した。一〇月一日のことである。

毛利元就はそのまま西に進んで周防の岩国《いわくに》（山口県岩国市）に陣を据え、陶氏の討伐にとりかかった。戦いは長引いたが、弘治《こうじ》三年（一五五七）三月には陶氏を討ち、さらに山口に迫る。そして長門の且山《かつやま》城（同下関市）に逃れた大内義長は、毛利方の水軍に阻まれて九州逃亡を果たせず自害した。周防・長門を拠点に勢威をふるった大内氏はこうして滅び去った。重臣筆頭の陶氏が領国を乗っ取って支配を展開するかにみえたが、周防と長門をわがものとしたのは、隣国安芸の国人出身の毛利だったのである。

毛利と大友の巨大領国

大内《おおうち》氏があっけなく滅びたことで、いちばん得をしたのは豊後《ぶんご》の大友《おおとも》氏だった。筑前《ちくぜん》と豊前《ぶぜん》は大内が守護《しゅご》をつとめる領国だったが、労せずして両国を手に入れる好機が到来したのである。大内滅亡の直後から、大友義鎮《よししげ》は豊前攻略を開始し、筑前にも戸次鑑連《べっきあきつら》の率いる大軍が送り込まれた。永《えい》禄《ろく》二年（一五五九）六月、義鎮は将軍足利義輝《あしかがよしてる》に奏請して筑前と豊前の守護職《しゅごしき》を正式に与えられ、両国支配の名分を確保した。

北部九州における大友氏の勢力拡大は、毛利《もうり》氏にとっても大きな脅威だった。関門《かんもん》海峡を隔てて赤間関《あかまがせき》（山口県下関《しものせき》市）と隣り合う門司《もじ》（福岡県北九州市）の地を拠点としながら敵の侵攻を防ぐというのが毛利側の作戦だったが、大友軍によって門司城が奪われることもままあり、しばらく門司城を舞台とする争奪戦が続いた。永禄四年一〇月一〇日、大友軍は門司城に総攻撃をしかけるが、乃美宗勝《のみむねかつ》ら毛利勢の奮戦によって撃退され、一一月になって撤退を開始、追いすがる毛利の兵のために甚大な被害をこうむった。

　大友義鎮との戦いを続けながら、毛利元就《もとなり》は東方や北方への進軍を開始してゆく。永禄二年には備中《びっちゅう》に出陣して一国をほぼ平定し、いったん安芸《あき》に帰ったのち、石見《いわみ》に出陣して、河本温《かわもとぬく》湯《ゆ》城（島根県川本町）の小笠原長雄《おがさわらながお》を降伏させた。尼子晴久《あまこはるひさ》（詮久《あきひさ》の改名）は永禄三年に死去し、子の義久《よしひさ》が家督を継いでいたが、元就はじっくりと石見侵攻を続け、永禄五年には銀山《ぎんざん》をかかえる山吹《やまぶき》（島根県大田《おおだ》市）城の本城常光《ほんじょうつねみつ》を降伏させて、石見平定を実現した。元就はそのまま出雲《いずも》に入り、赤穴《あかな》（島根県赤来《あかぎ》町）を経て宍道《しんじ》（同宍道町）まで進んだ。ここで本城常光を殺害したことが裏目に出て、多くの離反者を出すが、元就は混乱を克服して、宍道《しんじ》湖《こ》北岸の洗骸《あらわい》（島根県松江《まつえ》市）に陣をしいて白鹿《しらが》城（同）に迫り、尼子の居城富田《とだ》城と白鹿城との連絡

13

◉大友義鎮（宗麟）
二二歳のときザビエルからキリスト教の教義を聞いた義鎮は、四九歳で洗礼を受け、ドン・フランシスコと名のった。

綱を遮断した。

このようななか、将軍義輝の命令もあって毛利と大友の講和が進み、永禄七年七月、起請文《きしょうもん》の交換がなされて和議は正式に締結された。そして大友と和睦《わぼく》して後方の不安を払拭《ふっしょく》した毛利元就は、尼子攻略を念入りに推し進めた。永禄六年八月、当主の毛利隆元《たかもと》が安芸の佐々部《ささべ》（広島県安芸高田《あきたかた》市）で急死するという悲劇もあったが、元就は幼少の幸鶴丸《こうづるまる》（隆元の子、のちの輝元《てるもと》）の後見役として一門と家臣をまとめ、尼子攻略の指揮もとりつづけた。この年一〇月に白鹿城が陥落し、翌永禄七年四月、元就はとうとう富田城に攻撃をしかけた。城はなかなか落ちなかったが、やがて尼子家中から脱退者が出て、開城は時間の問題となった。永禄九年一一月一九日、尼子義久は弟たちとともに城を下り、富田城を毛利に明け渡した。

こうして周防《すおう》・安芸・備後《びんご》・備中・長門《ながと》・石見・出雲と広がる中国地方の過半が毛利氏の領国に編入された。一方大友義鎮は、豊後と肥後《ひご》に豊前・筑前を加え、さらに肥前《ひぜん》と筑後《ちくご》の守護職も獲得して、北部九州六か国の守護職をもつ大名に成長した。大内氏の滅亡は、毛利と大友という巨大な版図《はんと》をもつ戦国大名を生み出す結果をもたらしたのである。

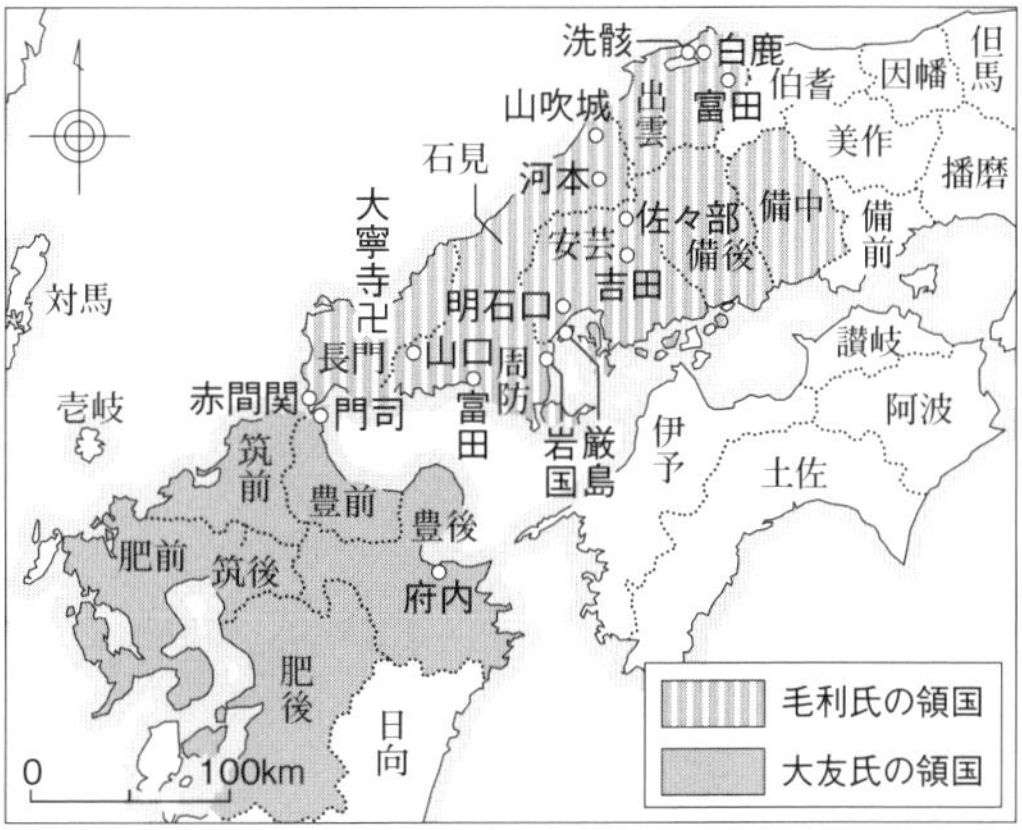

●毛利氏と大友氏の領国
大内氏の領国は毛利と大友に奪われた。やがて毛利氏は七か国、大友氏は六か国に及ぶ巨大な領国を築き上げる。

信長と家康の同盟

今川義元《いまがわよしもと》が桶狭間《おけはざま》で討死《うちじ》にしたとき、すぐそばの大高《おおたか》城（名古屋市）にいた松平元信《まつだいらもとのぶ》は、退却する今川軍と行動をともにせず、かつての居城だった三河岡崎《みかわおかざき》に戻り、公然と今川に反旗を翻した。元信は岡崎城主松平広忠《ひろただ》の子息で、八歳のときから人質として駿河《するが》にいたが、好機を逃さず帰国を果たし、独立の領主としての一歩を踏み出したのである。

松平元信はまもなく元康《もとやす》と改名し、三河の西部を押さえながら、今川の領国に組み込まれている東三河への攻撃を開始した。今川氏真《うじざね》もこれを食い止めるべく腐心し、しばらく今川と松平の戦いがこの一帯で展開することになる。一方で元康は織田信長《おだのぶなが》への接近をはかり、永禄《えいろく》五年（一五六二）正月には信長と元康の同盟が締結された。

永禄六年七月、松平元康は家康《いえやす》と名を改めるが、まもなく大きな難題に直面する。西三河一帯に広がる一向宗《いっこうしゅう》の門徒が戦いを挑んできたのである。一揆《いっき》の鎮圧は困難を極めたが、翌永禄七年の二月にはこ

◉岐阜城
稲葉山城（岐阜城）は長良川《ながらがわ》河畔の金華山《きんかざん》にあり、麓《ふもと》の町は井之口《いのくち》と呼ばれた。岐阜は「木曾川のほとり」という意味の言葉だといわれている。

れを降伏させることに成功し、家康は最初の苦境を乗り越えた。こののち家康は東三河攻略をいっそう推し進め、永禄八年三月に今橋城《いまはし》（豊橋市《とよはし》）が開城したことにより、家康の三河平定はようやく達成された。

家康が三河平定を進めている時期、織田信長は美濃《みの》進出をはかっていた。舅《しゅうと》にあたる斎藤道三《さいとうどうさん》は、弘治《こうじ》二年（一五五六）に子息の義竜《よしたつ》と戦って敗死し、義竜が当主となったが、彼も永禄四年に死去し、その子の竜興《たつおき》が跡を継いでいた。義竜死去の知らせを聞いた信長はただちに出陣し、美濃森辺《もりべ》（岐阜県安八町《あんぱち》）で斎藤軍を破り、永禄六年には清洲《きよす》から北方の小牧山《こまきやま》（愛知県小牧市）に居城を移し、美濃経略の算段を進めた。永禄九年には木曾川《きそがわ》河畔で手痛い敗北を喫するが、翌永禄一〇年八月、稲葉《いなば》貞通《さだみち》ら美濃三人衆を味方にすることに成功、万策尽きた斎藤竜興は城を脱出して舟で川を下り長島《ながしま》（三重県桑名市《くわな》）に逃れた。美濃一国を手中に入れ、稲葉山《いなばやま》の城に入った信長は、ここを岐阜と改めて新たな拠点とした。

美濃を手に入れたことは、京都や畿内への入り口を押さえたことを意味した。信長が軍勢を率いて畿内に躍り出るのは、美濃平定の翌年である。

コラム3

山科本願寺の繁栄

京都の西南、山科《やましな》の地にあった本願寺《ほんがんじ》が、法華宗徒らの襲撃にあって炎上したのは、天文《てんぶん》元年（一五三二）八月二四日のことだった。早朝から合戦が始まり、巳《み》の刻《こく》（午前一〇時）に寺は壊滅、周囲の在家も残らず焼け失せた。

事件を京都で聞いた公家の鷲尾隆康《わしのおたかやす》は、日記にこうしたためた。「本願寺は長年にわたって富み栄えていた。寺中は広大無辺で、荘厳さは仏国のようだという。在家の人々もみな豊かで、家もずいぶん豪華にしていたらしい。それがあっというまに滅びてしまった。これも天道のなせるわざだろうか」。蓮如《れんにょ》がここに寺地を定めてから五〇年の間、山科本願寺は繁栄を極めたのである。

ところでこの隆康の日記は「京都に帰った人々はみな手に戦利品を抱えていた。財宝は山のようらしい」と続く。焼け跡からは黄金数百両が掘り出されて、死者が数十人にのぼったとの噂《うわさ》も流れた。宝の奪い合いで命を落としたのだろう。

大坂で復活を果たした本願寺は、その巨万の富を基盤として、やがて織田信長《おだのぶなが》と戦いを交えることになる。

◉十字名号
親鸞直筆と伝えられる。「帰命尽十方無碍《きみょうじんじっぽうむげ》光如来《こうにょらい》」の「無碍光如来」とは阿弥陀仏《あみだぶつ》のこと。こうした名号《みょうごう》が門徒たちの信仰を支えた。

第四章

大名と家臣

1

大名と家臣たち

「下剋上の時代」か

将軍足利義尚《あしかがよしひさ》が勢い込んで六角高頼《ろっかくたかより》討伐を決行したとき、細川政元《ほそかわまさもと》は乗り気でなく、みずからは動かないで家臣の安富《やすとみ》と上原《うえはら》に軍勢を指揮させた。そして戦場に赴いた安富と上原は、打倒すべきはずの六角軍のなかに使者を送り込んで、六角家臣の伊庭《いば》と九里《くのり》のための逃げ道をつくってやった。義尚はさすがに怒ったが、処罰することもできず、不満をつのらせたまま陣中で客死してしまう。それから数年後、細川政元はクーデターを起こして将軍を交替させることに成功するが、力を強めた家臣たちの統制に苦心しつづけ、結局はそのひとり、香西元長《こうさいもとなが》によって暗殺される。

細川は将軍の臣下で、安富・上原や香西は細川の家臣である。こうした身分秩序は厳として存在しているが、政元にしてもその家臣にしても、みずからの置かれた立場のなかで、かなり自由な行動をとっていた。義尚や政元の時代は守護大名《しゅごだいみょう》の家臣クラスの武士たちが政治の表面に躍りでた時代だが、それでも主人を抹殺するといった事件はあまり起きていない。細川政元は将軍義材《よしき》のかわりに新たな将軍を立てたが、義材自身はかかえこんで保護しようとしていた。主君を殺害するといった行動にはさすがに出なかったわけだが、そうした彼自身が数年後には家臣によって殺されてし

●毛利元就とその家臣
元就《もとなり》のもとに三人の子と婿《むこ》、福《ふく》原《はら》・桂《かつら》・児玉《こだま》・志道《しじ》ら七人の家臣を描く。江戸時代にはこうした絵が多くつくられた。(『毛利元就座《ざ》備図《そなえず》』前ページ図版)

まう。永正《えいしょう》四年（一五〇七）の政元暗殺事件は、下剋上《げこくじょう》の時代の幕開きを示すものといえよう。政元暗殺事件の数か月後、越後《えちご》守護《しゅご》代《だい》の長尾《ながお》為景《ためかげ》が兵を挙げ、主君で守護である上杉《うえすぎ》房能《ふさよし》を討ち取っている。このとき為景は房能にかわる新たな守護を擁立していたから、上杉家自体を滅ぼしたわけではないが、これも下剋上の嚆矢《こうし》とみてよかろう。

政元を暗殺した香西元長はまもなく滅亡し、細川高国《たかくに》によってそれなりに安定した政治がなされたが、高国も家臣の反乱によって没落した。そして新たに政権を掌握したかにみえた細川晴元《はるもと》も、家臣の三好《みよし》長慶《ながよし》に打倒され、長慶も晩年には家臣の松永久秀《まつながひさひで》の台頭に悩まされた。考えてみれば、数十年に及ぶ畿内の政治史は、いわゆる下剋上の繰り返しといっても過言ではない。のちに天下に号令した織田《おだ》信長《のぶなが》が家臣の明智《あけち》光秀《みつひで》に討たれるのも、こうした流れを考えればとりたてて不思議なことでもないのである。

守護代から身を興《おこ》した最初の大名は越前《えちぜん》の朝倉《あさくら》氏であろう。朝倉氏は斯波《しば》家重臣のひとりで、越前守護代をつとめていたが、応仁《おうにん》の乱《らん》（一四六七〜七七年）の過程で孝景《たかかげ》が主家からの自立を果たし、これから一〇〇年近くの間、越前一乗谷《いちじょうだに》に本拠を置いて国内支配を進めた。また出雲《いずも》の尼子《あまこ》氏も経《つね》久《ひさ》のときに守護佐々木《ささき》（京極《きょうごく》）氏にかわって国内統治を始め、やがて出雲のみならず伯耆《ほうき》・備後《びんご》・安《あ》芸《き》・石見《いわみ》といった周辺諸国に力を広げた。越後守護代の長尾為景は晩年内乱に悩まされるが、その子の景虎《かげとら》はこれを克服し、やがて関東管領《かんれい》上杉家の名跡を相続して大きな領国を築き上げた。美濃《みの》の斎藤《さいとう》氏や尾張《おわり》の織田氏も守護代もしくはその一門から身を興して大名となった事例といえる。

しかし守護代が守護を打倒もしくは無力化して大名化するケースがすべてではない。逆に守護が守護代や家臣の台頭を抑えてそのまま戦国大名となることも、同じ程度に存在していた。駿河《するが》の今《いま》川《がわ》氏は特定の家臣の勢力拡大を許さずに大名領国を統治したし、甲斐《かい》の武田《たけだ》氏は穴山《あなやま》・小山田《おやまだ》といった地域の大領主を傘下《さんか》におさめながら、独自の大名として版図《はんと》を広げた。九州の大友《おおとも》氏や島津《しまづ》氏も、鎌倉《かまくら》時代以来の伝統的守護家で、家臣の内紛を克服しながら大名としての地位を保った。

戦国時代は下剋上の時代といえなくもないが、守護代や家臣の台頭によって緊張状態が高まりついに決裂した場合、いつも下位の者が勝利をおさめたわけではなく、主君の側が事態を解決すべく動いたり、下剋上の試みが失敗に終わったりして、守護代や家臣の側が滅亡するケースも多かった。守護と守護代は本来協力しあいながら政治を行なっていたが、両者の力が拮抗《きっこう》すると、並びたつことができなくなり、結局どちらかが抹殺されてしまう。戦国とはそういう時代だった。

大名家の親と子

桶狭間《おけはざま》で無念の討死《うちじ》にを遂げたとき、今川義元《いまがわよしもと》は四二歳だった。北条氏康《ほうじょううじやす》が五七歳、武田信玄《たけだしんげん》は五三歳で病死しており、上杉謙信《うえすぎけんしん》の享年も四九歳だから、何事もなければ義元もあと一〇年は生きていられたことだろう。四二歳というのは若すぎるといえなくもないが、じつをいうとこのときすでに義元は隠居の身分にあった。嫡男の氏真《うじざね》は当時二三歳で、すでに家督を譲られて、駿河《するが》・遠江《とおとうみ》の支配にかかわっている。義元は四〇前後で子息に家督を譲っていたわけだが、政治から身をひいたわけではなく、今川の本領ともいうべき駿河と遠江は子に任せて、みずからは隠居の立場で三河《みかわ》の支配と新たな領国の切り取りにあたるつもりだったらしい。

今川の大軍を阻止すべく出陣したとき、織田信長《おだのぶなが》は「人間五〇年」で始まる『敦盛《あつもり》』の舞を披露したと伝えられているが、この時代にも成人男子の寿命は五〇歳というのが相場だった。こうした時代、二〇歳というのは大名家の家督として政治を担える年齢と考えられていたのである。武田晴《はる》信《のぶ》（信玄）が父を追放して自立したのは二一歳のときで、長尾景虎《ながおかげとら》（上杉謙信）は一九歳で家督を継いでいる。今川義元も家督を相続したとき、まだ一八歳の青年だった。

二〇歳で一人前になり、五〇歳まで生きられる。こうしたライフサイクルにのっとって、大名が四〇歳になるころに、二〇歳前後に成長していた嫡子に家督を譲るということが、戦国大名家では広く行なわれた。小田原《おだわら》の北条氏の場合は、宗瑞《そうずい》から氏綱《うじつな》、氏綱から氏康《うじやす》、氏康から氏政《うじまさ》、そして氏政から氏直《うじなお》というすべての場合に、父から嫡子へと生前に家督譲与がなされている。もっとも家督を譲ったからといって政務から退くわけではなく、年若い当主を補佐したり、新たな領国を統治するといったかたちで、「御隠居様」はその役割を果たした。

一介の国人《こくじん》から身を興《おこ》して安芸《あき》をほぼ手中におさめた毛利元就《もうりもとなり》が、嫡子の隆元《たかもと》に家督を譲ったのは、天文《てんぶん》一五年（一五四六）のことだった。このとき元就は五〇歳、隆元は二四歳になっていた。隠居した元就は吉田郡山《よしだこおりやま》城の山上に転居し、山腹の尾崎曲輪《おざきくるわ》にいる隆元を後見した。このようななかで、毛利氏は陶晴賢《すえはるかた》を討ち、大内《おおうち》氏も滅ぼして周防《すおう》と長門《ながと》を手に入れた。こうした版図《はんと》拡大は毛利元就の事績として一般に理解されているが、このとき毛利家当主の地位にあったのは嫡子の隆元なのである。

嫡子が二〇歳になったら家督を譲り、みずからは隠居の立場で後見にあたるというかたちが広く採用されたのはなぜか。早くから政治に参与させることで跡継ぎを鍛えるという意味もあろうが、大名家内部の確執を未然に防ぐという効用も大きかった。

古今東西を問わず、親子や兄弟のいさかいは家を滅ぼす元凶で、戦国大名も例外ではなかった。当主がある年齢に達すれば、居ならぶ子息のうち誰が跡継ぎになるかがおのずと話題となり、突然当主が死去したりすれば、無用な家督争いが起こりかねない。こうしたことを防ぐためにも、特定の後継者をあらかじめ決め、生前に家督を譲る儀式を行なうことが必要とされたのである。後継者には長男が指名されることが多いが、早い段階で家督を継承すれば、父親に疑惑を抱くこともなく政務に精進できるし、ほかの兄弟が無用な野心をもつことも回避できる。もっとも、家督を譲ったからといって親子関係がいつも円満だったというわけではないが、いつまでも当主が実権のすべてを握るよりはましだったのである。

兄と弟

大名家では、嫡男が父親の生前に家督を譲られるのが一般的だったが、選からもれた子息たちはどのように処遇されたのか。もちろん惣領《そうりよう》である大名に従って活動した者もいたが、家督をめぐる争いを避けるために、多くの弟たちは若年で僧籍に入れられ、重要な寺院の住持《じゅうじ》として活躍の場を提供された。今川義元《いまがわよしもと》は若いころ僧籍にあったし、長尾景虎《ながおかげとら》もそのように伝えられている。

ただ領国の拡大を進めている大名などの場合は、新たに支配下に置いた地域を統括するために子息を配置したり、近隣の領主の家に養子として子を送り込み、結果的にその家を傘下《さんか》におさめたりすることもよくあった。小田原《おだわら》の北条《ほうじょう》氏の場合、相模《さがみ》東部と武蔵《むさし》南部の支配拠点となった玉縄《たまなわ》城に、当主の一族が送り込まれ、領国支配の一翼を担った。最初の城主は北条氏綱《うじつな》の弟氏時《うじとき》で、そのあとは甥《おい》にあたる為昌《ためまさ》（氏綱の子、氏康《うじやす》の弟）が引き継いだ。この為昌が若くして死去すると、一門の綱《つな》成《しげ》が養子となって玉縄城を受け継ぎ、その後はその子孫に継承された。

北条氏康にも多くの男子がいて、他家に養子に入ったり、地域の城の城主になったりしながら兄の氏政《うじまさ》を支えた。大石《おおいし》氏の養子となった氏照《うじてる》は、武蔵滝山《たきやま》城（東京都八王子《はちおうじ》市）を拠点としつつ地域支配を進めるとともに、北条氏の領国拡大戦の一翼を担い、同じように武蔵北部の藤田《ふじた》家の家督を相続した氏邦《うじくに》は、鉢形《はちがた》城を本拠としながら武蔵北部と上野《こうずけ》南部の支配を担った。その弟の氏規《うじのり》は相模三浦《みうら》の三崎《みさき》城（神奈川県三浦市）と伊豆《いず》韮山《にらやま》城（静岡県伊豆の国市）の城主を兼ね、氏政の子の氏房《うじふさ》は武蔵の岩付《いわつき》城

北条氏系図

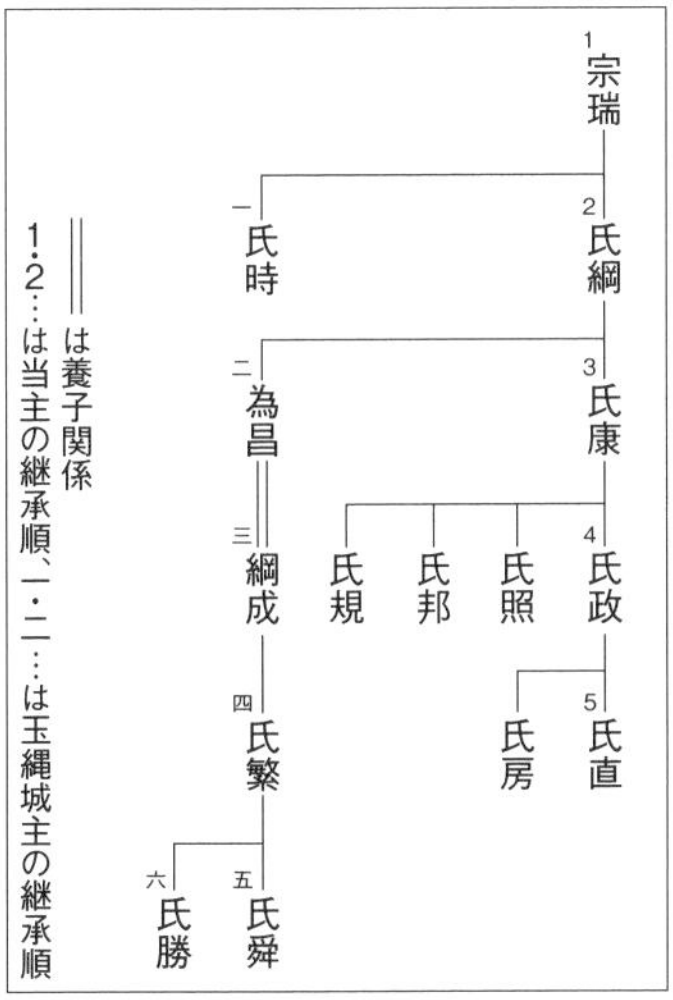

（埼玉県岩槻市《いわつき》）に入って領域支配を展開した。

毛利《もうり》元就《もとなり》も子息二人を他家に入れた。吉川元春《きっかわもとはる》と小《こ》早川隆景《ばやかわたかかげ》である。いずれも隆元《たかもと》の弟にあたり、元春は隆元より七歳下、隆景はさらに三歳年少である。養子に入ったのは弟の隆景のほうが先で、天文《てんぶん》一三年（一五四四）に一二歳で安芸《あき》竹原《たけはら》の小早川家を相続し、六年後には同族である沼田《ぬた》小早川家の当主も兼ねることになった。

一方の元春は、一八歳になった天文一六年に安芸北部に勢力を張る吉川家に送り込まれ、やがてその当主となった。吉田郡《よしだこおり》山《やま》城に拠点を置く毛利氏と、東の海の世界を押さえる小早川氏、北の山麓《さんろく》部の領主である吉川氏という三つの家の当主として、三人の兄弟は並びたったわけである。

しかしこの兄弟の関係は円満とはいえなかった。年の離れた長兄の隆元は、その控えめな性格が災いしてか、二人の弟からまともに相手にされず、日ごろの不満を父親に向けて書状で訴えた。「私の足らないところを補って助けてやろうといった気持ちは微塵《みじん》もなさそうだ、こちらに来てもすぐに帰りたがる

2

3

し、何事につけても私をないがしろにして、二人だけで仲よくしている」

切々とした書状を受け取った元就は、隆元の言い分に理解を示して、返事にこう書いた。「小早川になった、吉川になったといっても、毛利の一家だという心持ちが大切だ。他の家をうまくまとめても、毛利家が無力になったら意味がない」

このときは元就の勧めもあって、隆元から弟に対して存念が示され、二人の弟も納得して一件落着となったようだが、のちに元就は三人の子に宛《あ》てて改めて正式の訓戒状をしたためた。

「毛利の名字がすたれないように心がけることが何より大切だ。元春や隆景が他家の名跡を継いだといっても、これは当座のことで、毛利のことをおろそかに考えてもらっては困る。毛利家が堅固であればこそ、小早川の家中、吉川の家中に対しても、思いどおりに命を下すことができるのだ」

家督を相続した家の家臣たちを従わせるためにも、毛利家の発展のために尽力することが肝要なのだと、元就は力説したのである。

4

●毛利元就の三人の子息
右から毛利隆元・吉川元春・小早川隆景。三人の間には不協和音もあったが、父親を支えながら毛利領国の拡大に努めた。隆元が死去して輝元が継ぐと、元春と隆景は若い当主を補佐し、信長《のぶなが》や秀吉《ひでよし》と向かい合った。

君は船、臣は水

小早川《こばやかわ》にしろ吉川《きっかわ》にしろ、家中の者たちを従えさせるためにも毛利を大切にすることが肝要だと、毛利《もうり》元就《もとなり》は訓戒しているが、なみ居る家臣たちをどう制御するかが共通の課題となっていたことがここからうかがえる。隆元《たかもと》に宛《あ》てた元就の書状の一通には、「当家がうまくいくようにと思っている者は、他国はいうに及ばず、当国（安芸《あき》）にもひとりもいないだろう。毛利の家中だって、人により、あるいは時によっては、そうはよく思っていない者もいるだろう」と書かれていた。

調略《ちょうりゃく》によって近隣の領主たちをつぎつぎと傘下《さんか》におさめていった元就が、彼らの心中を疑っているのは当然ともいえるが、ほかでもないみずからの家中の者たちも、彼は信用していなかったのである。個性に富んだ家臣たちをどうまとめあげ、命令に従わせるか。これが最大の悩みの種だった。

嫡子の隆元に家督を譲った元就は、家中の長老格だった志道《しじ》広良《ひろよし》に若い当主の補佐を頼んだ。「私は生来無器用で、また長年主人面をしてきたので、家臣のみんなにも飽き飽きされてい

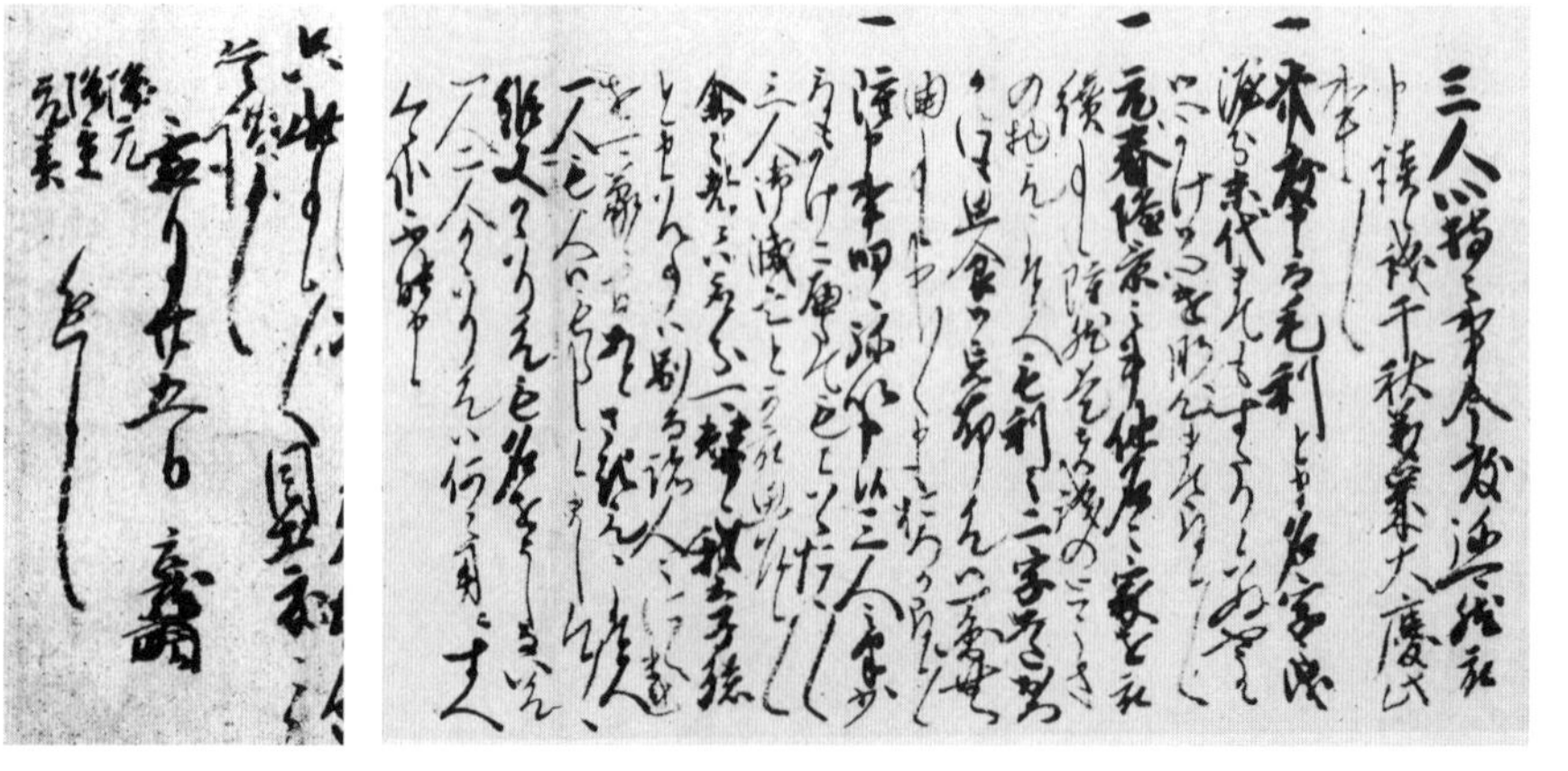

5

るが、隆元については、ものめずらしさもあって、家臣たちもまだ飽き飽きしてはいないようだ。そこでなんとか家臣たちに愛想をつかされないように訓導してもらいたい」

依頼を受けた広良はすぐに書状で回答した。「最近のご家来たちは、武具や衣装は立派だが、人々のたしなみはおざなりになっているようです。忠義の者とそうでない者をきちんと区別して、賞罰を行なうことが肝要です」。家臣に対して厳しく臨むのが大切だと答えながら、広良はこう付け加えるのを忘れなかった。「とはいっても、賞のほうは厚くして、罰は薄くするのがいいでしょう。君は船、臣は水。水があるから船が浮かぶのです。船があっても水がなければどうにもなりません」。長年にわたって家中をまとめながら主人を支えつづけてきた広良は、その経験と実績に基づいて、家臣あっての主君であることを忘れてはならないと堂々と主張したのである。

隆元に家督を譲った四年後の天文《てんぶん》一九年（一五五〇）、元就は重臣の井上元兼《いのうえもとかね》とその一族を討ち取るという挙に出た。評定《ひょうじょう》にも出てこず、段銭《たんせん》なども納めない、着座のときも無理やり上席に座る。井上一門の罪状を数えあげ、謀叛《むほん》を企てた証拠はないが、わがままぶりが目にあまるので、誅伐《ちゅうばつ》せざるをえなかったと元就は弁明している。井上一門が力を伸ばしていたことは確かで、下剋上《げこくじょう》を未然に防いだといえなくもないが、それでも譜代《ふだい》の家臣を滅ぼしたことは痛恨事だった。

小早川の家督を継いだ隆景《たかかげ》が、家臣に対する不満をもらしたとき、元就は書状でこう諭している。

◉毛利元就の訓戒状
三人の子に宛てられた自筆の書状は二四か条に及ぶ長大なもので、自身の経験に基づいた訓戒が綴《つづ》られている。写真は冒頭（右）と末尾。

「どんなことがあっても堪忍《かんにん》することが肝要だ。私も四〇年の間、井上の者どもの専横に耐え忍んできた。その無念は言葉では尽くせない。そこで今回思い切って一門を誅伐したのだ。これはよほどのことなのだから、見習って軽々しいことをしてはならぬ。主人が家来を討つのは、手足を切るに等しいことで、これほどの悪事はない。小早川家の者たちは皆がんばっているようだから、少しのことで咎《とが》めだてするな。いままでは家中のみんなもおまえのことを褒めているようだが、変わったことを言えば反感をもたれるかもしれない。よくよく心得られよ」

毛利隆元の嘆き

新たに当主となった隆元《たかもと》が家臣に気に入られるようにと元就《もとなり》は願っていたが、思いどおりに事は運ばず、家臣たちの振る舞いについての不満が、隆元からの書状に多く書き込まれるようになっていった。志道広良《しじひろよし》はすでに亡く、福原貞俊《ふくはらさだとし》と桂元澄《かつらもとずみ》が家中の中心にいたが、この二人にも隆元は不満を抱いていたようである。ある日のこと、談合したいから来るよう指示したものの、来たのは福原だけで、桂は出頭しなかった。談合はお流れになり、怒った隆元は書状で父親に心中を訴えた。「元澄は前から不心得者だったが、年もとったことだし、それなりの人間になったかと思って登用したら、このありさまだ。福原はまともだけれども、よからぬ心持ちが時折見え隠れする」

◉毛利隆元の書状
三二歳のときに書いた自筆の書状で、日ごろの胸の内を綴っている。自分の器量は父には遠く及ばないとか、毛利《もうり》の家運も父の代までだとか、気弱さが目立つ。ろくな家臣がいないというぼやきもやはりある。写真は冒頭（右）と末尾。

ただこの二人はまだましなほうで、隆元が心底から嫌っていたのは赤川元保《あかがわもとやす》という家臣だった。「あいつは片時の思案もない人間だ。ちょっと考えたり相談してから発言しようといった心持ちは全然なくて、思いついたことをすぐ口にしてしまう」。あるときの書状で隆元はこうもらしている。

　いつのことかはわからないが、出陣のときの持ち場を決めたときも彼はわがままを言い張ったらしく、隆元はやはり書状のなかで不満をぶつけている。「とにかく自分の気にくわないことは納得しないと言い張っているのは、あの赤川だ。談合のときもこの調子で、とにかく上からの命令は悪いことだと思っているらしい。こうしたほうがいいと思って言っているのに、それはいやだ、悪いことだ、同心しないなどと言い張っている。とにかく曲者《くせもの》だ」

　こうした重臣クラスだけでなく、ふだん召し使っている侍に対しても、隆元は不満をもっていた。出陣のときの供《とも》の仕方が不心得だという理由で、隆元はある近臣を折檻《せっかん》しているが、その事情を述べた書状のなかで、「あいつはそれなりの人物のよ

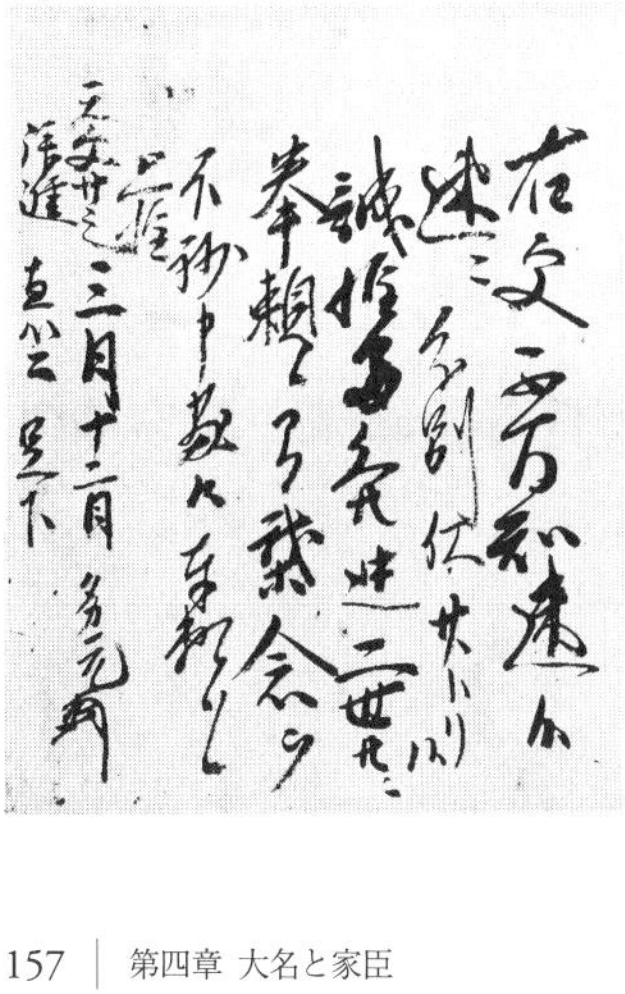

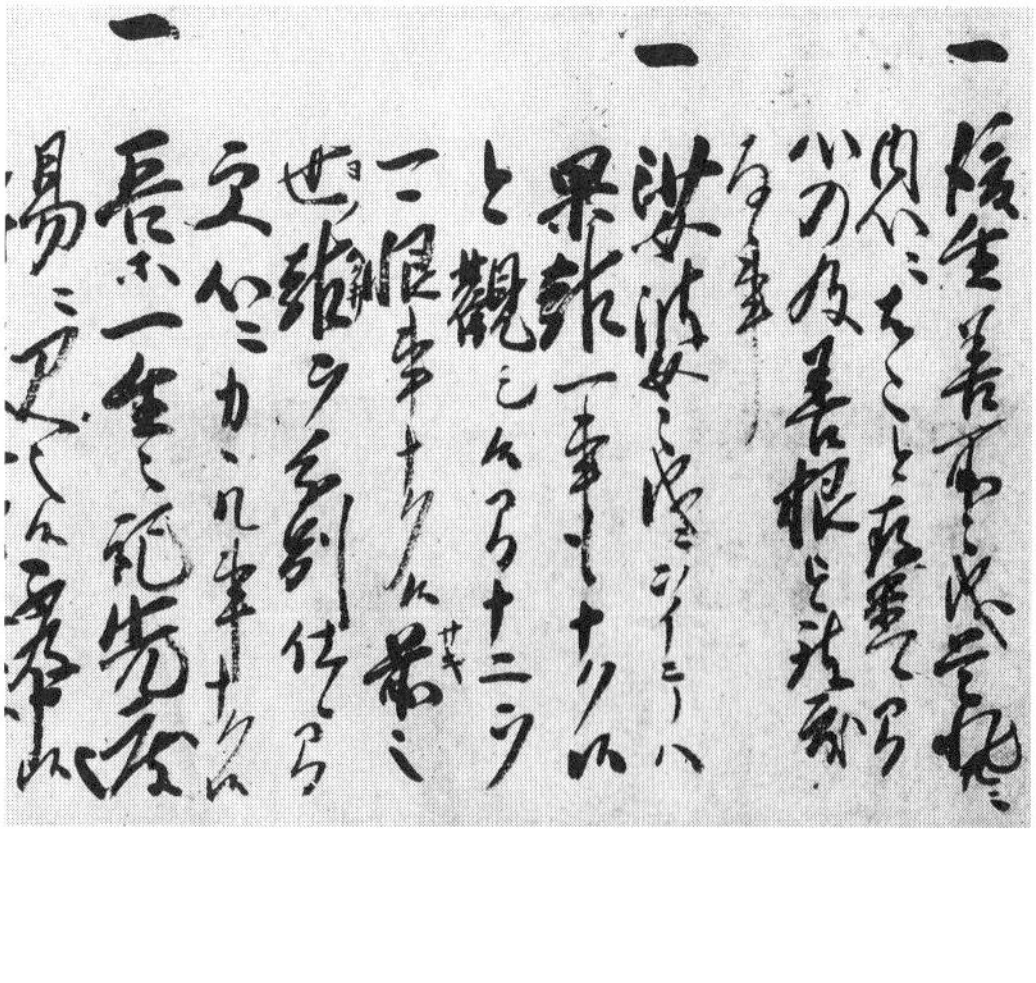

6

うだったが、じつは日本一の馬鹿者《ばかもの》だ。だけれども賢《さか》しい者を身近に置くのも窮屈で、また表面だけ忠義面しているのも困る。ほんとうに召し使うことのできる者がひとりもいない」と述べている。

そのあと数人の家臣が近習《きんじゅ》に選ばれたらしく、隆元はのちに書状で彼らの品定めを披露《ひろう》した。「あの者は傍輩《ほうばい》のことを気にかけずにひと筋に奉公している。あいつは無風流で物も知らないようにみえるが、心持ちはひと筋で、主君のことばかりを大切に思ってくれている」。隆元もようやく真面目《まじめ》な近臣をもてたようだったが、それでもなかには問題児もいた。「いつもはきちんとやっているのに、何かいわれるとひらりと他人のほうに心移りして、主人のことは大切にしてくれない。あれほど気移りな者はいない。なんとか直したいと思うが、生まれつきらしいので致し方ない」。隆元はこうぼやいている。

日常的な世話をする近習の人選だけでなく、戦陣において大将の身のまわりを警固する馬廻《うままわり》の供に誰を置くかということにも、隆元はあれこれ思い悩み、元就宛《あて》の書状で考えを述べた。「自分自身で鑓《やり》を取って進まねばならないときに、ほんとうに用に立つ者を五、六人ほどそばに置きたいものだが、若い衆はどうしても先に進みたがるし、年配の者のなかには適任者がそうはいない。児玉就忠《こだまなりただ》は年をとってはいるが、まだ足も立つし、ひとかどの者なので、彼のような者をそばに置きたい。粟屋右京亮《あわやうきょうのすけ》などはふだんはいろいろ問題があるが、ここぞという合戦のときにそばに置くには適任かもしれない」。家臣たちの個性に思いをめぐらせながら、隆元は適任者を探していた。

さしたる才覚はないが真面目一途の者、そのときの状況でころころ態度を変える者、そして思ったことをすぐ口にする者。さまざまな個性をもつ家臣たちに元就も隆元も頭を悩ませていたが、彼ら一人ひとりの個性を把握しながらその力を引き出そうと、それなりの努力を続けていたのである。

上杉謙信の願い

さまざまな面貌《めんぼう》をもつ家臣たちをどうやってまとめあげるか、そして内紛や謀叛《むほん》をどう未然に防ぐか、毛利《もうり》氏に限らず戦国大名はおしなべてこの課題に直面していた。越後《えちご》の長尾景虎《ながおかげとら》（上杉謙信《うえすぎけんしん》）もそのひとりである。一九歳で長尾氏の家督を継いだ景虎は、まもなく国内の統一を果たすが、政権発足当初から家臣団の分裂に悩まされ、また信濃《しなの》出兵などの積極路線を推し進めたことが、かえって家臣らの批判を招いた。

なかなかいうことを聞かない家臣たちに愛想をつかした景虎は、弘治《こうじ》二年（一五五六）に突然引退を表明して越後を出奔し、恩師である天室光育《てんしつこういく》に宛《あ》てて長文の書状をしたため、自分の気持ちを家臣に伝えてほしいと頼んだ。

「先祖の偉勲に恥じないように、長尾の家名を上げるためがんばってきたのに、皆の覚悟がまちまちな

7

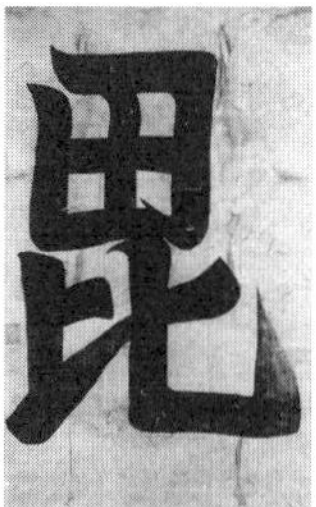

8

●武田と上杉の旗印
右は武田信玄《たけだしんげん》の風林火山《ふうりんかざん》の旗。中国の兵法書『孫子《そんし》』から引用した一四文字を金文字で書く。左は上杉謙信の軍旗。謙信は毘沙門天《びしゃもんてん》を信仰し、この旗をつねに陣頭に立てたという。

ので、どうにもならない。功成りて身退くということわざに従って、遠国に赴くつもりだ。幸い長尾の家中には譜代《ふだい》の歴々がそろっているから、みんなで談合すればきっとうまくいくことでしょう」。若干の皮肉を込めて景虎はこう書き綴《つづ》った。

突然の主人の失踪《しっそう》に驚いた重臣たちが、景虎に帰国を要請したことでとりあえずは一件落着となり、なんとか家中をまとめあげた景虎は、いよいよ関東出兵に乗りだし、上野《こうずけ》をほぼ勢力圏におさめて、新たに獲得した城に家臣たちを配置した。

上野の拠点である厩橋《うまやばし》城の守将《しゅしょう》として抜擢《ばってき》されたのは毛利氏の同族にあたる北条高広《きたじょうたかひろ》で、彼はこれから上野の重鎮として活躍を続けることになる。ところが小田原北条《おだわらほうじょう》氏の南からの反撃が本格化した永禄《えいろく》九年（一五六六）になって、高広は北条に通じて反旗を翻した。その噂《うわさ》を聞いた上杉謙信は、ある書状のなかでこう言っている。「高広は巧者で、年もとっている。どうして譜代の恩を忘れ、妻子を捨てて北条と一味することがあろうか。きっと厩橋から出た者たちのつくりごとだろう。あいつは戦いも名人のようだ」

重要な城の守将に抜擢した高広が背くはずはないと、謙信は信じていたのである。気の毒なことに、高広の謀叛は事実だったが、そのあと情勢の転回によって北条氏との和睦《わぼく》が成立すると、高広はふたたび謙信の配下に戻り、謙信もとくに咎《とが》めだてをしなかった。戦いの前線にいる武将が平和を求めて敵方と通じることは理解できなくもなかったし、何より謙信は高広の人物を気に入っていたのである。

高広が謀叛したしばらくあとに、越後北端に勢力を誇る本庄繁長《ほんじょうしげなが》が武田《たけだ》と通じて挙兵した。知らせを聞いた謙信は、北越後の国人《こくじん》たちに本庄を攻めるよう命じ、自身も春日山《かすがやま》城を出発して本庄攻撃を指揮した。しかし現地の国人たちは積極的に攻め込もうとせず、このままではまとまりがつかないと考えた謙信は、彼らが裏切ることのないよう人質を取ることにする。命令を受けて国人たちは自身や家老《かろう》の家族を人質に出したが、新発田《しばた》忠敦《ただあつ》だけは人質を出さなかった。新発田をことのほか信用していた謙信は、彼が背くことなどありえないと、しいて人質を求めなかったのである。

しかし年が明けてから、やはり新発田からも人質を取らねばと謙信は思い立ち、長文の書状をしたためて説得を試みた。「決してあなたを疑っているわけではない」と弁明しながら、追伸で謙信は自分の宿願を打ち明ける。「家中の皆から人質を取って安心したいと、かねがね考えていた。これは決して自分のためだけではなく、みんなのためでもあるのだから、これからもそういうことにしたい」

伝統ある国人だとはいえ、戦国大名の家臣なのだから、その統率に従わねばならない。大名家が崩壊したら元も子もないのだから、家臣たちはみな人質を出して忠誠を誓うべきだ。謙信はこう主張している。家臣が文句を言わず自分に従ってくれる日のくるのを、謙信は夢見ていたのである。

家臣たちの世界

家臣たちの実像

戦国大名に従っていた家臣たちは、鎌倉《かまくら》時代以来の御家人《ごけにん》の系譜を引く国人《こくじん》、南北朝《なんぼくちょう》・室町《むろまち》時代のころに守護《しゅご》に従って台頭してきた武士、近年になって召し抱えられ頭角を現わした者と、その出自はさまざまだが、みな固有の所領をもち、百姓から年貢を取っている存在だった。規模の大小はともかく、家臣たちはそれぞれ独立した領主であり、その所領においては、みずからの流儀や慣習に従った支配を続けていたのである。考えてみれば戦国大名自身もひとつの領主で、そういう意味では家臣たちと同じ立場にあるともいえる。戦国大名は領主として家臣を支配しているわけではないから、家臣たちの所領の百姓から年貢を取るわけにはいかない。大名が年貢を徴収できるのはみずからの所領（直轄領）の百姓からだけであり、家臣たちの所領支配には原則的には立ち入ることができないのである。

家臣たちの出自や勢力規模はさまざまで、大名と家臣たちの力関係もそれぞれ異なっていた。幕府の政所執事《まんどころしつじ》の一門の伊勢宗瑞《いせそうずい》が伊豆《いず》に入ったことから出発した北条《ほうじょう》氏の場合、はじめから宗瑞に従ってきた武士とその子孫が重臣として活躍した。伊東《いとう》や松田《まつだ》のように伊豆や相模《さがみ》の領主が従属して家臣になることもあり、一時的には屈伏を強《し》いられた可能性もあるが、彼らにしても北条氏の領域拡大とともに所領を増やすことができたわけで、大名に反抗的姿勢を見せる家臣はほとんどいなかった。駿河《するが》の今川氏《いまがわ》の場合も、朝比奈《あさひな》・三浦《みうら》・瀬名《せな》といった重臣たちが今川家を乗り越えようとした形跡はない。福島《くしま》氏が今川氏輝《うじてる》死後の家督争いの過程で粛清されるというひと幕もあったが、やはり今川家は家臣団の台頭を抑えることに成功した事例とみてよかろう。

越後《えちご》の長尾《ながお》（上杉《うえすぎ》）氏の場合、家臣団掌握はより困難だったようである。国内には鎌倉時代以来の伝統を誇る国人が並びたっており、彼らの統制は難しかったが、関東や信濃《しなの》に出兵して勢力を広げるなかで、外様《とざま》の国人も各地の城代《じょうだい》などに登用することでその不満を取り除いた。そしてその一方で、謙信《けんしん》はみずからのめがねにかなった人物を抜擢《ばってき》して活躍させた。上洛《じょうらく》の帰り道に近江《おうみ》の地で見初めて越後に同行させた河田長親《かわだながちか》はその代表的存在である。

甲斐《かい》の武田《たけだ》氏の事情はもっと深刻だった。甲斐はさほど大きな国ではないが、自然の地形によって大きく三つの地域に分断されていた。甲府盆地とその一帯は「国中《くになか》」と呼ばれ、甲斐の中心の地位を明け渡すことはなかったが、笹子《ささご》峠より東の都留《つる》郡一帯、甲斐の東半にあたる地域は「郡内《ぐんない》」という独自の空間を形づくっていた。さらに府中から南に進んだ富士川《ふじがわ》流域の谷

9

◉小山田信有
小山田《おやまだ》氏の菩提寺の長生寺《ちょうしょうじ》（山梨県都留《つる》市）に信有の肖像が残されている。大名の家臣も肖像画に描かれるようになってきたのである。

あいは「河内《かわうち》」と呼ばれ、これも独自の地域だった。そして「郡内」には小山田《おやまだ》氏、「河内」には穴山《あなやま》氏がそれぞれ独立した領主として存在し、府中の武田も彼らの支配領域にはなかなか踏み込めなかったのである。

戦国大名武田氏がその財政を支えるために住人から棟別銭《むねべちせん》を徴収していたことは次章で詳しく述べるが、郡内の小山田氏も河内の穴山氏も、同じように独自に棟別銭を取り立てていた。天文《てんぶん》三年（一五三四）のこと、穴山信友《のぶとも》は鮎川治郎左衛門《あゆかわじろうざえもん》に対して、自分に奉公してくれた功績を認めて、居屋敷《いやしき》にかかる棟別銭などの諸役を免除するという内容の判物《はんもつ》を出している。功績のある百姓には特別に棟別銭を免除するというわけだから、ふつうの百姓に対しては棟別銭徴収がなされていたことがわかる。同様に郡内の小山田信有《のぶあり》も天文一一年に西念寺《さいねんじ》（山梨県富士吉田《ふじよしだ》市）とその門前にかかる棟別役を免除しているから、やはり広く棟別銭を賦課していたことを知ることができる。

天文一九年二月、小山田信有は塩山《えんざん》の向嶽寺《こうがくじ》（山梨県塩山市）の申請を受けて都留郡四日市《よっかいち》までの馬の往来を認める過所《かしょ》（通行手形）を発給した。過所の宛所《あてどころ》は初狩口《はつかりぐち》の宿所で、塩山を出た向嶽寺の僧侶《そうりょ》は、初狩の関所でこの過所を見せれば通行できるという仕組みになっていた。塩山から都留に

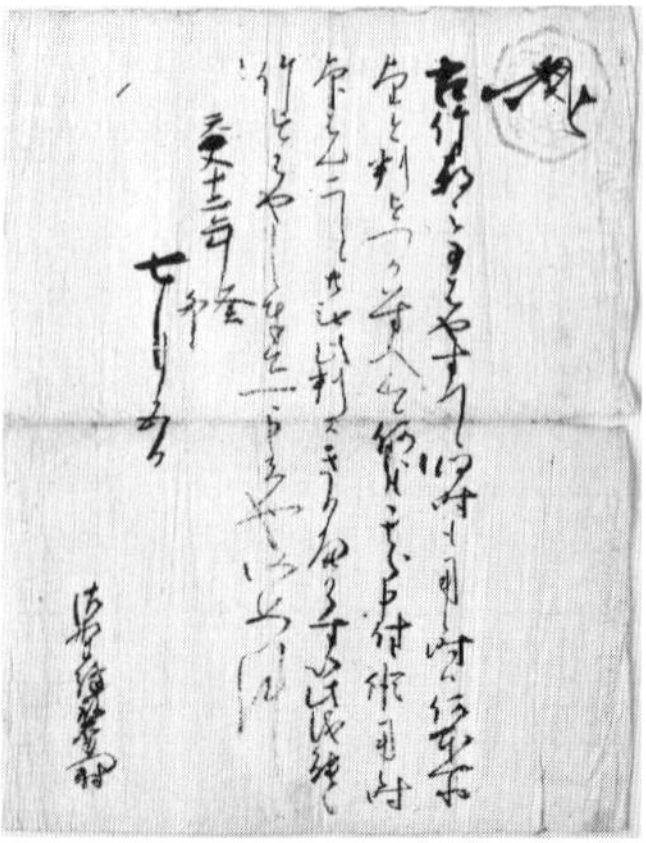

10

◉穴山信友の朱印
右上に花押《かおう》に重ねて八角形の朱印が据えられている。穴山《あなやま》も小山田も、武田氏と同様に朱印を押した文書を発給していた。

行くためにはあらかじめ小山田からこうした通行手形をもらわねばならなかったのである。同様に穴山信友も天文二〇年に駿河《するが》に向かう僧侶二〇人の往来を保証するための過所を発給している。

過所を発給するというのは、その地域の交通を統括していたことを示しているが、これは通常は戦国大名が行なうことであった。かたちのうえでは武田氏の家臣の立場にあったとはいえ、穴山と小山田は独立した領主としての相貌《そうぼう》を強くもっていたのである。

家臣たちの家督相続

戦国大名の家で、親と子、兄と弟の関係をいかに円満に保つか模索が続けられていたことは先に述べたが、これは家臣たちの場合も同様だった。子供たちのうち誰を跡継ぎにするのか、選からもれた子息たちはどのように処遇すればいいのか。

駿河《するが》と遠江《とおとうみ》に広がる大名領国を築いた今川氏親《いまがわうじちか》は、大永《だいえい》六年（一五二六）に三三か条からなる領内の掟《おきて》を制定した。一般にもわかりやすくするため、漢文体ではなく仮名を多く用いたことから「今《いま》川仮名目録《がわかなもくろく》」と呼ばれているが、二七年後の天文《てんぶん》二二年（一五五三）、今川義元《よしもと》は二一か条の条文をこれに追加した。この追加分に家臣の家督相続にかかわる詳しい規定がみえる。

「家督を相続するのは嫡子ひとりで、弟たちはこの嫡子から若干の所領や田地を分けてもらい、それで生活しながら、惣領である嫡子に従って行動するというのが、今川の家臣の決まりである」と、義元は明言しているが、これに続いて「嫡子以外は扶助できないような者が、たくさんの子供を幼少のころからなんとなく大名家に出仕させておいて、給恩《きゅうおん》を望むというのは、はなはだ困ったことだ」と補足している。嫡子ではない子息を大名家に仕えさせ、あわよくば別途に給地《きゅうち》をもらおうとする家臣が多かったのだろうが、大名としても新たに家臣に分け与える所領がそうあるわけではない。嫡子以外はあくまでその家の惣領が自分の所領や田畠《でんぱた》を分け与えるかたちで対応せよと義元が命じたのは、大名家が経営破綻しないためにも致し方ないことだったのである。

しかし、嫡子以外の兄弟には嫡子から扶持《ふち》を与えるといっても、あまり多く分け与えてしまったら、肝心の惣領家が崩壊しかねない。そこで義元は「庶子への分割分についてだが、本知《ほんち》行《ぎょう》の五分の一や、一〇分の一程度ならいいが、半分、三分の一といったことになると、惣領が困ってしまうだろうから、これからはきちんと考えよ」という一か条を設けている。

また嫡子相続が原則だといっても、親不孝だったり奉公を怠ったりした場合は弟を跡継ぎにしてもいいし、他人を養子として跡を継がせてもいいと、例外も明記しているが、「嫡子が特別親不孝をしていないのに、弟に跡目を継がせたいばかりに、

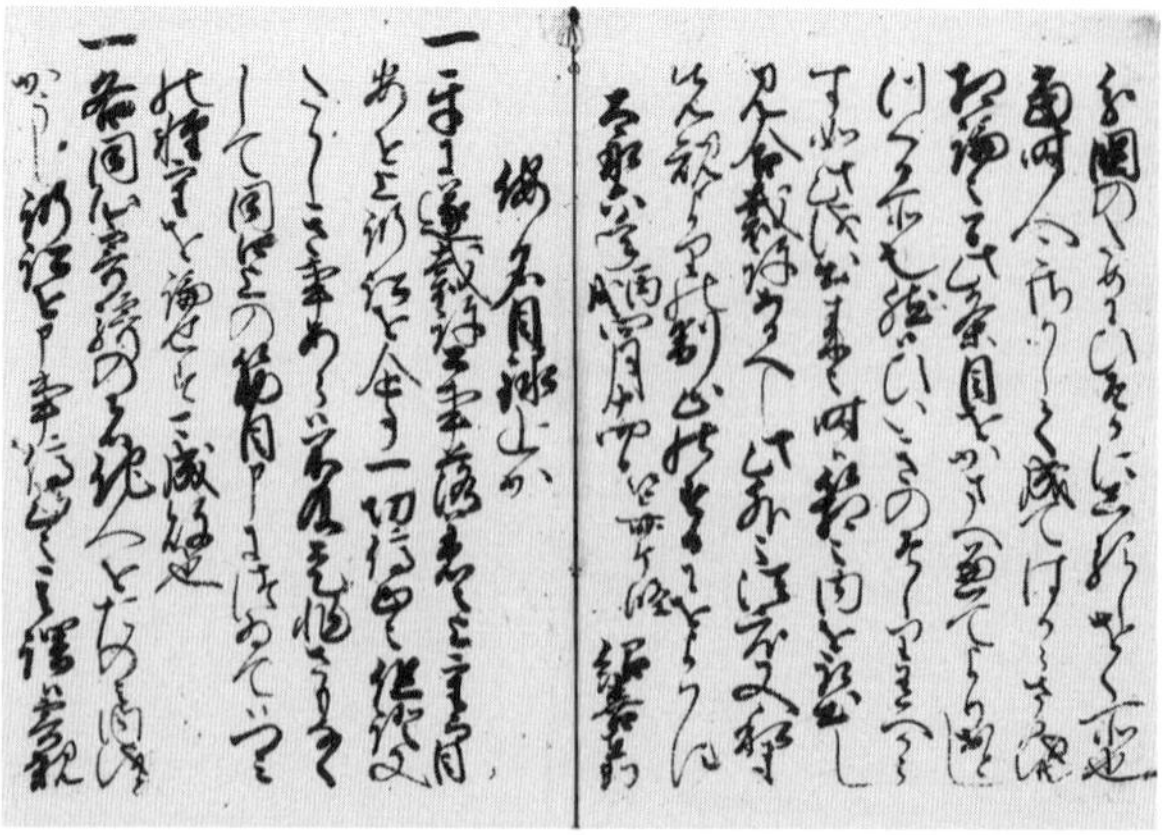

11

◉「今川仮名目録」
追加分も含めて冊子のかたちで残されている。写真は最初の掟書の末尾と、追加の冒頭部分。

ありもしないことを言いだすのはとんでもないことだ」と付け加えるのを義元は忘れなかった。家督相続をめぐる親子兄弟の争いは日常茶飯で、何が真相か見きわめるのに苦労していたのであろう。

同じような規定はほかの大名家でも見受けられる。天文五年に奥羽《おうう》の大名である伊達《だて》稙宗《たねむね》が制定した「塵芥集《じんかいしゅう》」の一か条にはこう書かれていた。「名代問答については、親の意見に任せるのを基本とする。ただし、嫡子が孝行を果たし、大名への奉公も励んでいるのに、いとけない子を可愛《かわい》がったり、継母の讒《ざん》言《げん》に惑わされたりして、家督を別人に譲りたいと申し出てきた場合は、どうして親子のいさかいが起きたか調べたうえで、嫡子に過失がなければその勝訴とする」

家の内部のことは主人の判断に任せるというのは、鎌倉御家《かまくらごけ》人《にん》の時代からの伝統ともいえるが、やはり理に合わない家督選びには一定の制約が加えられていたのである。

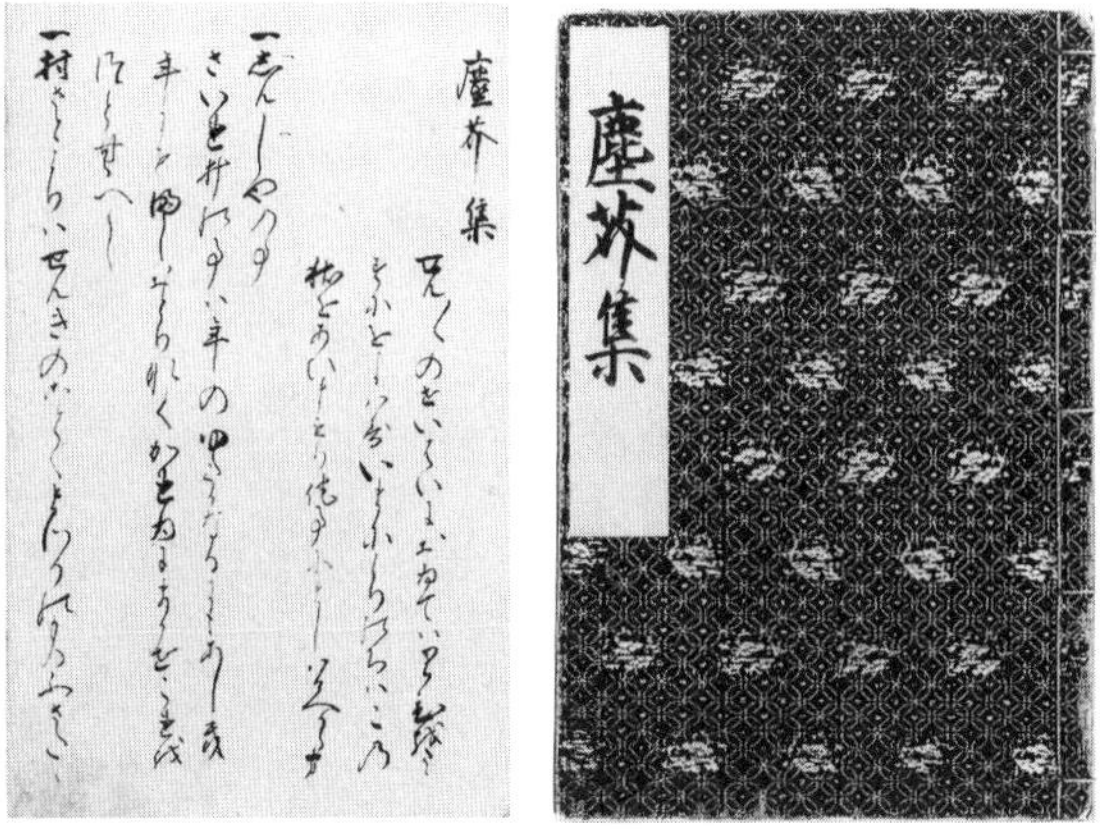

12

◉「塵芥集」
伊達家の家法の「塵芥集」は、あわせて一七一条で構成される。戦国大名の分国法のなかではいちばんのボリュームをもつといえる。

家臣のつとめ

天文《てんぶん》一九年（一五五〇）、長年にわたって命令に従わなかった井上《いのうえ》一門を誅伐《ちゅうばつ》した毛利《もうり》元就《もとなり》は、その直後、彼らの罪状を列記した覚え書きをまとめて家臣たちに示した。談合そのほかで用事を申し付けても来たことがなく、正月などの定例の出仕のときにもやってこない。段銭《たんせん》も納めず、陣立ても果たさず、供《とも》や使いの仕事もしない。築城などの普請《ふしん》にもまったく協力しない。家臣としてのつとめをほとんど果たさなかったことが誅伐の理由だと、元就は主張しているが、この記述から家臣のつとめがいかなるものか、うかがうことができる。

正月などの決まった儀式に出仕し、政治や軍事行動などについての談合にも参加するというのは当然ともいえるが、それだけでなく、所領の規模に見合った段銭を大名に納め、城普請などの役も果たし、いざ戦いともなれば相応の軍勢を率いて参陣することが、家臣たちのもっとも重要なつとめだった。また大名の供をしたり、使者をつとめることも彼らの職務のひとつだった。

おのおの家臣はみな独立した領主だから、百姓から徴収した年貢を大名に上納するということはないが、領国一円に賦課される段銭や棟別銭《むねべちせん》については、自分の所領の百姓から集めたうえで大名に上納しなければならなかった。築城や城の修理などにかかわる普請役もきわめて重要な賦課で、家臣たちは所領規模に見合った人足を提供する義務を負っていた。

このような諸役を家臣たちに賦課するためには、それぞれの家臣の持高《もちだか》をきちんと把握していなければならない。そのため戦国大名は検地などによって家臣の所領高の掌握に努め、場合によってはこれらを一覧できる帳簿を作成した。永禄《えいろく》二年（一五五九）のこと、小田原《おだわら》の北条《ほうじょう》氏は家臣の知行《ちぎょう》地とその高を書き上げた本格的な帳簿を作成した。「小田原衆所領役帳《おだわらしゅうしょりょうやくちょう》」もしくは「北条氏所領役帳」と呼ばれるものだが、一人ひとりの家臣について、所領ごとの貫高《かんだか》を列記したうえでそれを合計している。この合計がそれぞれの家臣の持高だが、人によってはこれからいくらか高を引いて「知行高」が設定される場合もあった。これは普請役を賦課するときの基準高と考えられる。

　北条氏の場合は家臣たちの所領規模を示すときに、田畠《でんぱた》の面積や年貢量ではなく、銭《ぜに》の高（貫高）に換算する方法が用いられた。北条氏では田地一反《たん》が五〇〇文《もん》、畠地は一反一六五文というのが相場で、これを基準に貫高が決められた。大名によってこの比率はまちまちだが、貫高で所領の規模を表わすという方法自体は、東国の戦国大名の間では広く採用されていた。

　段銭・棟別銭や普請役のような日常的な課役《かやく》ではないが、いざ出陣というときにそれなりの兵士を率いて参陣することは、家臣たるものの何よりのつとめだった。こうした課役を軍役《ぐんやく》というが、動員すべき兵士の数は家臣の持高に応じてだいたい決まっており、そのための規定はしだいに具体的になっていった。たとえば武田《たけだ》氏の場合、永禄五年に清野《きよの》左《さ》

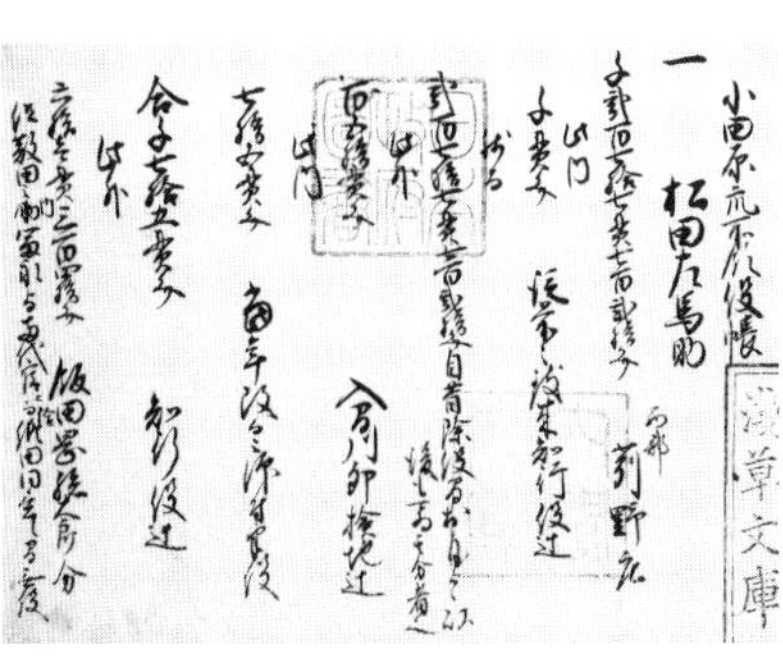

13

◉「小田原衆所領役帳」
家臣たちの所領と貫高を、整然とした帳簿にまとめあげたのは驚くべきことといえる。戦国大名のなかでも北条氏は、領国経営において一歩先んじていた。

近入道《こんにゅうどう》という家臣に宛《あ》てて出された信玄《しんげん》の判物《はんもつ》では、「これからは具足をつけた兵士を二〇〇人率いて陣参せよ」というふうに、おおよその数だけ指示しているが、永禄一〇年の後閑《ごかん》伊勢《いせの》守《かみ》宛の朱印状には「軍役のことだが、馬上《ばじょう》が一五騎と、鑓《やり》の兵士が六〇人と定める。ただしこの六〇人のなかには弓や鉄炮《てっぽう》を扱う兵士や小旗を持つ者も含める」と書かれている。馬上（騎馬）の武者と歩兵の人数を定め、また鑓持ちの兵だけでなく弓や鉄炮を使う者や旗指《はたさし》も用意せよという具合に、指示内容が具体的になっているのである。

永禄一二年に北信濃《きたしなの》の市川《いちかわ》氏に宛てられた朱印状での規定は、いっそう具体性を増している。「烏帽子《えぼし》や笠《かさ》はやめて、乗馬も歩兵も兜《かぶと》をかぶれ。鑓持ちの兵のうち、七割は長柄《ながえ》の鑓、三割は持鑓《もちやり》を持つようにせよ。鉄炮衆が不足しているからきちんと用意せよ。乗馬の衆はみな兜をかぶり、咽輪《のどわ》・手蓋《てがい》・面頬当《めんぼうあて》・脛楯《はいだて》と差物《さしもの》（刀）を身につけよ」。兵士たちの武具やいでたちにかかわる詳しい注文が並べられているが、続いて「被官《ひかん》のうちで富裕な者や武勇の人を除外して、百姓・職人や幼弱の者を召し連れて参陣することは堅く禁止する」と書かれていた。きちんとした武士ではなく、百姓や職人などに兵士の格好をさせて体裁を整えることも多くあった。持高に応じて軍役を賦課しても、きちんとした軍勢は簡単には集められなかったのである。

軍　役	人　数
大旗を差した旗指	10
大将の旗を差した旗指	1
歩の弓侍	20
歩の鉄炮侍	20
鑓持ちの兵士	40
持鑓を持つ兵士	10
馬上の武者	26
大　将	1
馬廻りの歩の者	10
乗替(替え馬の引手)ほか	7
合　計	145人

●井田因幡守の軍役
天正《てんしょう》一五年（一五八七）、北条氏政《うじまさ》は井田《いだ》因幡《いなばの》守《かみ》とその寄子《よりこ》たちの軍役を定めた。因幡守が率いる兵士たちの役割は細かく決められていた。

家臣たちの訴訟と争い

大名のそば近くに仕える近臣だけでなく、大名と直接主従関係を結び、大名から給地《きゅうち》を与えられたり、所領を安堵《あんど》されたりした武士が、広義の家臣といえようが、伝統的な大領主から、一村規模かそれ以下の所領しかもたない侍に至るまで、その実態はさまざまだった。そして独り立ちできないような家臣は、ある程度の力をもつ上位の家臣のもとに編成され、出陣のときはこれに従うこともあった。このような関係のなかで、上に立つ者を寄親《よりおや》、これに従う者を同心《どうしん》とか寄子《よりこ》と呼ぶ。同心・寄子は寄親に従うが、大名と直接つながる家臣でもあるという両面をもつ存在だった。

何事かを大名に申し出る場合も、同心や寄子は決まった寄親にまず話をもちかけ、寄親から上申してもらうというかたちをとる定めになっていた。「今川仮名目録《いまがわかなもくろく》」の追加には、同心や寄子が寄親以外の人物を通して訴訟をもちかけることを禁じる規定があるが、道理にかなっているのに寄親が訴えを受理しないときや、寄親が敵方と内通している場合、さらには国の大事にかかわる事柄を訴えるときなどはこの限りでない、という例外規定も設けている。

家臣たちが大名に上申する案件の中心は所領問題だったが、こうした訴えを審理したり、政治向きのことや軍事にかかわる事柄を決めたりする仕組みを、大名はそれなりにもっていた。周防《すおう》の大《おお》内《うち》氏の場合は毎月三度、六日と一七日と二八日に奉行人《ぶぎょうにん》の会合が行なわれている。奉行人の家でまわりもちで開かれており、当日の会席の亭主役は、一汁二菜と酒を用意する決まりになっていた。汁は精進物、菜は精進物と魚類、酒は一杯だけという簡単なものだが、会議にはいつも会食が添えられていたのである。また今川氏の場合は月に六回の評定《ひょうじょう》があり、二日と六日と一一日には駿河《するが》と遠江《とおとうみ》のことを審議し、一六日と二一日と二六日には三河《みかわ》のことを審議していた。

所領をめぐる訴えがあったときには、綿密な調査や審議がなされて判物《はんもつ》や奉書《ほうしょ》が発給されたと思いたいところだが、当時は訴えた人の申し分をそのまま認めるかたちで文書を発給するのがふつうで、これに不服な人が現われたときにはじめて両者の言い分を聞き、どちらが正しいか裁決するという方式がとられた。この所領は自分のものだとある家臣が申し出た場合、大名はほとんど調査もせずに、とりあえず申し出を認めて判物や奉書を発給する。そしてその所領は自分のものだと別人が訴えてきたときに、先に文書を発給した家臣に出頭命令を出し、この二人の言い分を聞いて裁決する。こういう仕組みがとられていたのである。

考えてみれば、これはよけいな作業を省略できる賢明な方法ともいえる。最初の家臣の申し出が正しく、誰も文句を言わなければ一件落着で、いちいち領主の名前を調べるといった作業をする必要はない。おそらく文書の発給にあたって、大名の側は確かな控えを取っておらず、領国内のすべての所領の権利関係について、つねに把握するといったことはできていなかったのであろう。

しかしこうしたいいかげんなやり方は、やはり紛争の種にもなった。いったん判物や奉書を出したにもかかわらず、別の家臣が文句をつけると、すぐにまた文書を発給するといったこともまれではなかったのである。誰かは不明だが、周防や長門《ながと》を包摂したあとの毛利《もうり》氏の奉行衆《ぶぎょうしゅう》のいいかげんな事務について、激烈な建白書を出した者がいた。「現在の下知《げち》のやり方はどうしようもない。判物を発給しても、別人があれこれ主張するとすぐに覆す。奉書を出しても同じようで、まったく実がない。一か所に何人も給主《きゅうしゅ》（そこを知行する権利をもつ人）が付けられるありさまで、みんな落ち着くことができない」。これでは困るから、元就《もとなり》と隆元《たかもと》が相談して法度《はっと》を定め、壁書《かべがき》のかたちで示されるのがいいと、この家臣は主張している。

ひとつの所領をめぐって二人の家臣が争うような事態になった場合には、評定などの審議にかけられることになるが、ここでも自分の縁者のあと押しをして無理を通そうとする者が多かったようである。伊達《だて》家の家法の「塵芥集《じんかいしゅう》」には「評定での審議においては、どちらと縁が深いかというようなことはさておいて、とにかく道理に従って、傍輩《ほうばい》を憚《はばか》らず、権門《けんもん》を恐れずに、思うところを発言することが肝要だ」という一文が見える。個別の人間関係を重んずるのではなく、事柄の理非をわきまえることが大事なのだと、大名は繰り返し主張しなければならなかったのである。

所領相論《そうろん》だけでなく、家臣たちはさまざまな場面で言い争ったが、いちばんよくあるのが座席の順番をめぐる争いである。大名もこれには閉口していたとみえ、家法のなかで規定を設けたりしている。「今川仮名目録」には「三浦《みうら》二郎左衛門尉《じろうざえもんのじょう》と朝比奈《あさひな》又太郎《またたろう》は出仕の座席が決まっているが、ほかの面々については決まりを設けないから、人を見ながら適当に決めよ。戦場以外のところでいろいろ存念をもち、座敷の席順をなんとかしようなどと考えてはならぬ。それから勧進猿楽《かんじんさるがく》や田楽《でんがく》・曲舞《くせまい》のときの桟敷の座席も、今後はくじで決めるように」という規定がみえる。甲斐《かい》の武田《たけだ》氏の場合も同様で、家臣の座席については一両人だけ定め、あとは決めないと法度の条文にみえる。

下総《しもうさ》の結城政勝《ゆうきまさかつ》が定めた家法にはつぎのような一条があって、いつの世も変わらないという思いを抱かせる。「雑談が長引くと、どうしても家中や他所の悪口になってしまう。これは困ったことだ。とくに傍輩間のことについてひそひそ話すことはやめよ。また贔屓《ひいき》にしているからといって何かと褒めまくるのも考えものだ。ただふつうの弓馬や鷹《たか》や連歌《れんが》の話をしていればいいのだ」

困窮する家臣たち

家臣たちが一家の持ち分を増やそうとして嫡子以外の子を大名に奉公させることを今川義元《いまがわよしもと》は禁じていた。新たに給付できる所領はそうはないから、こうしたことは困るというのが立法の理由だが、家臣たちも簡単には知行《ちぎょう》を増やせない状況に追い込まれていたのである。そしてなかには経済的に困窮《こんきゅう》して借銭・借米を重ね、所領を質入れしたり売却せざるをえなくなる者もいた。大永《だいえい》六年(一五二六)に発布された「今川仮名目録《いまがわかなもくろく》」にはつぎのような箇条がある。「借銭・借米の質として知行を入れ置いて、進退きわまったうえで、遁世《とんせい》するとか欠落《かけおち》するとかいって助けを求める家臣がいる。三〇年くらい前、庵原周防守《いはらすおうのかみ》が訴えてきたときは、譜代《ふだい》の者だし忠功もあったので料所《りょうしょ》を銭主《ぜにぬし》に遣わして助けてやった。最近も一門の安房守《あわのかみ》が同様のことを懇願してきて、一門なので言うとおりにしてやったが、今後はこのようなことを言う者がいたら、所領を没収することにする」

借銭・借米のかたに所領を質入れしたが、結局返済できず大名にすがりつく家臣がいたのである。これからはこうした訴えは認めないと今川氏親《うじちか》は断言しているが、家臣たちが借金返済に窮するケースはなくならず、大名も時には返済免除の命令を出すといった救済措置を講じざるをえなかった。

借金返済に窮した家臣が、これを弁償してくれそうな同輩と姻戚関係を結んで事態を乗り越えようとした事例もある。井出《いで》善三郎《ぜんざぶろう》という今川の家臣は、同僚の娘と自分の息子を縁組みさせて、嫁に知行を譲り、そのかわりに自身の借銭・借米の返済をしてもらうという方法を思いついた。両家で相談の結果、二人が離別したとしても、嫁が借金をおおかた支払い、また善三郎が生きている間ずっと扶持《ふち》していたならば、この知行地はそのまま嫁のものとするということで話がまとまり、駿府《すんぷ》の今川氏真《うじざね》に了解を求めて認められた。永禄《えいろく》四年（一五六一）のことである。

同様のことは北条《ほうじょう》氏でもみられた。天文《てんぶん》二〇年（一五五一）、重臣の清水康英《しみずやすひで》から借銭の返済に困っているという訴えを受けた北条氏康《うじやす》は、伊豆《いず》の宇土金《うどがね》郷（静岡県下田《しもだ》市）を彼に与え、この地を銭主の瑞泉庵《ずいせんあん》に遣わして借銭返済にあてよと命じている。宇土金郷はまもなく瑞泉庵に売り渡されたが、これだけではまにあわず、三年後に康英は伊豆三嶋《いずみしま》の屋敷も瑞泉庵に売却することになる。

家臣たちに銭や米を貸し付けていたのは、それぞれの地域で台頭してきた有徳人《うとくにん》たちであろう。瑞泉庵のような寺院もこの時代には祠堂銭《しどうせん》と呼ばれる多くの銭貨を所有し、それを貸し付けて運用するかたちで富を拡大していた。こうした環境のなかで、借金返済ができずに窮地に陥る家臣が多く生み出されていったのである。

コラム4

北方の戦国

中世の北方世界の中心として栄えた十三湊《とさみなと》は、安東《あんどう》氏の没落にともなって一五世紀後半に急速に衰退し、このころから北方社会は大きく転換しはじめる。

文明《ぶんめい》五年（一四七三）、蠣崎信広《かきざきのぶひろ》が渡島《おしま》半島西岸の上ノ国《かみのくに》に勝山館《かつやまだて》と呼ばれる城郭を築いた。この城を拠点として蠣崎氏は勢力を広げ、やがて松前《まつまえ》に移転、一六世紀なかばには東西のアイヌの首長と和睦《わぼく》して協定を結んだ。

一六世紀後半になると、北奥羽《おうう》の各地で地域統合の動きが進む。出羽《でわ》に入った安東氏のうち檜山《ひやま》家の安東愛季《ちかすえ》が湊家を併合し、東の南部《なんぶ》氏と戦いを始めた。さらに南部氏の一族の大浦為信《おおうらためのぶ》が反旗を翻し、外《そと》が浜《はま》の油川《あぶらかわ》城などを攻略して、津軽《つがる》地方を手中におさめた。

こうした北方の領主たちはまもなく羽柴《はしば》秀吉に従い、南部信直《のぶなお》は陸奥《むつ》北東部の七郡、安東（秋田）実季《さねすえ》は出羽の秋田・檜山両郡、大浦（津軽）為信は津軽を安堵《あんど》され、蠣崎（松前）慶広《よしひろ》もその権益を認められた。南部・津軽・秋田・松前の四家が並びたつかたちがここに定まったのである。

◉一六世紀末の北方
秋田氏はまもなく常陸《ひたち》に移り、秋田には佐竹《さたけ》氏が入部するが、南部・津軽・松前の三家はその後も長く地域支配を続けた。

第五章

支配システムの構築

1

大名領国の財源

戦国大名の財務事情

個性ある家臣たちをどうまとめるか、大名たちは頭を悩ませていたが、安定的な収入源を確保して、領国を経営破綻《はたん》させないことも、大名の大きな課題だった。家臣たちをまとめあげて領国を拡大したとしても、支出が過剰に増えて財政が破綻したら元も子もなかった。収入を確保するため、家臣や領民から租税や役《やく》を取り立てねばならないが、厳しすぎれば反発を招く。領国の財政を安定させ、しかも民心を離反させないために、大名たちはどのように工夫を凝らしたのだろうか。

戦国大名領国の財政事情がわかる史料はほとんどないが、越後《えちご》の長尾《ながお》（上杉《うえすぎ》）家には享禄《きょうろく》二年（一五二九）の一年間の収支を示した注文（記録）が残されている。

その内容は次ページの表で示したが、注文の最初には「納」として収入額が記され、合計で五四五七貫《かん》五三文《もん》になる。続いて「御下行《ごげぎょう》」として支出の記事が続き、経常支出と臨時支出の合計は七二八一貫九三一文で、これに御礼銭の未進分を加えて七二九六貫二八二文が支出の合計となる。

したがってこの年の収支決算は、差し引き一八三九貫二二九文の赤字となるが、この赤字分は結

◉米俵を運ぶ

米俵を積んだ車を、牛が重そうに牽《ひ》いている。二人の農民がこれを見張り、前の二人は米俵を背負う。（『洛中洛外図屏風《らくちゅうらくがいずびょうぶ》』上杉本）

前ページ図版

局借銭によって補填《ほてん》されていた。これはある一年分の注文にすぎないので、長尾家がいつも赤字経営だったとはいえないが、赤字額が全収入の三分の一に及ぶというのはやはり尋常ではない。緊急性のある工事などがあるとはいえ、長尾家の財政状況は決していいものではなかったようである。

この注文のつくられた翌年に内乱が起き、長尾為景《ためかげ》は苦労の末に死去するが、やがて長尾の家督を継いだ景虎《かげとら》（のちの上杉謙信《うえすぎけんしん》）が国内統一を果たし、広大な大名領国を築き上げた。この謙信が天正《てんしょう》六年（一五七八）に死去したあと、春日山《かすがやま》城の蔵に収められている黄金の量を書き上げた注文が作成された。黄金の数は一五八八枚と四両三分二朱糸目《しゅいとめ》で、このうち大名のもとに置かれる二二六枚を差し引いた一三六二枚九両一分三朱糸目が「あり金」であるとここには記されている。

膨大な量の黄金を謙信は残していた。佐渡《さど》の金山《きんざん》を把握していた証拠はないが、金山からの収益なども含めて、謙信は長尾（上杉）家の財政状況を立て直すことに成功したとみてよかろう。

甲斐《かい》や駿河《するが》でもこの時代に金山が開発され、そこで産出された金は武田《たけだ》や今川《いまがわ》など大名の財源のひとつになった。また石見《いわみ》の銀山《ぎんざん》（島根県大田《おおだ》市）を毛利《もうり》氏が掌握していたこともよく知られている。こうし

長尾家の収支（享禄2年）

収入（納）	所々御年貢（済し物も合算）		4,770貫553文
	御礼銭		686貫500文
	合　計		5,457貫　53文
支出（御下行）	正月から12月までの経常費ⓐ		4,594貫655文
	臨時支出	御作事	1,032貫　73文
		御台飯方	290貫400文
		林泉寺僧たちへ	450貫
		京都へ御礼銭	462貫800文
		所々へ馬御所望につき路銭	63貫
		不明	389貫
		臨時支出合計ⓑ	2,687貫276文
	御礼銭未進分ⓒ		14貫351文
	合　計　ⓐ+ⓑ+ⓒ		7,296貫282文
差引（御借銭）			−1,839貫229文

た鉱山からの収益の実態はなかなかつかめないが、石見銀山の場合には具体的な数値のわかる史料が残されている。天正九年の注文によると、銀山から月ごとに税として納められる金額は二七五六貫文で、一年では三万三〇七二貫文になる。銀の重みにすると一一五貫七五二匁《もんめ》で、板にすると二六九二枚になる。それに山役《やまやく》（山の材木に課された税）の九六〇枚を加えて合計三六五二枚というのが年間の総量だった。

領内に金山や銀山をかかえていれば、こうした莫大《ばくだい》な収益があったようである。しかし掘り出される金銀の量には限りがあり、鉱山からの収入は永続性を保証できるものではなかった。やはり領国の人々から恒常的に税を取り立て、さらに公共の事業にあたって人々に労役を提供させるような仕組みをつくりあげることが、大名の何よりの課題だったのである。

北条氏の税制改革

田地の面積に応じて賦課する段銭《たんせん》と、家屋数をもとに課される棟別銭《むねべちせん》は、古くからある広域課税で、室町《むろまち》時代の守護《しゅご》も管国《かんこく》の領主や住民に対してたびたび上納を命じたが、こうした課税は年貢とは違って守護や大

2

●甲州金
江戸時代の甲斐では甲州金《こうしゅうきん》という金貨が流通した。写真右から一両金・一分金・一朱金。武田氏の時代には極印《ごくいん》のない碁石形だった。

名の直轄地と家臣知行地《ちぎょうち》の区別なく賦課できるという特徴をもつ。そして戦国大名はこうした広域課税のシステムを整え、安定的な収入源とすることにそれなりに成功したのである。

北条《ほうじょう》氏の場合、段銭と棟別銭は早い時期から徴収しており、段銭の比率は田の高《たか》の八パーセント程度に落ち着いたらしい。棟別銭については天文《てんぶん》一三年（一五四四）九月の伊豆《いず》長浜《ながはま》（静岡県沼津《ぬまづ》市）の事例によると、一間《けん》（軒）あたり五〇文《もん》、半役《はんやく》の家からは半分の二五文が徴収されている。新参の百姓の家など、一人前として認められていないものには半額を賦課するという方法が用いられたのである。

天文一九年四月、北条氏康《うじやす》は領国全域に及ぶ税制改革を断行した。このとき郷宛《あて》に出された朱印状には、飢《き》饉《きん》などによって疲弊した諸郷を救済するため改革を行なうと前置きしたうえで、「諸点《しょてん》役《やく》」（臨時に賦課される雑税）の替えとして、一〇〇貫文《かんもん》の地から六貫文の役銭《やくせん》を課すから、六月と一〇月の二回に分けて蔵に納めよと書かれているが、この六パーセントの役銭は畠に対する課役と考えられる。これまであった雑多な「点役」をすべて廃止し、新たに畠の高に対して六パーセントの役銭を創設することで、北条氏は地域の状況に対応しようとしたのである。この役銭はのちに「懸《かけ》銭《せん》」と呼ばれ、段銭・棟別銭とともに北条氏の財政基盤のひとつとなっていく。

懸銭創設と同時に、北条氏は棟別銭の減免も実行に移し、一間あたり五〇文だったものを三五文に減らした。郷村の疲弊を救うための措置だったが、いつまでもこの税率のままでは大名のほうが立ちゆかなくなるということで、弘治《こうじ》元年（一五五五）頃には新たに正木《まさき》棟別銭《むねべちせん》という税目がつくられた。はじめは一間あたり四〇文を一年おきに上納させ、永禄《えいろく》三年（一五六〇）からは毎年二〇文ずつ徴収する方法に改めた。納期は五月または六月の末日で夏麦の収穫期にあたる。懸銭と同様に畠にかかる課税とみることができよう。

北条領国の百姓たちは、地頭《じとう》（領主）に納める年貢のほかに、こうしたさまざまな税を大名に上納する義務を負っていた。麦の収穫を終えた五月や六月には懸銭と正木棟別銭を納め、秋の収穫後の九月・一〇月頃に段銭と懸銭、さらに棟別銭を上納している。さまざまな税目を整理し、その税率と納期をきちんと定めるかたちで、北条氏は広域税徴収のシステムを築き上げたのである。

武田氏の税制

田畠《でんぱた》や家々などに広く目配りしながら、北条氏《ほうじょう》は多彩な税目を配置したが、隣国の武田氏《たけだ》の場合は、段銭《たんせん》や懸銭《かけせん》にあたるものはほとんど史料にみえず、家ごとに賦課された棟別銭《むねべちせん》だけが厳密に徴収され、領国の財政を支えていたらしい。

天文《てんぶん》九年（一五四〇）七月、武田信虎《のぶとら》は甲斐《かい》市河《いちかわ》（甲府市）の矢師《やし》一二人に対して「棟役《むねやく》」を免除するという朱印状を出している。おそらく市河の矢師は、決まった数の矢を上納するかわりに、「棟役」すなわち棟別銭を免除されたのであろう。当時すでに棟別銭が賦課されていたことがこれからわかる。

弘治《こうじ》二年（一五五六）には棟別銭を未進する者が多い現状を改めるため、納期を定めた新法がつくられ、朱印状で人々に示された。「春の棟別銭の納期は八月末、秋は翌年の二月末までと定めるから、問題があるなら披露（上申）せよ。もしも期限を過ぎて未進したら集衆《あつめしゅう》が弁済せよ」。棟別銭徴収の責任者にあたる「集衆」に不足分の責任をとらせることで上納分の確保がはかられていたのである。

それでは一間あたりの棟別銭の額はどのくらいか。武田勝頼《かつより》の時代の天正《てんしょう》四年（一五七六）七月に作成された甲斐黒沢《くろさわ》郷（山梨県北杜《ほくと》市）の「棟別改日記《むねべちあらためにっき》」によれば、三一間の「本家」は一間あたり二〇〇文、二一人の「新屋《にいや》」（新しくつくられた分家）は一間あたり一〇〇文を納めている。

この「棟別改日記」には、続いて百姓が不在となった「明屋《あきや》敷《しき》」に対する賦課についての記載があり、その規模に応じて二〇〇文、一〇〇文、七五文、五〇文、一五文、一〇文というように課税額が設定されている。百姓が住んでいない屋敷についても徴税の手を緩めなかったのである。

武田晴信《はるのぶ》の作成と伝えられる「甲州法度之次第《こうしゅうはっとのしだい》」には、棟別銭の取り立てにかかわる厳しい取り決めがみえる。「逐電したり死去したりした百姓がいても、その分を免除することはない

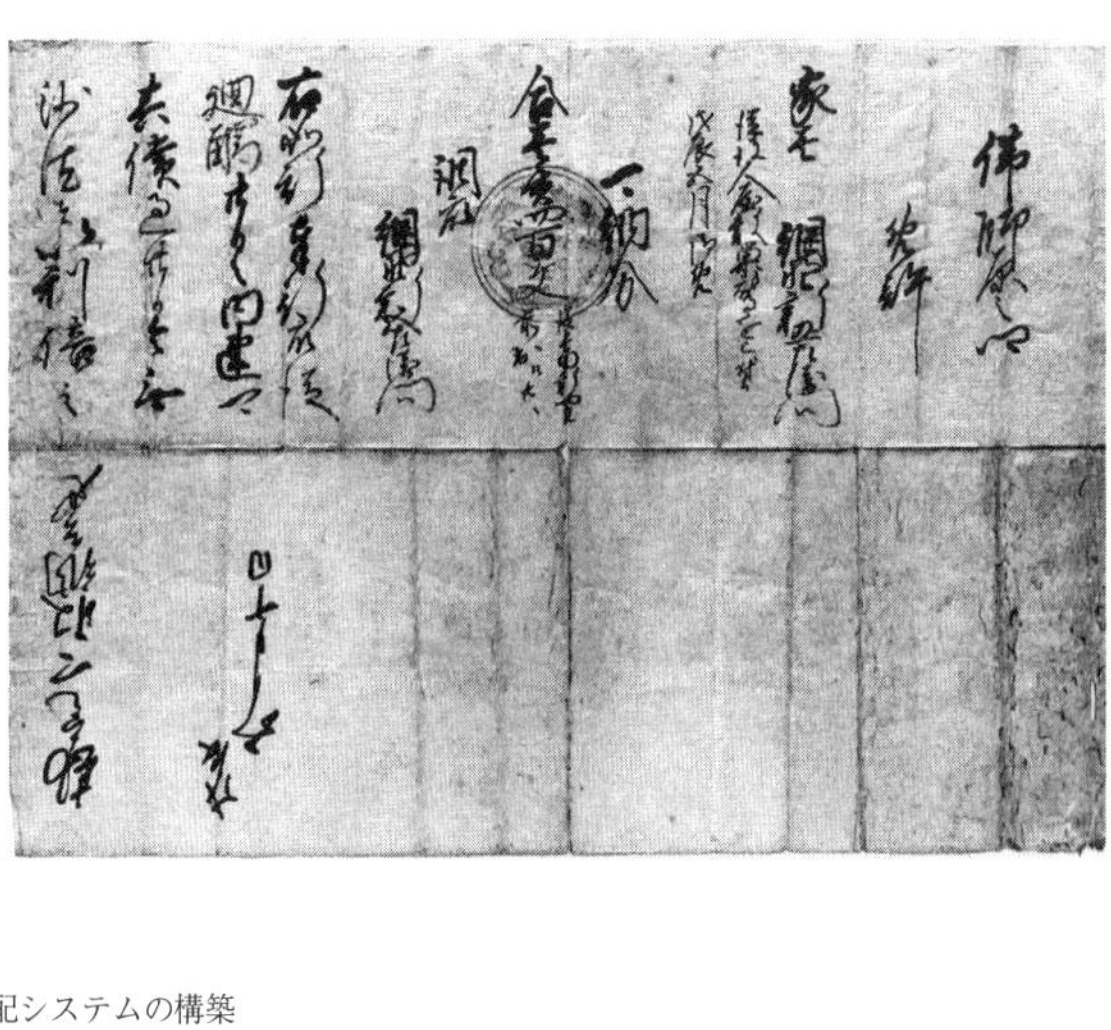

3

◉武田氏の朱印状
集衆の網野新五左衛門尉《あみのしんござえもんのじょう》に仏師原《ぶっしばら》郷（山梨県塩山《えんざん》市）の棟別銭徴収を命じた文書。銭の合計を記した中央に竜を描いた朱印が押されている。

ので、郷中《ごうちゅう》で弁償せよ。家を捨てて国中《くにじゅう》を徘徊《はいかい》する者がいたら、どこまでも追いかけて棟別銭を取れ。その者が無一文ならば、その屋敷をかかえている者が弁済せよ。とはいえ屋敷の規模が小さいときは、棟別銭の全部を払わせるのはかわいそうなので、郷中で相談して不足分を郷で補うことにせよ」。いったん決めた棟別銭はどんなことがあっても免除しないという、大名の強い意志を示す条目といえる。

北条氏の場合、棟別銭は一間あたり五〇文であり、それに比べて一間で二〇〇文という税率はかなり高いといえる。ただ武田氏の場合は北条の領国にみえるような段銭や懸銭はほとんど賦課していなかったようで、ほぼ唯一の広域税ともいえる棟別銭の税率が高いのは当然ともいえる。武田の領国である甲斐や信濃《しなの》では田地が少ないため家を賦課基準とするほうが現実的だったのであろう。

大名たちの税制

今川氏《いまがわ》も段銭《たんせん》と棟別銭《むねべちせん》を広く賦課していたらしい。今川義元《よしもと》が制定した「今川仮名目録追加《いまがわかなもくろくついか》」には「諸役不入《しょやくふにゅう》の判形《はんぎょう》を申し掠《かす》めて、棟別や段銭を納めないというのはとんでもないことだ。これらは前々から子細あって定めた役《やく》であって、忠節によって免除されているならともかく、不入だからというのは通用しない」という一文がある。駿河《するが》の守護《しゅご》として今川氏は古くから段銭や棟別銭を賦課しており、不入（守護使などの立ち入り拒否）の地であってもこれはきちんと納めなければならないと義元は明言したのである。

安芸《あき》の国人《こくじん》から出発した毛利《もうり》氏の場合、明応《めいおう》四年（一四九五）の段階で領内から合計六九貫《かん》六五〇文《もん》の棟別銭を徴収していたことが知られる。毛利氏はやがて安芸を平定し、さらに大内《おおうち》氏を滅ぼして周防《すおう》・長門《ながと》を手に入れるが、新たに領国に組み入れた防長《ぼうちょう》両国における段銭の賦課をどうするかがさっそく問題になった。元亀《げんき》二年（一五七一）六月、吉川元春《きっかわもとはる》・小早川隆《こばやかわたか》景《かげ》・福原貞俊《ふくはらさだとし》・口羽通良《くちばみちよし》の四名は、粟屋内蔵丞《あわやくらのじょう》に宛《あ》てた連署状において、近年段銭奉行を任命したので、きちんと段銭を徴収するよう命じてほしいと頼んでいる。両国における段銭徴収は思うように進まず、事態解決のために新たに段銭奉行が任命されたのである。

東北の大名伊達《だて》氏も段銭や棟別銭を領国一円に賦課していた。稙宗《たねむね》の時代の天文《てんぶん》四年（一五三五）には「御棟役日記《おむねやくにっき》」と題された棟別銭の注文が作成された。伊達の領国を大きく三つに分け、それぞれの棟別銭の額を書き入れているが、その合計は一六四二貫五〇〇文にのぼる。続いて天文七年には段銭の額を示した「段銭古帳《たんせんこちょう》」が作成され、そこに見える段銭の総額は

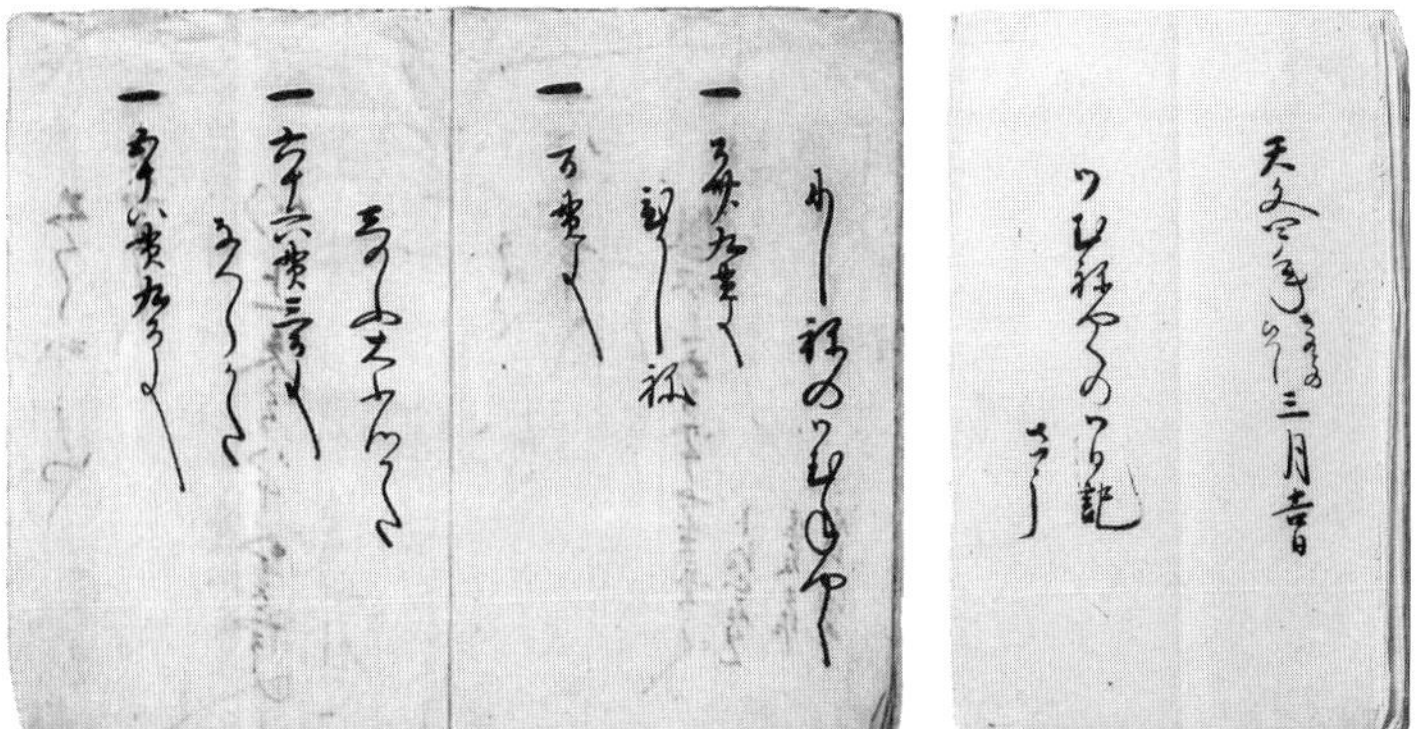

4

◉伊達氏の「御棟役日記」
紙を縦に折って重ねる竪帳《たてちょう》形式で、表紙に「御むねやくの御日記」と見える。地域ごとに棟別銭の額のみを記す。

六五〇四貫八四二文であった。段銭が棟別銭のほぼ四倍になるが、稙宗の時代に伊達氏はこうした帳簿を作成しながら税制システムを整えていたのである。

早い時代に大名領国のかたちをなした大内氏の場合は、段銭や臨時の課役を催促する使者の入部《にゅうぶ》にあたっての詳しい取り決めがなされている。こうした催促使が入部したときには日別の雑事《ぞうじ》銭《せん》が徴収されており、催促使が入部したときは一日につき銭五〇文と米五升《しょう》、名代ならば二五文と二升五合《ごう》、悴者《かせもの》（下級の部下）か下人だけが来たときには一〇文と一升と決まっていた。ところがこうした規定に従わず過分の雑事銭を要求し、さらに段銭や臨時課役などを徴収する前に雑事銭を出せと命令して肝心の租税が集まらず、使者がいつまでも郷村にとどまるという事態もよく起きた。困った百姓たちが逃散するケースもあると見てとった大内氏は、永正《えいしょう》一〇年（一五一三）になって雑事銭についての新たな取り決めを発表した。

「たとえば一〇〇貫文を徴収する在所《ざいしょ》の場合、前もって使者は滞在日数を知らせておき、用意ができたと報告があったのちに

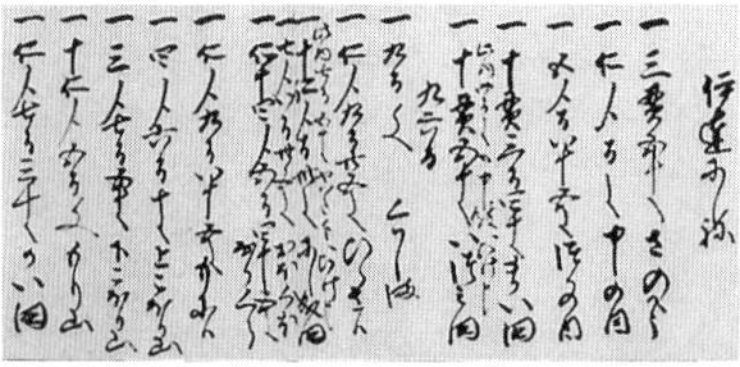

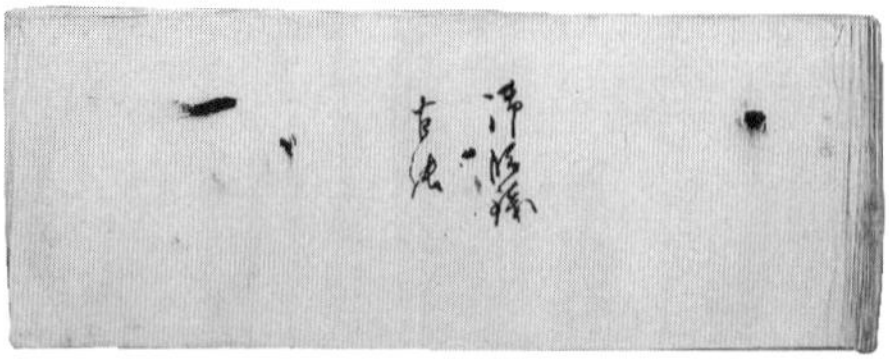

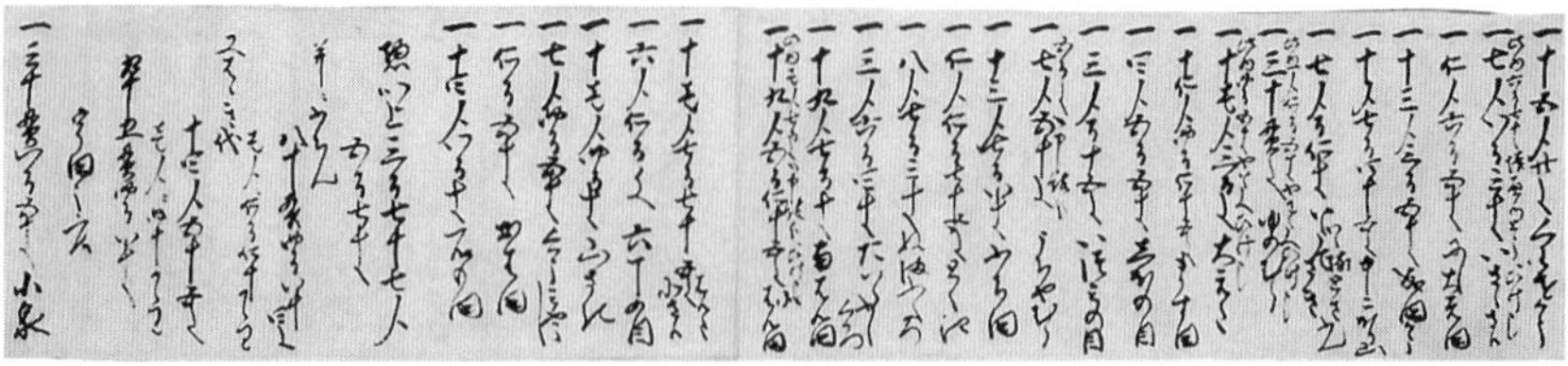

5

入部することにせよ。そして荘郷《しょうごう》に逗留《とうりゅう》している期間のうち、三〇日の間の費用については自力で調《ととの》え、その間にすべて徴収できず滞在日程を延ばしたときには、三一日目から『御法《ごほう》』のとおり催促使本人ならば五〇文と五升《しょう》、それ以外ならば二五文と二升五合、もしくは一〇文と一升を取るように。これは一〇〇貫文上納の場合だから、在所の規模に応じて滞在日程を勘案せよ。また日別の雑事銭は公物《くもつ》が皆済されたあとに徴収することとし、上納した銭のなかから前引きすることは厳禁する」

決まった日数のなかにおける雑費は使者の自己負担とし、百姓の未進による延滞分のみ在地に賦課するかたちにすることで、大内氏は地域社会の貧困化を防ごうとしたのである。

◉伊達氏の「段銭古帳」
「段銭古帳」のほうは紙を横に折って重ねた横帳である。田の地目《ちもく》ごとに課された段銭の額が細かく書かれている。右上は表紙。

北条氏の検地

段銭《たんせん》・懸銭《かけせん》は田や畠の高《たか》を基準として算出され、棟別銭《むねべちせん》は百姓の家屋数が計算の基礎となるが、こうした広域税を賦課するためには、前提として田畠《でんぱた》の高や家屋数の設定が必要となる。このうち家屋数の調査については史料が乏しいが、武田《たけだ》氏の場合は本家を把握したのち新屋《にいや》の掌握に進んでおり、ほかの大名でも家屋数把握はそれなりになされていたと考えてよいだろう。永禄《えいろく》二年（一五五九）一一月、伊豆《いず》の大御《おおみ》堂上葺《どううわぶき》の勧進として北条《ほうじょう》氏は伊豆国の家一間から榛原枡《はいばらます》（京枡よりやや大きい枡）で米一升《しょう》ずつ上納することを命じているが、ここで伊豆国の「本棟別」の対象は八九五五間半であると記している。郷内の家屋数掌握を進めることによって、一国単位での家屋数も一応把握できるまでになっていたのである。

本家と新屋の区別はあるものの、家屋数の調査はさほど難しくはないが、田や畠の高は簡単には決められなかった。荘園の時代から郷村の田や畠はそれなりに把握され、帳簿も作成されていたが、これは必ずしも実状を示すものではなく、現実に存在する富は帳簿記載の高を大幅に上まわる場合が多かった。段銭や懸銭を賦課するにあたって、それまで認知されていた高を把握するだけでは目標の税収が見込めない。領国の経済基盤を整えるためにも、現地に存在する田や畠を改めて調査し、増分《ぞうぶん》があれば対応することが求められたのである。

こうして多くの戦国大名は実地調査、すなわち検地《けんち》を繰り返し実施した。北条氏の場合は、当主の代替わりごとに広範囲に及ぶ検地が施行されたようである。北条氏の検地の史料上の初見は、永《えい》正《しょう》三年（一五〇六）に相模《さがみ》の宮地（神奈川県湯河原《ゆがわら》町）で行なったもので、続いて永正一七年には小《お》田《だ》原《わら》周辺と鎌倉《かまくら》で実施している。このときの検地は宗瑞《そうずい》から氏綱《うじつな》への代替わりにあたってなされたものとみてよいだろう。さらに氏康《うじやす》が家督を継いだあとの天文《てんぶん》一一年（一五四二）から翌年にかけて、相模の中央部や武蔵《むさし》の南部で代替わり検地が実施された。氏康から氏政《うじまさ》への代替わりには検地は実施されず、氏政から氏直《うじなお》への家督譲与がなされた天正《てんしょう》八年（一五八〇）には、検地をしないかわりに段銭を増やしている。このときも「御代替りなので検地を実施すべきであるが」と文書に書かれていて、代替わりには検地を行なうという基本方針があったことがうかがえる。

こうした検地のほかに、夫役《ぶやく》（領内から徴用する人夫）の増徴といった特定の目的による検地や、百姓の隠田《おんでん》告発によって行なった検地もあり、こうした場合は広範囲に及ぶことはなかった。天正五年のこと、武蔵の府川《ふかわ》郷（埼玉県川越《かわごえ》市）で検地が行なわれたが、これは二人の百姓が、郷内に隠田があると訴えたことによるものだった。検地の結果、隠田が見つかり、両人は褒美として代官職《だいかんしき》に任命され、さらに増分の二九貫文《かんもん》のうち五貫文を恩賞として下された。郷内に帳簿に書かれない隠田があると大名に訴え、見返りに恩典にあずかろうとする百姓が各地にいたのである。

検地の方法もさまざまで、検地役人が現地に臨んで実地検分する場合もあれば、郷村から明細書を差し出させて検地を実施したことにする、いわゆる指出《さしだし》検地の方法をとることもあった。古い帳簿に載らない田畠が発見される場合が一般的だったが、田畠からの収益分のなかの名主《みょうしゅ》への留保分、内《ない》徳《とく》（地代・小作料）とか加地子《かじし》（質入れ地などの利息分）と呼ばれるものが新たに掌握されて、高が増えることも多かった。そしてこうした増分は大名のものになるという決まりがつくられることになる。

天正一五年のこと、武蔵の久下《くげ》郷（埼玉県加須《かぞ》市）で検地が実施され、八人の給人《きゅうにん》の知行地《ちぎょうち》から合計五貫九一二文の増分が見つかった。一一月になって栗《くり》

6

7

◉検地尺と京枡
右は文禄《ぶんろく》三年（一五九四）の島津《しまづ》領検地のときに用いられた検地尺で、石田三成《いしだみつなり》の署名と花押《かおう》が見える。左は法隆寺《ほうりゅうじ》に所蔵されている天正二年の京枡。地域によってまちまちだった枡を秀吉《ひでよし》は京枡に統一した。

橋《はし》城主の北条氏照《うじてる》から朱印状が下されるが、そこには給田の増分は召し上げるのが「御国法《ごこくほう》」だから、一銭の不足もなく催促して、一一月一五日までに栗橋の蔵に納めよ、と書かれていた。増分は大名のものになるのが基本方針だったが、寺社領の場合には寺社に寄進するのが一般的だったし、増分の一部が給人に下される場合もあった。

検地は大名の直轄領と家臣などの知行地の区別なく実施された。検地によって増分が発見されれば、段銭や懸銭の増加につながるし、その増分を大名の収益分とすることもできる。きちんと実施するには手間もかかったが、領国の収入を増やすためには避けては通れない道だったのである。

今川氏の検地

駿河《するが》・遠江《とおとうみ》を基盤として三河《みかわ》に領国を広げた今川《いまがわ》氏も各地で検地を実施した。永正《えいしょう》一五年（一五一八）に遠江相良《さがら》荘の般若寺《はんにやじ》（静岡県牧之原《まきのはら》市）宛《あて》に出された今川氏親《うじちか》の判物《はんもつ》に、「本増分《ぞうぶん》」をともに寄進すると見えるから、これ以前に検地がなされ増分が発見されていることがわかる。今川氏もかなり早い時期から検地を実行していたのである。もっとも氏親や氏輝《うじてる》の時代には検地施行の事例は少なく、各地で検地が頻繁に行なわれるようになるのは義元《よしもと》の時代になってからだった。

大永《だいえい》六年（一五二六）に制定された「今川仮名目録《いまがわかなもくろく》」の第一条には「ある百姓が権利をもっている名田《みょうでん》に隠田がある、と別の百姓が告発したときには、この名田を現在もっている百姓に、増分を含めた年貢を支払うかどうか聞いたうえで、これを拒否したら、この百姓の権利を没収して、増分込みの年貢を納めると申し出た百姓にこの名田を与えることにする」と書かれている。北条氏《ほうじょう》の場合と同様に、隠田があると申告する百姓が今川領国にもいたのである。ここには検地を行なったとは書かれていないが、検地の結果増分がわかったら、そのあとでその措置について判断するということであろう。

告発者が出てくることで検地が実施された実例も多い。弘治《こうじ》三年（一五五七）、遠江池田荘《いけだ》（静岡県浜松市《はままつ》）領家方《りょうけ》で検地がなされたが、これは大橋源左衛門《おおはしげんざえもん》という百姓の訴えによるものだった。検地の結果二四五貫文《かんもん》あまりの増分が見つかったが、このうち一五〇貫文を地頭《じとう》に納めると大橋が約束し、残りの九五貫あまりは百姓に下されることになった。

ここでは検地増分のうち六割強が領主に与えられ、残りは百姓に下付されている。また寺社領で検地が行なわれた場合、発見された増分は改めて大名から寺社に寄進されるのが一般的だった。北条氏のように増分を大名のものとする基本方針があったかどうかは定かでなく、増分は給人《きゅうにん》の知行《ちぎょう》高《だか》の増加につながる場合が多かった。大名直轄領の場合、検地によって大名が受け取る年貢が増えるが、給人領の場合には直接的には大名の収入増にはつながらない。しかし検地によって増分が出れば、これを基準として賦課する段銭《たんせん》は増加するし、また知行人の軍役《ぐんやく》の増にもつながる。地域の百姓の告発によって検地がなされ、多くの増分が出ることは、大名にとってもうれしいことだったのである。

天文《てんぶん》二一年（一五五二）のこと、駿河の泉郷《いずみ》（静岡県清水町《しみず》）で検地が行なわれたが、このとき

「案内者」となったのは、杉山善二郎《すぎやまぜんじろう》という百姓だった。現地検分の結果二〇〇俵《ぴょう》もの増分が見つかったが、杉山は本年貢と増分のすべてを年貢として上納すると今川氏に請け負った。おそらく泉郷は今川氏の直轄地で、増分発見はそのまま年貢増につながったのである。翌年二月に義元は杉山に宛てて判物《はんもつ》を出して、これは大名に対する「忠節」であると称賛し、本年貢と増分以外にかかえている名職《みょうしき》（名田）の増分一〇石《こく》一斗《と》と、畠銭《はたせん》の増分五貫文を永久に与えると約束している。検地をリードして多くの増分を見つけだした百姓には相応の恩賞が与えられたのである。

海産物進上と船役

検地《けんち》によって領内の郷村の田や畠の高《たか》を確定しながら、決まった額の段銭《たんせん》や懸銭《かけせん》を賦課し、さらに家屋数掌握によってこれも定額の棟別銭《むねべちせん》を集めるというかたちで、徴税システムは確立されたが、これですべての人々の上に網がかかったわけではなかった。海に面した漁村の場合、さしたる田畠《でんぱた》をもたないが、海からの恵みは計り知れず、これに対しても一定の賦課がなされることになる。

永禄《えいろく》三年（一五六〇）二月、相模国府津《さがみこうづ》（神奈川県小田原《おだわら》市）の船主である村野宗右衛門《むらのそうえもん》に宛《あ》てて、毎月の魚の納め方についての詳しい法度《はっと》が渡された。北条氏康《ほうじょううじやす》の内室《ないしつ》（妻）の台所料として毎月二五〇文《もん》相当の上納が定められていたが、ここで改めてその内容を取り決めたのである。魚は腐らないように塩をまぶして納めるべきだが、時期によっては無塩でもかまわない。ただ代銭《だいせん》で納めることは禁止する、と最初の条文に書かれていた。銭では役に立たず、あくまでも現物の魚が必要とされていたのである。

この法度の後半には、上納する魚の種類と、それが何文に相当するかということについての詳しい記載がある。そのありさまは下の表のとおりだが、このような算出方法で、毎月二五〇文相当の魚を納めよ、というのである。納める期限は毎月一〇日切りとし、そのつどきちんと請取《うけとり》を取るようになどと、北条家から下された朱印状の内容はこと細かい。

永禄九年一〇月、相模中部の海村である須賀《すか》郷（神奈川県平塚《ひらつか》市）の田中《たなか》に宛てて、北条氏康から朱印状が下されたが、そこには小鳥の餌《えさ》となる鯵《あじ》の上納方法が詳しく書かれていた。「鯵二〇〇疋《ぴき》は網場《あみば》から直接届けるように。二時《ふたとき》もたつと弱ってしまうので、早く届けるよう努力せよ」。何度も命令しているからということで、このときは特別に鯵三疋に一文の計算で精銭《せいせん》（粗悪でない銭）を下賜《かし》されており、まったくの無償というわけではなかったが、海浜の村からはこうしたものも納められていたのである。

港にいて漁業や交易にかかわっている船に対しても一定の課税がなされていた。天文《てんぶん》一七年（一五四八）に伊豆西浦《にしうら》七か所の百姓中宛に出された北条氏の朱印状には、三六艘《そう》の船に対して賦課する船役銭《ふなやくせん》の高《たか》を七貫《かん》一〇〇文と定めたので、毎年この額を納めるようにと書かれている。おそらく船一艘で二〇〇文が基本で、なかには半人前の船があったのでこのような合計額

魚の種類と代銭

魚の種類・大きさ		代　銭
鯛	1尺5寸（45cm前後）	1尾で30文
	1尺（30cm前後）	1尾で15文
	6～7寸（20cm前後）	1尾で10文
鰹		1尾で12文
大鯵		1尾と若魚子で2文
鮑		1杯で3文
鰯		2尾で1文
イナダ		1尾で5文

になったのであろう。

船役銭の事例は今川氏《いまがわ》でもみえる。駿河《するが》の興津《おきつ》郷（静岡市）では一〇艘の船に対して船役が課されていたが、減免してほしいという訴えを受けて、今川氏親《うじちか》はこのうち五艘分を免除している。減免要求に一応は応じていたわけだが、五艘分の船役は免除するが、船にかかわる御用は今後も申し付けるからそのつもりでいるように、と念を押すのを氏親は忘れなかった。船持の百姓たちは、役銭を納めるだけでなく、大名の命令に従って船を出す義務も負っていたのである。

領国の人々の動員

普請役の徴発

領国の人々から段銭《たんせん》や棟別銭《むねべちせん》を広く徴収することで、大名の財政は成り立っていたが、ただ銭を集めるだけでなく、人々の労役提供も求めなければ、さまざまな事業を進めることができない。そこで大名たちは領民の労働、いわゆる夫役《ぶやく》を徴発するシステムも同時に整えてゆくことになる。

人々の動員を必要とする事業のうち、もっとも重要なのは、やはり城郭などの普請だった。城の建築や修理をはじめとする普請にかかわる夫役は「普請役」と呼ばれ、領民から提供される夫役の中核に位置づけられてゆく。

北条《ほうじょう》氏の場合、城の普請や土木工事のために、領内の郷単位に貫高《かんだか》に応じて「大普請役」という役を賦課していた。天正《てんしょう》一三年（一五八五）三月七日、相模《さがみ》の怒田《ぬだ》郷（神奈川県南足柄《みなみあしがら》市）に宛《あ》てて「大普請」の人足四人を動員する朱印状が出されているが、そこには「四人は鍬《くわ》やもっこを持って、中一〇日の用意をして、来る一一日に小田原《おだわら》に集まり、一二日から御普請をしろ。一日欠けたときは御法《ごほう》に従って五日召し使うから、さよう心得よ」と書かれてあった。だいたい貫高二〇貫文《かんもん》にひとりの割合で百姓が徴発されたらしく、一〇日間働くというのが一般的で、欠勤があったときには一日につき五日の労働延長が命じられた。北条氏は領内の郷村から決まった人数の百姓を動員し、一〇日間、最寄りの城下で労働奉仕させるというシステムをつくりあげ、拠点となる城と城下の整備を進めていったのである。

恒常的な大普請役とは別に、城郭普請や修築にかかわる労役が求められることもあった。永禄《えいろく》六年（一五六三）のこと、相模玉縄《たまなわ》城の塀の工事についての詳しい取り決めがなされ、相模の東《ひがし》郡・三《み》浦《うら》郡と武蔵久良岐《むさしくらき》郡（横浜市）の三郡の村々に宛てて朱印状が下された。相模の田名《たな》村（神奈川県相模原《さがみはら》市）に宛てられたものが現存しているが、玉縄城の修築のために田名の百姓は五年に一度城に来て、担当している五間分《けん》（約九メートル）の修築をせよと命じられた。朱印状にはそのとき用意する男柱《おとこばしら》五本と小尺木《こしゃくぼく》一五本、さらに竹や縄・萱《かや》などについてその寸法や量が詳しく記され、続いて工事についての具体的な指示がみえる。「塀の厚さは八寸で、石混じりの赤土を堅くつき固めて中に入れよ。工事の人足は一間あたり四人で、五間だと二〇人になるが、一日にどっと出て完成させるように。もしも大風《おおかぜ》があったら、奉行人《ぶぎょうにん》が催促しなくても、塀の覆い縄を結び直せ」

　田名郷は五間分の塀をこれからずっと分担して修復するように命じられているが、これは無償の奉仕というわけではなく、それなりの報酬が与えられた。田名郷が用意する男柱などについては、銭の高に換算されて、その年に納める懸銭《かけせん》がそのぶん減額になったし、塀を修復する人足の労働についても、その年の大普請役のなかでまかなうことになっていた。五年に一度の玉縄城修理にあたった郷村は、そのぶんだけ通常の懸銭や大普請役を免除される仕組みになっていたのである。

　武田《たけだ》氏の場合も普請役が賦課されていた形跡がある。永禄一一年八月、信濃岩村田《しなのいわむらだ》（長野県佐久《さく》市）の二二人の山伏《やまぶし》に対し

8

●土木工事の光景
鍬《くわ》を束ねて担いでいる百姓が手前に見える。奥のほうでは百姓たちが「もっこ」で土を運んでいる。江戸時代の橘岷江《たちばなみんこう》の作。（『岷江画帖』）

て、「御屋形様《おやかたさま》」すなわち信玄《しんげん》のため祈念に努めている褒美として、一回だけ「御普請役」を免除するという証文が出された。また天正四年三月、武田勝頼《かつより》は信濃西福寺《さいふくじ》（長野県塩尻市《しおじり》）に対して、寺家門前の五間分については、前々どおり普請や兵粮《ひょうろう》運送などの諸役は免除すると約束している。ここでは普請役と並んで兵粮運送の役が見えるが、各地の城や陣所に兵粮を運ぶことも、郷の百姓たちの課役のひとつになっていたらしい。

拠点となる城の建設と整備は大名のもっとも重要な課題で、普請役はさまざまな課役の中核に置かれていたので、なかなか免除の対象にならなかった。毛利《もうり》氏の場合も事情は同様で、要害の普請は大切なので、前々から役は免除されているという人がいても、こうした契約は破棄してきちんと命令せよと、吉川元春《きつかわもとはる》・小早川隆景《こばやかわたかかげ》・福原貞俊《ふくはらさだとし》らの宿老《しゅくろう》たちは連署状で厳命している。

陣夫と陣番

城の普請は毎年のことで、郷の百姓のなかから決まった人数が駆り出されたが、これだけでなく、戦いに出るときに武士に従って雑事にあたる人も郷村から徴発された。陣中にあって業務にあたる人という意味で「陣夫《じんぷ》」と呼ばれる。

陣夫は大名のもとに集められるわけではなく、特定の武士に従って、その命令のもとで働くことが求められた。この武士と陣夫の関係は固定的ではなく、大名の指示によって奉公する相手が変わることもしばしばあった。永禄《えいろく》六年（一五六三）のこと、伊豆仁科郷《いずにしな》（静岡県西伊豆町）の領主に従っていたひとりの陣夫が、別の武士の下につくことになったが、陣夫を失った領主が困らないようにと、北条《ほうじょう》氏は別の家臣が召し使っている陣夫ひとりを遣わしている。

いくつかの郷から日数を決めて陣夫を出すように命じるケースもみられた。永禄五年一一月、北条氏照《うじてる》が西岩沢《にしいわさわ》（埼玉県飯《はん》能《のう》市）などの三か郷に宛《あ》てて陣夫の出し方を指示しているが、それぞれの郷から五日、三か郷で一五日分の陣夫を、安中丹後《あんなかたんごの》守《かみ》のもとまで遣わすようにとそこにはみえる。この三か郷で一五日間つとめたのちは、ほかの郷に命令すると付記されており、三か郷に限らず近隣の郷村に広く陣夫役が課されたことがわかる。陣所においては戦闘要員である兵士のほかに、兵粮《ひようろう》や小荷駄《こにだ》（設営道具）の運送などにかかわる人々が必要とされるが、そうした労働力も郷からの百姓の徴発によってまかなわれていたのである。陣夫も普請役と同じく郷村の貫高《かんだか》に応じて賦課されたが、だいたい四〇貫文《かんもん》にひとりの割合だったようである。

永禄九年五月、出陣のため小田原《おだわら》城を留守にすることになっ

9

●陣中に兵粮米を運びこむ人々
大旗が並び、幕で囲まれた陣中に、米俵を背負った人々が続いて入ってゆく。彼らは戦いに動員された百姓であろう。（『関ヶ《せきが》原合戦図《はらかっせんず》屏風《びょうぶ》』）

た北条氏康《うじやす》は、城下の町人たちをその間の城の守備にあたらせることに決め、詳しい指示を出した。宮前《みやまえ》下町の奉行《ぶぎょう》である賀藤《かとう》に対しても命令が下されたが、その朱印状にはこう書かれていた。「五人でも一〇人でも、宮前下町の者で、分別があって『かいがいしい』者を書き立て、そのなかから二人を選んで、一日一夜ずつ番を申し付けよ。朝は五つ（午前八時頃）以前に番替えして前の者を帰すから、ここで交替してつとめよ」

前線にあたる陣所だけでなく、城主が留守となった本城においても、兵士ではない一般の人々が動員されていたのである。この小田原城の守備の場合は陣番といったほうが適当で、郷ではなく町からの供出という違いがあるが、庶民が動員されていることは同じである。その人数もあらかじめ決められていたが、数がそろえばいいというわけではなく、やはりそれなりに分別があってよく働く者が求められていた。陣夫も陣番も、ひとかどの人物でなければつとまらなかったのである。

伝馬の提供

城の普請や戦陣での雑事などと並んで、領国の人々の協力を必要としたのが、書簡や物品の運送だった。大名どうしの交渉などでは、資質を備えた使者が主君の書状を携えて旅をするのが基本だったが、やがて飛脚《ひきゃく》が書状を抱えて動くことも多くなった。大名間のやりとりにとどまらず、大名と家臣との間の連絡もこまめになされる必要があったし、書状だけでなくさまざまな贈答品を送る場合もしばしばみられた。大名領国の支配が円滑に行なわれ、また隣国との関係を保全し、さらに戦いを有利に進めるためにも、情報や物品のすみやかで確実な送達が求められたのである。そしてそのため、街道の宿場から決まった数の伝馬《てんま》を供出させるシステムが整えられてゆく。

大永《だいえい》四年（一五二四）四月、相模《さがみ》の当麻宿《たいましゅく》（神奈川県相模原市《さがみはら》）に宛《あ》てて、虎《とら》の朱印を押した制札《せいさつ》が下された。「玉縄《たまなわ》や小田原《おだわら》から石戸《いしと》・毛呂《もろ》（埼玉県毛呂山《もろやま》町《まち》）に往復する者で、虎の印判状を持たない者には、伝馬や『押立《おしたて》』（つぎの宿までの案内役や荷物持ち）は出してはならぬ。もし無理やり取ろうとする者がいたら、宿で捕らえて小田原でも玉縄でも召し連れよ」。制札にはこう書かれていた。

北条氏《ほうじょう》から証文をもらってもいないのに、許可が下りているから伝馬を出せと強要されるケースが続いており、こうした状況をなんとかしようと当麻宿の住人が大名に訴え、これが認められて制札が下されたものとみられるが、制札の追伸部分には「印判があっても日付が三日過ぎていたら、言い分を聞いてはならぬ」と書かれていた。虎の印判状をもらったらすぐに宿を通らなければ、規定の伝馬は与えられなかったのである。

大名の公用で旅をする人の場合は無賃で伝馬が提供され、そうでないときには一里《り》（約四キロメー

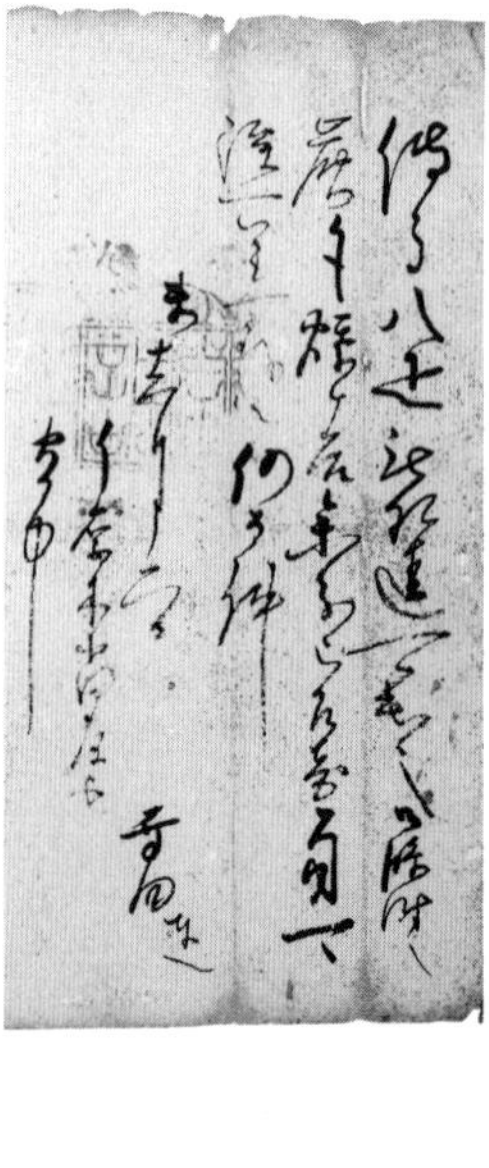

10

●北条氏の伝馬手形
「常調《じょうちょう》」の文字を刻んだ朱印が押されている。この手形をもらうと、旅の途中の宿場において、無料で伝馬の提供を受けることができた。

トル）に一銭《せん》の運賃がかかるのが一般的だった。そして宿場ごとに一日に提供する馬の数が定められることもあった。永禄《えいろく》九年（一五六六）三月、北条氏は伊豆《いず》丹那《たんな》郷（静岡県函南《かんなみ》町）からの訴えを受けて、二年間を限って伝馬の数は一日五疋《ひき》に制限すると定めている。宿場にはつねに一定数の馬が確保されていたが、無尽蔵の伝馬供出はできなかったわけで、一日に提出する馬の上限が定められることになったのである。

武田《たけだ》氏も特定の印判状を持たない者には伝馬を提供するなという命令を出している。天文《てんぶん》九年（一五四〇）八月、信濃《しなの》の海之口《うみのくち》（長野県南牧《みなみまき》村）の宿場に宛てて、武田信虎《のぶとら》の朱印状がなければ夫《ふ》や伝馬を出してはならぬとの指示が下された。これも当麻宿の場合と同様、宿の側の要求を受けて大名が証文を出したものと思われる。永禄四年一二月に信濃の長窪《ながくぼ》・大門《だいもん》宿（いずれも長野県長和《ながわ》町《まち》）に出された晴信《はるのぶ》の朱印状も同様で、この印判がなければ伝馬を出すなと指示し、もし強引に取ろうとする者がいたら、郷中で協力してその者を捕らえ、陣中に連れてこいと付記している。無理やり伝馬を取ろうとする者を捕らえるのは、大名の配下ではなく当該の宿の住人だったのである。

武田氏の場合も公用の伝馬と私用のものがあったが、やがてこの二つを区別する詳しい規定が定められることになる。天正《てんしょう》四年（一五七六）三月に駿河《するが》の厚原《あつはら》郷（静岡県富士《ふじ》市）に宛てて下された定書《さだめがき》にはつぎのように書かれている。「今後公用の御伝馬提供を求める場合は朱印を二つ、私用のときにはひとつ押すから、きちんと区別せよ。伝馬の数は一日四疋を上限とし、私用の伝馬のときには一里六銭の口付銭《くちつきせん》（馬丁賃）を取れ。口付銭を出さない者には伝馬を出す必要はない」

私用で伝馬を提供してもらうときには規定の口付銭が必要だったが、その額を細かく書き並べた注文もある。永禄一一年七月のものだが、甲斐《かい》の府中《ふちゆう》から信濃福島《ふくじま》（長野県須坂《すざか》市）に至る宿場の間でどのくらいの口付銭を払うかが具体的に書かれている（次ページ図版）。宿場間の距離に応じて額が決まっており、府中から福島まで通行すると二二九文を払う計算になった。

ところでこの注文は相模足柄《あしがら》郡の海蔵寺《かいぞうじ》（神奈川県小田原市）の住持《じゆうじ》が甲斐に来たときに、武田氏に頼んでつくってもらったものだった。この僧侶《そうりよ》は、まず小田原の北条氏から一〇貫文の路銭《ろせん》をもらい、さらに相模国内においては無料で伝馬提供が受けられると書いた手形をつくってもらって出発した。そして甲斐の府中に入ってから武田氏の伝馬手形をもらい、伝馬七疋を受け取ることを認められた。先にみた口付銭の注文はそのすぐあとにつくられたもので、冒頭に武田氏の朱印が押されている。七疋の伝馬は認められたものの、相模とは違って甲斐や信濃では無料通行はできず、規定の口付銭を納めることになり、その金額を書いてもらったのであろう。

当時北条と武田は同盟関係にあり、二つの領国をまたにかけた旅を行なう場合はこうした手立てが講じられたのである。下って天正八年のこ

●北条氏と武田氏の伝馬印
伝馬手形には専用の朱印が押された。北条氏の朱印は「常調」の文字の上に馬の姿を刻む（右）。武田氏の朱印の文字は「伝馬」である（左）。

と、越後《えちご》春日山《かすがやま》の上杉景勝《うえすぎかげかつ》は、信濃との国境に位置する田切《たぎり》（長野県飯《いい》島町《じままち》）の地下人《じげにん》（住民）に対して、上杉の印判状を持っている者には伝馬や宿送《しゅくおくり》（荷物運びの人）を提供せよと命じるが、そのあとに「甲府の印判を持つ者は、関山《せきやま》（新潟県妙高《みょうこう》市）まで送り届けよ」と付け加えた。当時景勝は甲斐の武田勝頼《かつより》と同盟関係にあり、武田の印判を持っている通行人は春日山に近い関山まで送り届けるようにと、国境の住人に指示したのである。北条も武田も上杉も、それぞれ独自に伝馬の制度を整えていたが、これは領国内部で完結するものではなく、大名間の関係が円満でありさえすれば、領国を越えた円滑な交通を保証するシステムになっていたのである。

甲斐～信濃の口付銭

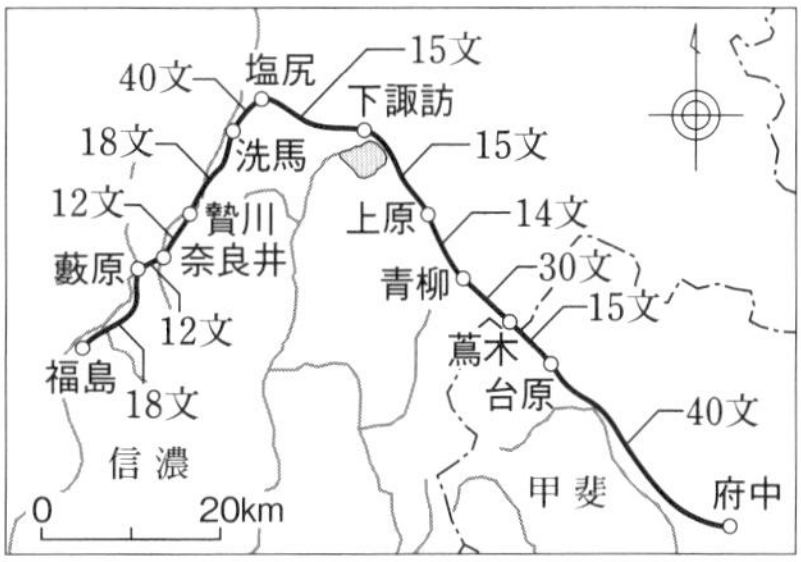

番匠と石切

城普請などの建築事業に動員されたのは百姓だけでなく、当然のことながら、番匠《ばんしょう》（大工）や石切《いしきり》など職人を召し使うことも必要だった。こうした職人の役についても北条氏《ほうじょう》はかなり整然とした取り決めをつくっていた。天文《てんぶん》二四年（一五五五）に伊豆《いず》松崎《まつざき》（静岡県松崎町）の番匠に宛《あ》てて下した朱印状には、船番匠として召し使うから、年間に三〇日を限って役をつとめよと書かれている。分《ぶん》国中《こくじゅう》の諸番匠はみな三〇日間「公用」で使役することができるという一文が見えるから、船番匠に限らず領国内の番匠たちは、おしなべてこうした仕事に従事する義務を負っていたとみてよいだろう。

年に三〇日間は大名のために「公用」で働くことになっていたわけだが、これを超えて働いてもらうときには「公用」より高い相応の「作《さく》料《りょう》」（手間賃）を下すことになっていた。先にみた松崎の船番匠の場合は、一日について五〇文《もん》の作料を下すことが約束されている。いかに領国内の者といっても、余分に働いてもらうには相応の報酬を与えねばならなかったのである。

永禄《えいろく》一一年（一五六八）一〇月、相模藤沢《さがみふじさわ》（神奈川県藤沢市）の大鋸引《おおがひき》の頭をつとめる森木工助《もりむくのすけ》に宛てて北条氏康《うじやす》から朱印状が出されたが、そこには四人の大鋸引を召し使うにあたって支払われる給与について詳しく書かれている。「作料」はひとり一日で五〇文、「公用」は同じく一七文で、それぞれ三〇日分を合計すると八貫《かん》四〇文になるが、これに相当する麦が奉行から支給される約束になっていた。ここでも公用以外で召し使うときにはひとり一日五〇文の作料が支給されているが、公用で働く三〇日の間も無償というわけではなく、一日一七文の給与がきちんと支払われていたのである。

11

12

このころには城にも石垣が用いられはじめ、石切は時代の脚光を浴びることになった。彼らの実態はなかなかわからないが、北条の領国ではいくらか史料が残っている。弘治《こうじ》三年（一五五七）のこと、新たにメンバーに加わった「新石切」の五人に対して、ひとり二貫文ずつの給分が大名から下されており、無足《むそく》の状況では奉公できないと彼らが訴えたので、このように決めたと文書には書かれている。古くからの石切衆たちは大名からそれなりの給分を与えられており、これに新たな「新石切」が参入するかたちで石切の組織は拡大していったのであろう。

永禄一一年六月、左衛門五郎《さえもんごろう》という石切に対して、棟梁《とうりょう》に任命するから、父のときと同様に仕事に励むようにという命令が大名から下された。石切のメンバーは棟梁のもとに組織されており、その跡を息子が引き継いだのである。この三か月後、左衛門五郎は善左衛門《ぜんざえもん》という石切とともに、土《ど》肥《い》（神奈川県湯河原《ゆがわら》町）の屋敷の裏の山石を切るようにとの北条氏康のご下命を受けている。「土蔵の根石《ねいし》（土台石）に適当なものがないかと探させたところ、善左衛門がいい石を見立ててくれた。そこで奉行《ぶぎょう》の南条《なんじょう》と幸田《こうだ》の指示に従ってこの石を切るように」。具体的な用途がここには示されているが、続いて「公用はこの両人から受け取るように」と付け加えられていた。石切の場合にもその仕事に対しては相応の給与が支払われたのである。

一年半後の元亀《げんき》元年（一五七〇）四月、棟梁の左衛門五郎はまた北条から命を受けた。「武蔵《むさし》の仕

◉大鋸引と石切
大鋸引（右）は、二人で組みになって大鋸の両端を持ち、押したり引いたりしながら木材を裁断した。石切（左）は石の切り出しだけでなく、細工や積み上げにもあたり、江戸時代には石工《いしく》と呼ばれた。（右／『三十二番職人歌合絵《しょくにんうたあわせえ》巻《まき》』、左／『人倫訓蒙図彙《じんりんきんもうずい》』）

事を申し付けるので、石切は誰も相模に残っていてはならない。江戸・河越《かわごえ》・岩付《いわつき》と、石を必要とする城が多くあるから、がんばって石を切れ」。朱印状にはこう書かれていた。仕事が多いのはありがたいが、大名の要求は何より優先させねばならず、けっこう苦労も多かったのである。

鍛冶・矢師・革作

物をつくる職人たちも大名によって把握され、製作した物品を一定数上納するよう命じられた。武蔵柏原《むさしかしわばら》（埼玉県狭山《さやま》市）の鍛冶《かじ》の場合、永禄《えいろく》八年（一五六五）に一二間《けん》の棟別銭《むねべちせん》を免除するかわりに年間二〇本の鑓《やり》を上納するようにと、北条氏照《ほうじょううじてる》から命じられている。その後、鑓の数は年間三〇本に増えたが、いつしか未進が始まり、一本も届けられない状況が九年も続いた。さすがに用捨《ようしゃ》できないと、天正《てんしょう》七年（一五七九）になって改めがなされ、未進分二七〇本のうち半分は赦免するから、残る一三五本を二年に分けて上納せよ、とやはり氏照から命令が下された。

なかなか予定どおりに鑓は集まらなかったようだが、それでも鍛冶に対してこうした賦課が恒常的になされていたことは注目に値する。また鑓のような現物を進上するかたちではなく、鍛冶本人が城に出向いて仕事をすることもあった。永禄一一年一一月に伊豆江間《いずえま》（静岡県伊豆の国市）の八郎《はちろう》右衛門《えもん》に宛《あ》てられた北条氏康《うじやす》の朱印状には、一年に三〇日間召し使うが、そのときは「公用」を支払うと書かれており、また韮山《にらやま》城に鍛冶屋を建てるので、そこで仕事に励むようにとの指示も下された。番匠と同じように、鍛冶も年に三〇日間という約束で大名の仕事に従事したのである。

矢をつくる職人は矢師《やし》と呼ばれていた。天文《てんぶん》九年（一五四〇）七月、武田信虎《たけだのぶとら》は甲斐市河《かいいちかわ》の矢師一二人の棟別銭を免除しているが、理由なく棟別銭を免除されるはずもないから、かわりに一定の数の矢の上納などが義務づけられていたに違いない。

元亀《げんき》二年（一五七一）のこと、駿河《するが》の唐沢郷《からさわ》（静岡市）の人々が大名の武田氏に毎年矢の篦《の》を一万本進上すると申し出、これを受け入れた武田信玄《しんげん》は、かわりに六人分の普請役を免除している。篦というのは竹でつくった矢の柄《え》の部分で、唐沢郷では一万本もの篦を用立てることができたのである。篦をつくったのは百姓かもしれないが、器用な職人が作業にあたっていたとみるのが自然であろう。

鐙や矢と並んで重宝がられたのが皮革だった。鎧《よろい》の製作などさまざまな場面で革が用いられ、皮革職人の革作《かわづくり》も大名によって把握された。天文《てんぶん》七年に伊豆長岡の革作九郎右衛門《くろうえもん》に宛《あ》てて出された北条氏の

13

◉矢師と鎧師
戦国時代には武具や兵器の需要が増大し、職人たちの仕事も増えた。矢師の工房（右）でも鎧師《よろいし》の工房（左）でも、数人の職人が分担しながら製作にいそしんでいる（『職人尽絵《しょくにんづくしえ》』）。

朱印状には、伊豆の革作二一人の在所が記され、決められた革を無沙汰《ぶさた》なく進上せよと書かれている。長岡に五人、三島《みしま》に三人、伊東《いとう》に三人という具合に各地に革作職人は広がっていたが、長岡の九郎右衛門がこれを束ね、大名への役負担を請け負っていたのである。

今川《いまがわ》氏の場合、大井掃部丞《おおいかもんのじょう》という人物が革の製作と販売を統括していたことが知られ、今川義元《よしもと》も彼の権益を認めながら、革の商売などについて統制を加えていた。天文一三年四月、義元は革の国外流出を防ぐために「革留《かわどめ》」を行なうこととし、連雀商人《れんじゃくしょうにん》(商いの荷物を背負った行商人)が他国に革を売っているようだが、今後は町人たちの所持品を調べて、荷物に革を隠していたら、押さえ置いて注進せよと、大井掃部丞に命じている。「革留」はやがて解除になったようだが、天文一八年になって義元はまた革商売にかかわる法度《はっと》を定め、革作以外の者が商売することを禁止している。貴重な資源である皮革の他国への流出を防ぐため、大名は工夫を凝らしていたのである。

寺と僧への課役

郷村の百姓から職人まで、領国に広がるさまざまな人々に対して、戦国大名は個別に役《やく》を課していたが、古くからの伝統を誇る寺院と、そこに住んでいる僧侶《そうりょ》たちも、こうした課役を逃れることはできなかった。北条《ほうじょう》氏や今川《いまがわ》氏の場合、陣僧《じんそう》役・飛脚《ひきゃく》役と諸公事《くじ》などが寺に対する課役の中心にあったことが知られる。伊勢宗瑞《いせそうずい》が伊豆《いず》に入って七年後の明応《めいおう》九年(一五〇〇)という早い時期に、伊豆の行学院《ぎょうがくいん》に対して飛脚役と諸役を免除するとの判物《はんもつ》が出されているから、北条領国ではこのときすでに寺に対して飛脚役が賦課されていたことがわかる。永正《えいしょう》一一年（一五一四）に鎌倉《かまくら》の本覚寺《ほんがくじ》に下された制札《せいさつ》になると、陣僧役・飛脚役と諸公事が免除されており、ここでは陣僧役が加わっている。

翌永正一二年には沼津《ぬまづ》の妙海寺《みょうかいじ》に宛《あ》てて諸公事・陣僧役・飛脚役を免除するとの宗瑞の制札が出されているが、その四年後の永正一六年、今度は今川氏親《うじちか》が同様に諸役免除を認めている。沼津の妙海寺はまず宗瑞から諸公事・陣僧役・飛脚役を免除するとの制札を与えられ、さらに今川からもこれを追認されたのである。今川氏も北条氏と同様、領内の寺院に対して陣僧役と飛脚役を賦課していたのである。

この時代の戦いにおいては、大将のそば近くに僧侶を配置し、祈禱《きとう》をはじめとするさまざまな仕事をさせるのがふつうだった。これが陣僧だが、戦時にはこうした者を提供する役を領国の寺院は基本的に負っていたのである。僧侶はそれなりに健脚が多く、またその身分のために俗人より安全に道を通ることができるという特性が見込まれて、このような役が賦課されたのではあるまいか。

天文《てんぶん》一八年（一五四九）のこと、大光坊《だいこうぼう》という人物が武田晴信《たけだはるのぶ》から棟別銭《むねべちせん》免除の判物《はんもつ》をもらったが、そこには棟別は免除するから、軍陣先での祈禱螺《きとうほら》の役は油断なく行なえと書かれていた。彼はおそらく法螺貝《ほらがい》を吹いて祈禱していたのであろう。戦陣での祈禱については上杉謙信《うえすぎけんしん》も熱心で、発心坊《ほっしんぼう》という名の僧侶に宛てて、祈禱の効き目がいまひとつだから、自分が留守の間は夜も寝ず、肝胆を砕いて祈禱に励めと命令を下している。

このように僧侶たちに対してもさまざまな役が課されたが、ことに変わり種なのは「妻帯役《さいたいやく》」である。永禄《えいろく》四年（一五六一）七月、武田信玄《しんげん》は甲斐《かい》の万福寺《まんぷくじ》（山梨県甲州市）と長延寺《ちようえんじ》の衆僧《しゆそう》の「妻帯役」を免除している。当時の武田の領国では妻帯している僧侶から役銭が徴収されていたのである。僧侶は妻帯しないのが古くからの定めだが、この時代には規範も緩み、妻帯したり子女をもうけたりする僧侶も多くなっていたのであろう。そのこと自体は大名とはなんの関係もないが、法度《はつと》を破った者に対して過料《かりよう》を科すような発想で、武田氏はこうした役をつくりあげたのかもしれない。

大名・領主・百姓

大名と百姓の対面

郷村と百姓たちが力を蓄え、郷や村がそれなりの独立性をもつ組織として認められるようになっていったことについては、すでに第一章で述べたが、こうした動きは、畿内近国だけでなく列島全体に広がっていた。北条《ほうじよう》・今川《いまがわ》・武田《たけだ》といった戦国大名たちも、幕府と同じように郷や村と直接向き合い、郷村宛《あて》の文書を発給しながら領国支配を進めるかたちを模索するようになってゆく。

永正《えいしょう》一五年（一五一八）一〇月八日、伊豆《いず》の長浜《ながはま》と木負《きしょう》（ともに静岡県沼津《ぬまづ》市）の「御百姓中」と代官《だいかん》に宛てて、四か条からなる掟書《おきてがき》が下されたが、年月日が書かれた部分の上部に、「禄寿応穏《ろくじゅおういん》」（禄寿まさに穏やかなるべし）と刻まれた堂々たる方形朱印が押されていた。四角の上辺に虎《とら》の姿をかたどったこの朱印は「虎朱印」と呼ばれ、北条氏（このときは伊勢《いせ》氏）の領国支配を支えるものとなってゆく。

「竹や木が必要なときには、その多少を決めて、この朱印を押した文書で郡代《ぐんだい》に命令するから、郡代から地下《じげ》に申し付けるように。定例の大普請など以外に人足を必要とするときも、この印判状で命を下す」。村に対して何かを要求するときには、必ずこの印判を据えた文書を使うと、伊勢宗瑞《そうずい》（北条早雲《そううん》）は約束したのである。北条領国では郡規模の地域の管理をつかさどる郡代が置かれ、また大名の直轄領には代官《だいかん》がいて支配にあたっており、村に対する大名の命令は郡代や代官を通して伝えられたが、いずれの場合も大名が発給する印判状がなければその命令は無効とされた。この掟書の末尾には「郡代や代官の花押《かおう》があっても、虎の印判がなければ命令は聞かなくていい。それでも強硬に取り立てようとする者がいたら、名前を書いて大名のところまで訴えてくるように」と

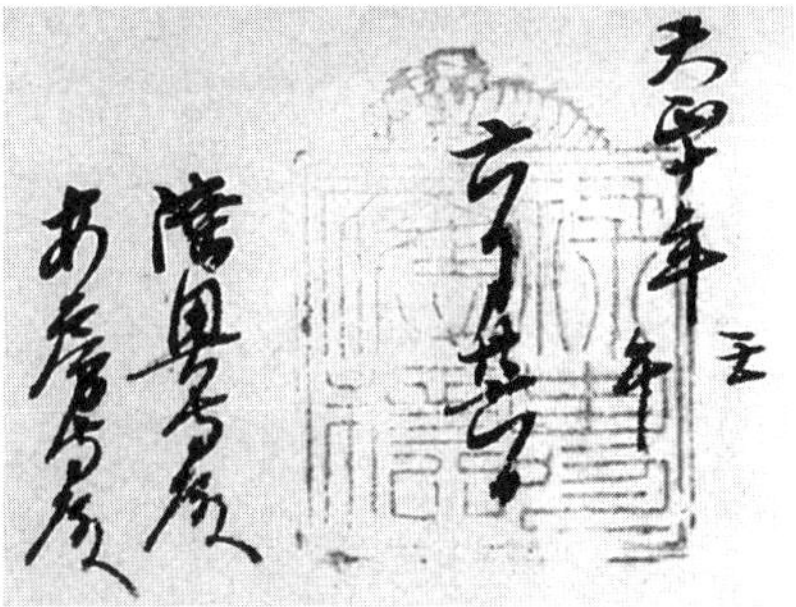
14

●北条氏の虎朱印
「禄寿応穏」の文字の上に虎を配した大型の朱印を、北条氏は八〇年以上にわたって使用しつづけた。

書かれてあった。

郡代や代官が村の百姓から勝手に諸役《やく》を取り立てることを禁止するのが、この文書が出された目的だった。大名が村の百姓をそれなりに大切にしていることがわかるが、何より注目すべきなのは、長浜・木負の「御百姓中」が文書の宛先となっていることである。幕府が名主沙汰人中宛《みょうしゅさたにんちゅう》の奉行人《ぶぎょうにん》奉書を出したのと同様に、戦国大名も百姓中宛の文書を発給するようになったのである。

不法な取り立てをする者がいたら大名のところまで訴えてくるように、とこの印判状には書かれているが、百姓の直訴を認めるというのが北条氏の基本方針だった。天正《てんしょう》七年（一五七九）のこと、笠原助八郎《かさはらすけはちろう》という家臣の所領である武蔵鳩ヶ谷《むさしはとがや》（埼玉県鳩ヶ谷市）の百姓たちが、一列に血判状をつくって領主に対して訴訟を起こした。このことは小田原《おだわら》の北条氏のところまで届き、百姓のひとりに宛てて朱印状が発給されたが、そこには「領主に非分があれば、公儀に訴え出るべきところ、そうしないで一緒になって郷から逃散しようと企てたことはけしからん」と書かれていた。領主に問題があったら、直接行動に出ず、まずは大名に訴えてくるべきだ、と北条氏は強調しているのである。

ところで、この朱印状にはこの一件にかかわる百姓の処分についての記事も見える。「今回の件は重罪なので、百姓たちの頸《くび》をはねようと思ったが、誓詞の連名の最初にある鈴木《すずき》勘解由《かげゆ》ひとりを処罰して、おまえは赦免するから、前々のように郷に帰って百姓をつとめよ」。見せしめのために百姓ひとりを処罰するが、残りの者は助命するので早く帰って耕作に励め、と大名は諭したのである。

百姓は年貢を未進するな

この武蔵鳩ヶ谷《むさしはとがや》の事例のように、百姓たちが団結して領主に対抗することも各地で起こり、大名も百姓の直訴を認めていた。領主の地位は確固としたものではなく、彼らは領内の百姓を完全な支配下に置くことを制約されていたのである。ただ大名も領主をないがしろにし、百姓の行動を無制限に認めたわけではない。とくに百姓の年貢未進に関しては厳しい態度で臨むというのが、戦国大名のほとんどに共通する基本姿勢だった。

今川《いまがわ》氏の「今川仮名目録《いまがわかなもくろく》」第一条の冒頭には「百姓たちの譜代《ふだい》の名田《みょうでん》を地頭《じとう》が勝手に没収してはならない」と書かれているが、そこには「ただし百姓が年貢を無沙汰《ぶさた》している場合は致し方ない」という一文が付け加えられていた。年貢をきちんと上納していれば百姓の財産は保証されるが、年貢未進を繰り返すような場合にはその限りではなかったのである。

年貢未進を続けた百姓が、大名の力によって村を追い払われた事例も存在する。遠江棚草《とおとうみたなくさ》（静岡県菊川市《きくがわ》）の二人の百姓は、みずからがもっている百姓職《ひやくしようしき》にかかわる年貢を数年にわたって未進していた。地頭が催促しても埒《らち》が明かないので、大名直属の役人（公方人《くぼうにん》）を派遣して譴責《けんせき》したところ、未進などまったくないと両人は主張した。言い分が違うので、大名のもとで審理がなされたが、二人で七〇貫文《かんもん》あまりの未進があることが判明した。年貢未進だけでなく、未進などないと虚偽の訴えをしたことが問題となり、結局二人は今川氏の命令で郷中から追い払われてしまった。永禄《えいろく》三年（一五六〇）一一月、今川氏真《うじざね》は地頭宛《あて》の判物《はんもつ》でこのことに触れ、この両人が郷中に出入りしないように厳しく見張れと命じている。
武田《たけだ》信玄《しんげん》が制定したとされる「甲州法度之《こうしゅうはっとの》次《し》第《だい》」には、「百姓が年貢を抑留することは重罪なので、地頭の思いどおりに所務を行ない、百姓に非分のことがあったら、検使を派遣して調査せよ」という一か条がある。「百姓の名田を理由なく召し放つことは不法である」という規定もあるが、「百姓が年貢を無沙汰しているとき、ことに二年間未進している場合は致し方ない」という追記がやはりなされていた。

伊達《だて》氏が制定した「塵芥集《じんかいしゅう》」にも、年貢や所当《しょとう》（雑税）は地頭にきちんと納めよ、無沙汰したらその地《ち》券《けん》（土地の権利書）を他人に与えよという一か条があるし、三好《みよし》氏の家法の「新加《しんか》制式《せいしき》」にも、百姓が年貢以下を難渋したときに、その田畠《でんぱた》を差し押さえるのは当然のことだと書かれている。

近江《おうみ》の六角《ろっかく》氏の家法の場合、条文はもっと具体的である。「ある所領で定量の年貢納入を代官が請け負っていて、百姓が年貢未進をしている場合、まず代官は未進している百姓の名前と年貢の量を記した注文をつくって地頭に提出し、すでに徴収

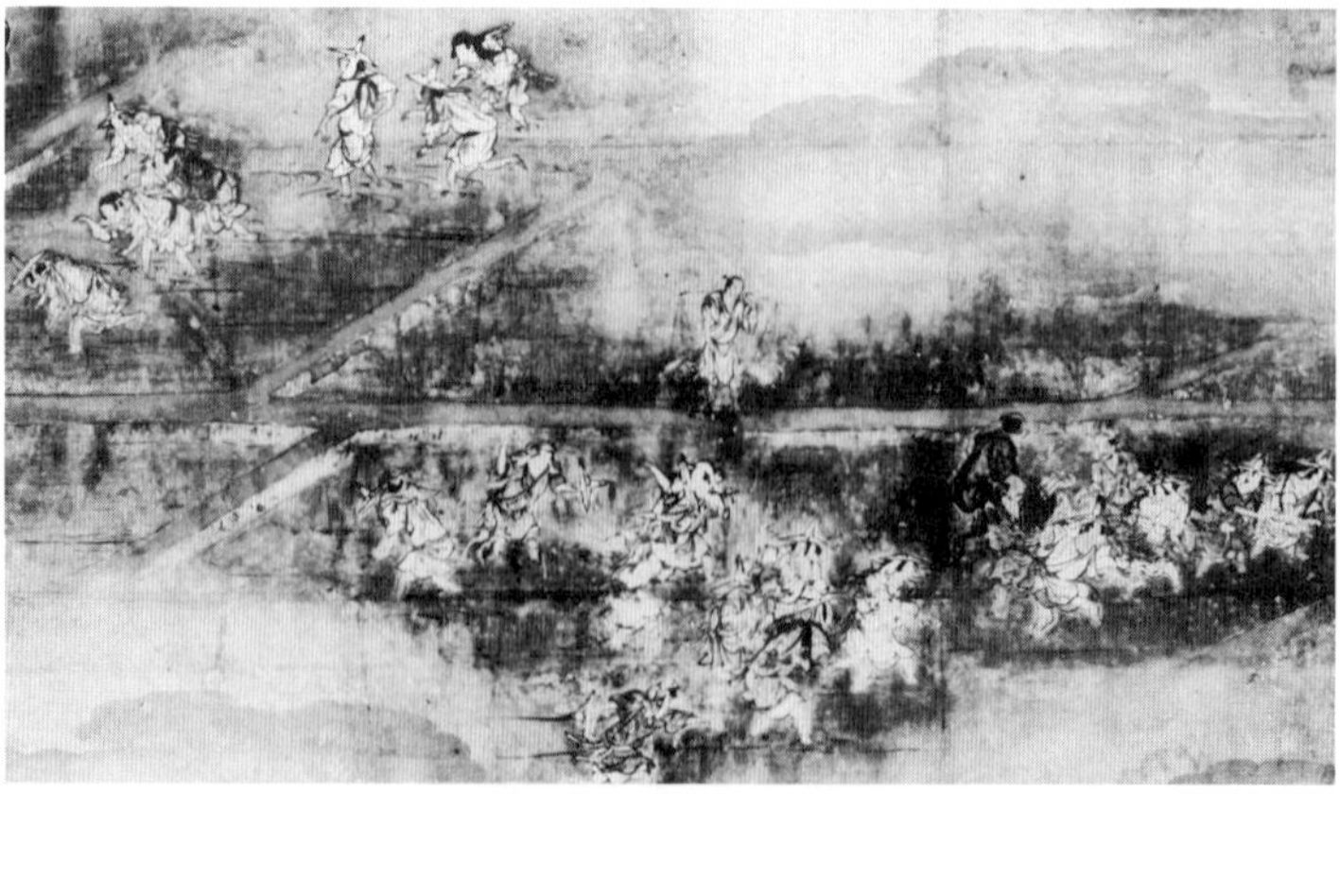

●田植え
笠《かさ》をかぶり、襷《たすき》や帯を長く垂らした早乙女《さおとめ》たちが、大勢で田植えをしている。大田植の行事の光景であろう。（『名古屋城襖絵《ふすまえ》』）

している分だけ地頭に納め、難渋している百姓に対しては譴責使《けんせきし》を入れよ。代官が催促している間、地頭は残りの年貢を要求しないで待つように」

代官の年貢徴収の様子がうかがえるが、これに加えて年貢譴責使にかかわる条文も続いて見える。「百姓が年貢などを無沙汰したとき、譴責使を村に入れないようにと、道を塞《ふさ》いだり、あちこちに出て抵抗したりしてはならぬ。こうしたことがあったら退治するか過料《かりょう》をかける。もし名主《みょうしゅ》や百姓らが門戸を閉じて出てこないときには、厳しく成敗を加える」

先にみたように、畿内近国の郷村では百姓の年貢未進は当たり前になっていた。近江南半を支配した六角氏にとって、領内の百姓たちからきちんと年貢を取り立てることは何より大切で、そのためこうした詳しい規定がなされたのであろう。そして東国大名や奥羽《おうう》の伊達、阿波《あわ》の三好まで、その家法に年貢未進を許さないという条文が必ず入っていた。百姓たちの年貢未進の動きを抑え、安定的な収入を確保することが、当時の支配層の最大の課題だったのである。

地頭と百姓

先にも述べたように、戦国大名は領国内の郷村をまるごと支配していたわけではない。個々の郷村の支配者は基本的には地頭《じとう》（給人《きゅうにん》）で、大名はこの地頭を組織していたにすぎない。大名自身の所領である直轄領では、地頭は大名本人だが、大名はなかなか現地に行けないので、現地支配は代官《だいかん》にゆだねられるのが一般的だった。また家臣たちの所領でも、その家臣（地頭）が重臣クラスの場合などは、同様に代官が現地の管理にあたることが多かった。

郷村の百姓たちが直接向き合っていたのは、地頭（大名家臣）もしくはその代官だったが、年貢上納などをめぐって両者の間にはさまざまなトラブルが起きた。百姓が決まった年貢を納めなかったり、もっている田畠《でんぱた》を隠して年貢量を減らそうとしたりすることもあるが、逆に地頭のほうが理由もなく年貢の額を増やしてしまうケースもあった。

そもそも中世の社会においては、荘園や郷村の年貢や公事《くじ》の額はそれぞればらばらで、地頭と百姓との契約によって個別に決められていた。全国一律の税率などなかったのである。地頭の家が固定して平穏に相続がなされている間は、百姓はその領主に毎年決まった年貢を納めていて、さしたるトラブルはなかったが、なんらかの事情で地頭が交替するときに、さまざまな問題がよく起こった。

そもそも地頭が替わるというのは、なんらかの落ち度によって所領を没収され、新たな武士が地《じ》頭職《とうしき》を与えられるというケースがほとんどだから、当然のこととして地頭の間で事務の引き継ぎはなされない。新たに村に入った地頭（給人）は、村の百姓たちと対面して、これまでどの程度の年貢を納めていたかを聞き出し、新たに契約を結ばねばならなかったのである。もちろん証拠となる帳簿などをもとに年貢量は定められただろうから、従来と極端に変わることは少なかったが、地頭と百姓の思惑《おもわく》が食い違う場合にはさまざまなトラブルが発生したのである。

年貢収納の仕組み

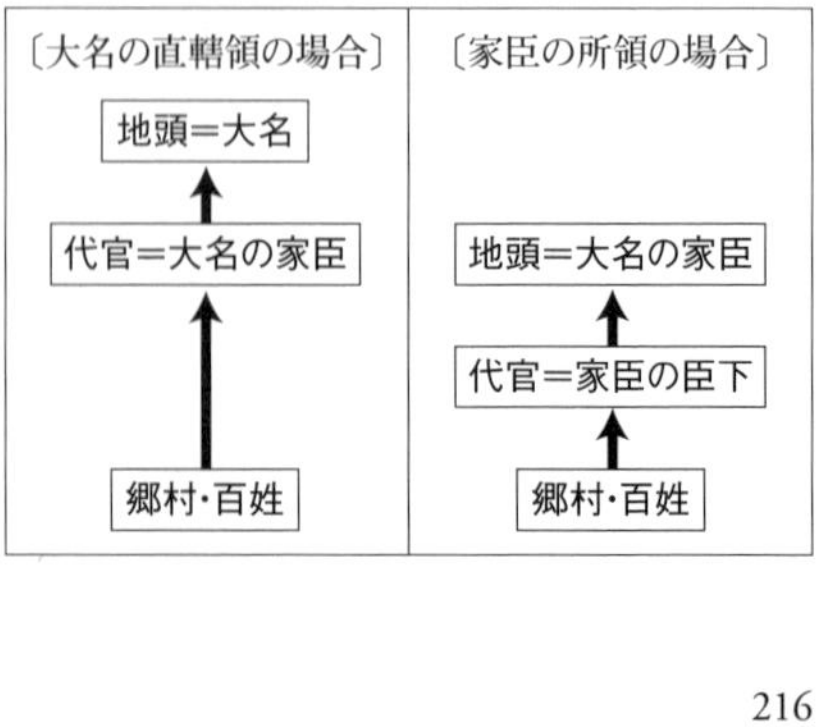

伊達《だて》氏の「塵芥集《じんかいしゅう》」には「地頭が替わったとき、新しい地頭が在家の境や田畠のあるところを知らないのをいいことに、百姓が田地を踏み隠し、年貢所当《しょとう》を抑留するのは重罪なので、家の中にいる男も女もことごとく重科に処す」と定められている。やはり地頭が替わったとき、新たな地頭が様子をつかまないうちに田畠を隠して年貢をごまかすことがよく起きていたのである。

三好《みよし》氏の「新加制式《しんかせいしき》」では、逆に地頭側の非法を戒めている。二〇年以上にわたって年貢の量が決められているのに、昔の帳面を捜し出したり、新たな理屈を考えたりして、思うがまま年貢を賦課したのでは、百姓がかわいそうなので、今後こうしたことは禁止するという条文があり、地頭の側も年貢を増やそうとあれこれ画策していたことがわかる。

ただこの条文には続きがあり、地頭が年貢額を増やしてもいいケースについても書かれている。新開地などが実り多い田になっている場合には年貢を増やしてもいいし、もといた地頭が権利を失って新たな地頭（給人）が入ってきたとき、新給人が年貢額を知らないで年月が過ぎてしまった場合には、たとえ何十年たっていてももとの年貢量に戻せ、というのがその内容である。やはり新たな地頭が入ってきたとき、その無知をいいことに年貢を大幅に減らすことに成功した百姓がいたのである。

地頭と百姓の争いが、たんなるもめごとではすまず訴訟に発展することも、まれにはあった。前にみた武蔵鳩ケ谷《むさしはとがや》の百姓の一件はその代表的なものだが、今川《いまがわ》氏の領国でも百姓が地頭を訴えるケースがままみられる。享禄《きょうろく》五年（一五三二）のこと、駿河《するが》の嶋田《しまだ》郷（静岡県島田《しまだ》市）の百姓たちが、地頭が先例にないことを申しかけたとして訴訟に及んだ。訴えを受けた地頭は今川氏輝《うじてる》にこのことを報告し、百姓側の言い分を認めないという一筆をもらった。百姓の訴えは結局認められなかったわけだが、百姓を抑えるために大名のお墨付きを必要とする状況になっていたのである。

郷村の百姓たちは地頭の完全な支配下に置かれていたわけではなく、正当な理由があれば大名に訴訟することができたが、大名も地頭の権利を保護する立場にあり、百姓の訴えは容易には認められなかった。また百姓は地頭に知らせないで名田《みょうでん》を売買してはならぬと「今川仮名目録《いまがわかなもくろく》」にみえ、「新加制式」でも、地頭に断わらずに名主職を売買することを禁止している。百姓の保持する名田はあくまで地頭から与えられたもので、百姓はみずからの田畠を自由に売買することができなかったのである。

百姓は村に帰るように

大名からそれなりの保護を受けながらも、百姓たちは年貢未進を厳しく禁じられていたので、どうしても年貢や公事《くじ》が払えないときには途方にくれた。知人から借銭をして当座をとりつくろっても、今度は貸し主への返済ができず、田畠《でんぱた》を手放してしまうことも多かった。天正《てんしょう》五年（一五七七）に遠江《とおとうみ》楠村《くつす》（浜松市《はままつ》）の作太郎《さくたろう》が書いた証文は、このあたりの事情を細かく伝えてくれる。

作太郎は長年にわたって年貢を未進しており、公方《くぼう》（武田《たけだ》氏）からもきちんと出すよう命じられたが、どうしても無理なので、花島藤左衛門《はなしまとうざえもん》から永楽銭《えいらくせん》で一六一貫《かん》三〇〇文《もん》を立て替え払いしてもらった。こうして年貢は上納できたが、当然のこととして花島から早く返済せよと使者が来た。ただ手もとには一銭もないので、私名義の田畠や山はすべてあなたに渡すと、作太郎は花島に宛《あ》てて証文を書くしかなかった。領主からの催促は逃れられたものの、この百姓は結局すべての財産を失ってしまったのである。

百姓が窮乏するのは年貢の取り立てだけが原因ではなかった。当座の借金の利子がかさんで首がまわらなくなるケースも多かったらしい。武士だけでなく百姓も借財にあえいでいたわけだが、こうした状況を解決するために、大名はまれに徳政令《とくせいれい》を出して借銭や借米を帳消しにした。永禄《えいろく》三年（一五六〇）二月、北条《ほうじょう》氏は百姓たちの訴えを受けて年貢納法を改めるとともに、借銭や借米などに徳政を適用し、年紀売《ねんきうり》の妻子なども取り戻してかまわないと指令した。借金に困り果てた百姓が妻子を売りに出すことすらあったのである。

永禄四年には越後《えちご》の長尾景虎《ながおかげとら》が、水損《すいそん》（水害）によって疲弊《ひへい》した地下人《じげにん》を救うために、上田荘《うえだのしょう》（新潟県南魚沼《うおぬま》市・湯沢町《ゆざわまち》）・妻有荘《つまり》（同十日町《とおかまち》市・津南町《つなんまち》）と藪神《やぶかみ》（同魚沼市）という地域に限定した徳政令を出した。ここにも人身売買のことが見え、売

16

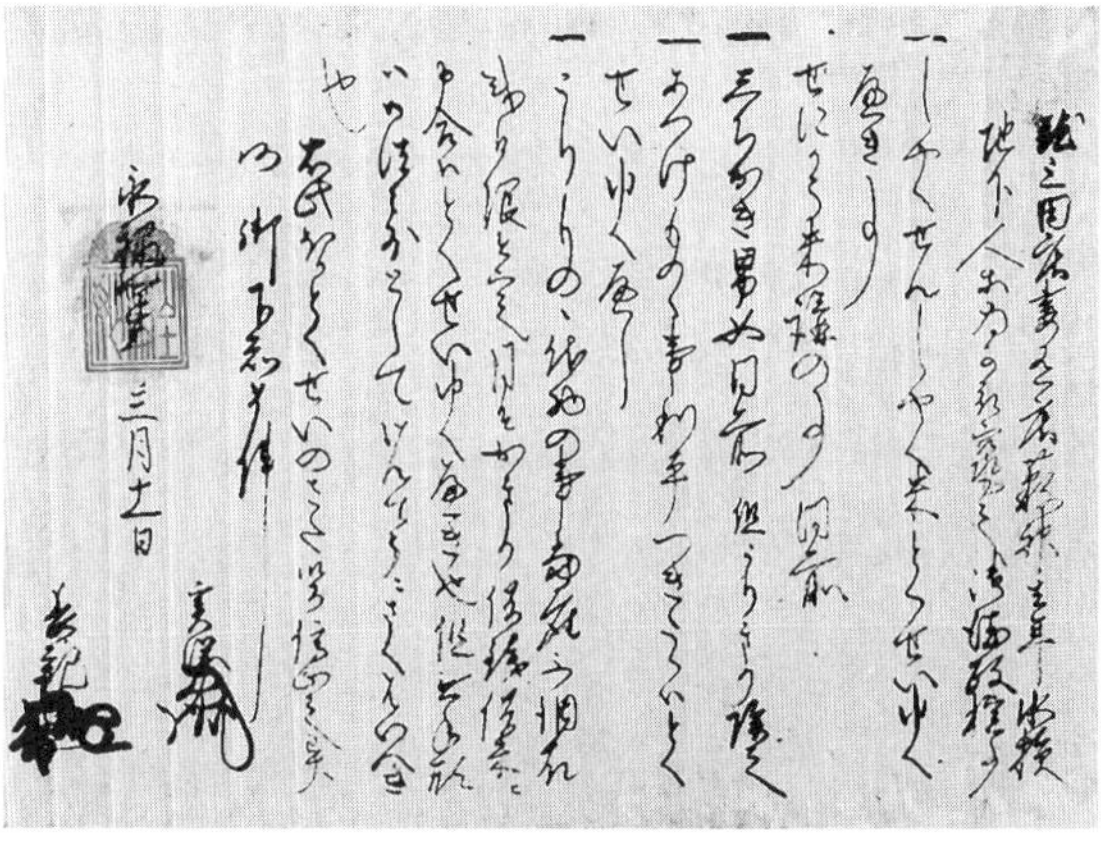

◉長尾景虎の徳政令
永禄四年（一五六一）に長尾景虎が出した地域限定の徳政令。二条目に「しちおき男女」にも徳政を適用するとある。

り払ってしまった場合は仕方ないが、質入れの状態ならば取り返してかまわないとしている。

　借財についてはこのように救済措置がとられたが、年貢に徳政は適用されず、大名は、年貢だけはきちんと納めよという姿勢を貫いた。しかし百姓たちがつぎつぎと村をあけてしまうのでは、そもそも年貢自体が入ってこないので、そういうときには特例として一年限りで年貢や公事を免除することもあった。永禄五年七月、武蔵野《むさしの》蔦《づた》郷（東京都町田《まちだ》市）の百姓たちの詫言《わびごと》を受け付けた北条氏照《うじてる》は、年貢と諸公事を今回だけは赦免してやるから、前に郷にいた百姓をどこからでも引き戻して野蔦郷に定着させ、田地を開いて耕作させよ、と命じている。

　百姓たちをもといた村に帰らせ、田畠を耕作させることが、大名の大きな課題になっていった。永禄九年の閏《うるう》八月、北条氏は伊豆《いず》西浦《にしうら》の重須《おもす》村（静岡県沼津《ぬまづ》市）から他村に逃れた八人の百姓の名前を書きたて、欠落《かけおち》の百姓を村に返すのは「国法」なので、百姓が現在いるところの領主や代官《だいかん》に断わったうえで重須村に引き戻すようにと、伊豆の郡代《ぐんだい》に命じている。村を離れた百姓を連れ戻すことは、北条氏の領国全体にかかわる「国法」になっていたのである。そして名前をあげ

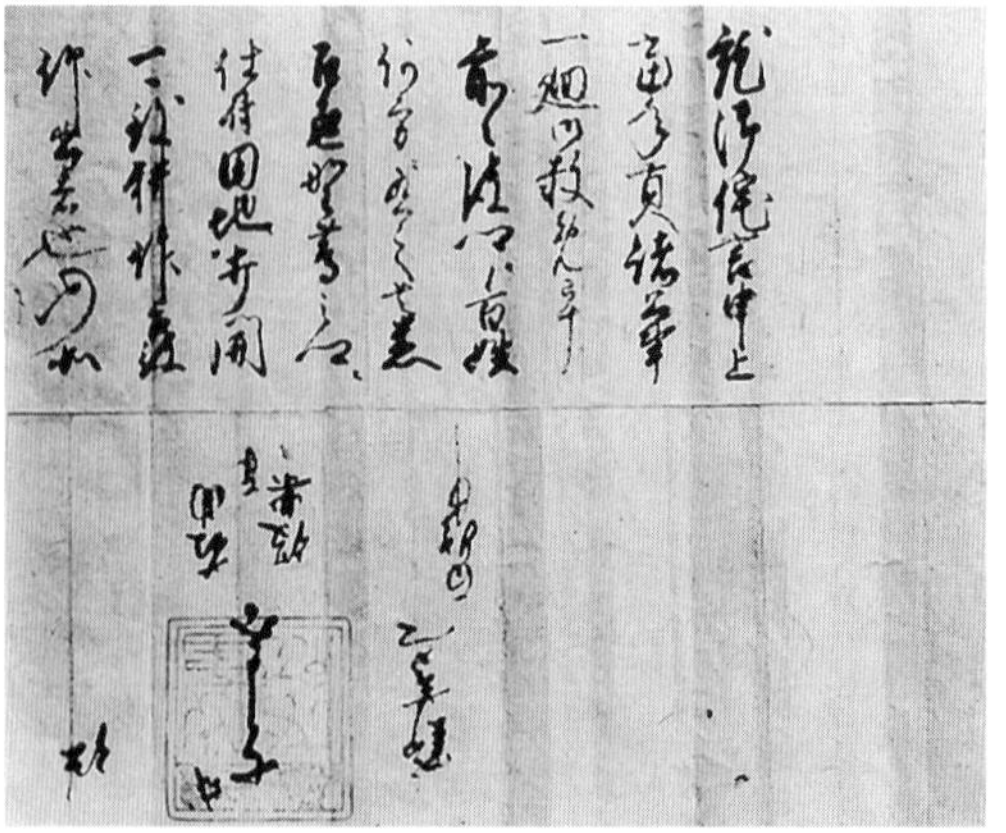

17

●北条氏照の朱印状
武蔵野蔦郷の百姓たちに年貢と諸公事の免除を認めた文書。横に半分に折った折紙形式で、「如意成就」と刻まれた朱印が押されている。

た八人の百姓のそれぞれについて、現在どの村にいるかがきちんと書かれていた。いまいる場所がわからなければ引き戻すことはできないので、当然のことともいえるが、逃げ出した百姓がどこにいるか、詳しく把握されていることはやはり驚きである。大名が捜査網を張り巡らしたとは考えにくいので、やはり重須に残った百姓たちがいろいろの手段で情報を集めたのだろう。

百姓も国のために走りまわれ

伊豆重須《おもす》村の百姓たちの多くが欠落《かけおち》し、北条氏《ほうじょう》から人返しの命令が出たことは先に述べたが、海に面したこの村の百姓のほとんどは漁民で、欠落した人々も漁業に携わっていたと思われる。こうした百姓の欠落によって、村の網所《あど》（漁場）三帖《じょう》が退転《たいてん》（断絶）し、大名のもとに御番肴《ごばんさかな》（漁場に課した課役）がこなくなった。天正《てんしょう》元年（一五七三）九月、北条氏重臣の安藤良整《あんどうりょうせい》は、この三帖の網所は御番肴を弁済できる者に与えるから、近隣の村の面々が相談して、一緒に公方役をつとめるようにせよ、と命令を下しているが、書状の後半部分で、彼はこうしたためた。「百姓がたまたま在所に帰ったとしても、また欠落するようなことがあってはならぬ。どこへ行ったところで、人の主になることなどできない。落魄《らくはく》してしまえば侍もかちはだしになって人のあかすりをするようになる。とにかく欲を出さないで、堪忍《かんにん》して御百姓を致すことが肝要なのだ」

誰かに仕官して侍になり、出世しようと夢見る百姓が、戦国時代にはたくさん現われた。社会の秩序が大きく揺れ動くなかで、あわよくばひとかどの武士になろうと、彼らは村を出ていった。しかし大名とその家臣たちが配下の侍に与えられるものには限りがあり、何かの異変によって領国の構造が変わったりしなければ、成り上がりが出世するのは難しくなってきていたのである。北条氏の場合も、入国から八〇年もたったこの時期になると、家臣の知行地《ちぎょうち》はほぼ固定し、侍になったとしてもその前途は厳しくなっていた。そうした時代なのだから、侍になりたいなどという思いは捨てて、とにかく在所にとどまって耕作や漁業に励めと、安藤良整は訴えたのである。

このようにして百姓身分はしだいに固定化し、彼らは村に据え付けられることになるが、これによって大名との関係が希薄になったわけではなく、むしろ大名領国を構成する村の一員として、何か事あるときは大名のために尽くすよう求められることになる。永禄《えいろく》一二年（一五六九）八月、北条氏は相模《さがみ》徳延《とくのぶ》（神奈川県平塚《ひらつか》市）の百姓たちに、小田原《おだわら》城の普請の人足三人を出すよう命令するが、その朱印状のなかで、「こんな臨時の普請は迷惑だろうが、第一に御国のため、第二に私（自分）のためなのだから、百姓たちも奉公するように」と述べている。北条氏がみずからの領国を「御国」といっていることは注目すべきだが、御国（大名）のために尽くすことは、結局は自分たちのためでもあるのだという理屈で、大名は百姓に奉公を求めたのである。

このときは城の普請だったが、有事のときには百姓も戦いに動員された。このとき北条氏は武田《たけだ》信玄《しんげん》と対陣中だったが、やがて信玄は相模に攻め込み、北条氏はやっとの思いでこれを退けた。武田が退却したあとの一二月二七日、北条氏は相模の郷村に対して百姓の名前をことごとく書き上げよと命令した。「来年信玄が攻めてきたら、これを阻止するため侍たちは出払ってしまい、領国のなかは手薄になるから、城々の留守居を百姓たちに命じたい。在城の間は兵粮《ひょうろう》を出す。『御国』にいる者は避けられない役だから、きちんと走りまわってほしい」。朱印状にはこう書かれていた。

元亀《げんき》三年（一五七二）に越中《えっちゅう》に出陣した上杉謙信《うえすぎけんしん》は、そのまま越年し、翌元亀四年四月に越後《えちご》に戻った。ところが謙信がいなくなると椎名《しいな》氏の残党たちが海賊行為を始め、越中と越後の境の海岸線に攻め寄せるようになった。こうした事態に対処するため、謙信は部将たちに書状でつぎのように指示している。「今後は船が見えたら、境《さかい》（富山県朝日町《あさひまち》）・宮崎《みやざき》（同）・市振《いちぶり》（新潟県糸魚川市《いといがわ》）・玉の木《たまのき》（同）近辺の者どもに、鑓《やり》を用意させ、小旗もそれなりに準備して、近辺の村一か所に集まって、船の着いたところに押し寄せるように指示せよ。そうすれば敵も手出しができない。敵がひとりでも見えたら、逃げだしているようだから、村に攻め込まれるのだ。今後は地下人《じげにん》にとっても身のためだから、鑓や小旗を用意させよ」

侍ではない地下人も、敵が攻め寄せてきたら団結して村を防衛せよ、と謙信は命令している。大名たちの戦いが本格化するなか、百姓身分に置かれた人々も国の防衛のために働くよう求められる時代になっていたのである。

百姓たちの力量

永禄《えいろく》三年（一五六〇）のこと、武田《たけだ》氏の領国となっていた信濃伊那《しなのいな》の南山《みなみやま》（長野県泰阜村《やすおか》）をめぐって、上穂《うわぶ》村と赤須《あかず》村（ともに同駒ヶ根《こまがね》市）の境相論《さかいそうろん》が起きた。上穂の衆は、山の頂はほとけ石、中腹は山路の平岩、下は八幡社頭《はちまんしやとう》の棟を境として、これより北は上穂の分だと主張したが、赤須の側が境はもっと北にあるといって対抗したのである。近隣の領主の片桐《かたぎり》と飯島《いいじま》が調停役になって、とりあえず問題の場所を預かり、結局その真ん中に縄打ちをして境を決め、上穂と赤須の領主が証文を調停役に出した。領主の証文によって相論は決着をみたが、これは領主と領主の争いではなく、あくまで村どうしの対決だった。

北条《ほうじょう》氏の領国でも村どうしの争いが起きている。天正《てんしょう》九年（一五八一）のこと、伊豆の大平《おおだいら》（静岡県伊豆市）の百姓と、隣の柿木《かきぎ》の百姓の間で相論が起きたが、柿木の百姓が大平の領内の山で炭焼きのための木を伐《き》ったことが事の発端だった。これを見つけた大平の者がなんらかの制裁をしたとみえ、怒った柿木の百姓三郎左衛門《さぶろうざえもん》が北条氏のもとに訴え出、対する大平側からも百姓の宮内隼人《みやうちはやと》が反論を書いた目安《めやす》を差し出した。

審理の結果、北条氏は大平側の主張を認め、柿木の百姓が他領の山に入って木を伐ったのはやはり違法だとしているが、この朱印状のなかで、「先年柿木の百姓が船原山《ふなばらやま》で木を伐ったときに、船原の者が太刀《たち》を取り上げたこともあるが、これも船原の非法ではないと裁許《さいきょ》した」と北条氏は先例をもちだしている。柿木の百姓は前にも同じように他領の山に入り込んで木を伐り、見つかって太刀を取られたりしていたのである。

畿内近国の郷村と同じように、東国でもこの時代には村の境や用益をめぐる争いが頻繁に起きていたが、こうした争いを主導したのは、村に住む百姓たちだった。年貢や諸役《しょやく》を厳しく取り立てられながらも、百姓たちはその力を蓄え、郷村もそれなりの独立性をもつ自治組織として成長していたのである。

コラム5

尚真王の時代

日本で大名たちが台頭していたころ、琉球《りゅうきゅう》はもちろん独立の王国だったが、ここでも同じような地域統合の動きが進んでいた。国王尚真《しょうしん》（在位一四七七～一五二六年）のもとで、整った支配システムが築き上げられていったのである。

尚真は各地に割拠する按司《あじ》たちを首里《しゅり》城に集住させたうえで、今帰仁《なきじん》・金武《きん》・中城《なかぐすく》・越来《ぐいーく》・豊《と》見城《みぐすく》と連なる沖縄本島の拠点に四人の男子を送り込み、また妹を聞得《きこえ》大君《おおぎみ》に任命して各地の神女たちを統轄させた。「しよりの御み事」と呼ばれた王の辞令書の交付される範囲は奄美《あまみ》諸島や宮古《みやこ》・八《や》重《え》山《やま》まで及んだ。

◉尚真　首里城を奪って新たに王朝を樹立した尚《しょう》円《えん》の子、一三歳で即位して以来、五〇年にわたって国王の地位にあり、改革を推し進めた。

しかしこの時代、琉球は経済的に大きな曲がり角に立っていた。中国・日本や東南アジアの物品を交換しながら富を得ていたシステムが維持困難になり、海外貿易は衰退の一途《いっと》をたどる。一七世紀になると琉球は薩摩《さつま》（鹿児島藩）の監視下に置かれるが、国内の統治は王を頂点とする首里王府にゆだねられた。尚真の時代に築かれた体制は容易には崩されなかったのである。

第六章

戦国の生き方

1

戦争と平和

連歌師の旅

大永《だいえい》二年（一五二二）の夏から秋に入るころ、連歌師《れんがし》宗長《そうちょう》とその一行は、遠江《とおとうみ》と三河《みかわ》の国境にあたる本坂《ほんさか》峠を越えていた。長いこと駿河《するが》の今《いま》川《がわ》氏親《うじちか》のもとに逗留《とうりゅう》していたが、越前《えちぜん》に行こうと思い立ち、西に向かって出発、駿河から遠江を経て三河に入ったのである。峠を越えると、地元の領主の西郷《さいごう》の宿所に案内され、そのあと熊谷越後守《くまがいえちごのかみ》の館の勝山《かつやま》に行き、ここで連歌会が開かれた。その後一行は本野《ほんの》が原《はら》を越えて、八幡《やわた》の近所にある牧野四郎左衛門《まきのしろうざえもん》の宿所に入り、ここでも連歌会が催された。ここから船で三河湾を渡って刈谷《かりや》に到着、水野和泉守《みずのいずみのかみ》の館で一宿し、さらに西に進んで尾張常滑《おわりとこなめ》の水野紀三《きさぶ》郎《ろう》の宿所に行き、そこから船で伊勢《いせ》の大湊《おおみなと》に渡った。

牧野や熊谷は三河東部の武士で、水野氏は三河と尾張の国境地帯を押さえていた。こうした地域の武士たちが、高名な旅の連歌師を自邸に招き、盛大に連歌会を催したのである。これから数年の間、宗長は東海道を往復し、三河や尾張の武士たちとの会合は年中行事のようになってゆく。

大永四年の春、宗長はまた駿河に行こうとして、山城薪《やましろたきぎ》の酬恩庵《しゅうおんあん》を出発、尾張知多《ちた》郡の大野《おおの》を経て、刈谷の水野和泉守の館で一宿し、さらに進んで今橋《いまはし》の牧野田三《まきのでんぞう》のところでも一宿、そこから遠

◉鉄炮つかいの足軽
右に鉄炮足軽《てつぽうあしがる》の隊長、左に若い足軽を描く。鉄炮を使いこなすにはかなりの熟練を要した。（『雑兵物語《ぞうひょうものがたり》』）前ページ図版

江に向かっていった。二年後の大永六年、宗長はまた駿河から西に向かい、三河に足を踏み入れたが、やはり今橋に泊ったのち牧野平三郎《へいざぶろう》の伊奈《いな》の館で一宿、さらに進んで深溝《ふこうず》に至り、松平大炊助《まつだいらおおいのすけ》の館で連歌会を開催した。そして吉良《きら》東条《とうじょう》氏のもとで連歌会を続けたのち、また刈谷の水野和泉守のもとに赴き、ここでも連歌会が開かれた。

　刈谷の水野和泉守は二年おきに三回、宗長を自邸に招いたことになる。このの ち宗長は陸路北上して尾張の守山《もりやま》に赴くが、話を聞いて織田《おだ》筑前守《ちくぜんのかみ》・織田伊賀守《いがのかみ》・坂井《さかい》摂津守《せっつのかみ》といった面々が清洲《きよす》から駆け付けてきて、そのあと宗長を清洲に招いた。宗長はさらに南に進んで津島《つしま》の正覚院《しょうがくいん》に宿泊したが、ここの領主の織田弾正《だんじょう》と子息の三郎が挨拶《あいさつ》に来てくれた。この織田三郎は若き日の織田信秀《のぶひで》にあたると考えられる。

　津島から船で桑名《くわな》に渡り、薪に着いた宗長は、翌大永《だいえい》七年の春、またまた東に向けて出発し、三月末には清洲の坂井摂津守のもとに到着した。坂井の主催で連歌会が催されたのち、宗長は熱田社に参詣するが、すぐ別れるのはしのびないと、摂津守は自身同行して、笠寺《かさでら》を経て鳴海《なるみ》まで行ったところでようやく帰っていった。そのあと宗長はやはり三河の刈谷に入って、水

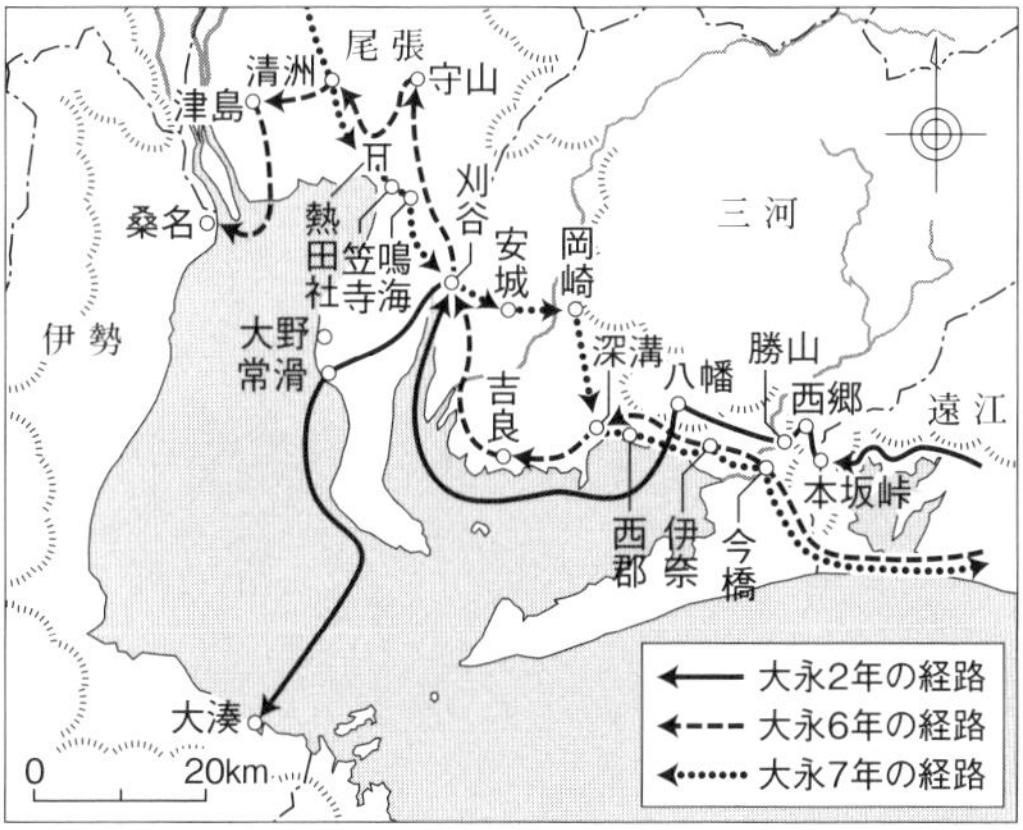

●宗長の旅
連歌師の宗長は、三河と尾張を何度か通り、各地で歓待を受けたが、宿泊地と行程はいつも同じではなかった。

野和泉守のもとで連歌会を興行し、松平与一《よいち》のいる安城《あんじょう》で一宿したのち岡崎《おかざき》に赴き、ふたたび深溝に入って松平大炊助の出迎えを受け、ここでも連歌会を催した。深溝を出た宗長は、西郡《にしのこおり》の鵜殿《うどのさぶ》三郎《ろう》の宿所を経て、五年前に行った伊奈の牧野平三郎の館に赴いて連歌会を興行し、さらに今橋の牧野田三のところに行って、一年ぶりに再会を果たした。

駿河と上方《かみがた》の間に位置する三河や尾張を毎年、あるいは二年に一度のペースで宗長一行は進み、各所で武士たちの歓待を受けた。宿泊場所は一定していないが、刈谷の水野和泉守のところには毎回滞在している。四度目の宿泊ののち、和泉守は餞《はなむけ》として五〇〇疋《ぴき》（五貫文《かんもん》）の銭を宗長に渡した。あまりのことに驚いた宗長は、自身の日記にこう記している。「去年来たときも一〇〇〇疋の餞別をもらった。和泉守からはいつももらってばかりで、合計すると万疋にもなるかもしれない。おそろしおそろし」

刈谷の水野も、今橋や伊奈の牧野も、そして尾張の織田や坂井も、この高名の連歌師の来訪を首を長くして待っていたのである。彼らはみずからも連歌会に加わって句を披露し、一行が去るときには多額の餞別を渡した。東海道の交通にかかわって財をなしたのだろうか、彼らはけっこう富裕で、スターの来訪に際しては大金を放出していたのである。

戦いのなかの平和

東海道を往復していたこの時期、宗長《そうちょう》はすでに七〇歳代後半の老齢だった。円熟した師匠の来訪を得て、一夜の連歌会に参加したことは、地域の武士やその子弟にとって、忘れられない思い出となったことだろう。そしてそれから二〇年近く過ぎたのち、ひとりの連歌師がまたこの地域に現われた。宗長からも教えを受け、当代随一の名匠とうたわれていた谷宗牧《たにそうぼく》である。

天文《てんぶん》一三年（一五四四）の秋、都を出発した宗牧は、伊勢《いせ》桑名《くわな》から川舟に乗り込んで、尾張《おわり》の津島《つしま》に到着し、翌日には那古野《なごや》（名古屋）に入った。このとき一行を出迎えたのは、織田信秀《おだのぶひで》の重臣の平《ひら》手政秀《てまさひで》だった。季節は冬になっていたが、手を暖めてください、口を温めてください、湯風呂や石風呂《いわぶろ》（岩窟などを利用した蒸し風呂）もありますと、政秀はあれこれと気配りを示した。

「この人は生得の数寄者《すきもの》だから、とくに礼をする必要もなかろう」と宗牧はほうっておいたが、翌日になって主人の織田信秀が面会に来た。信秀は御所の造営などに私財を投じてくれていて、そのお礼ということで天皇から『古今和歌集《こきんわかしゅう》』が下賜《かし》されることになっていた。これを渡す役目を宗牧は仰せ付かっており、信秀と面会して用務を果たした。ちょうど信秀は美濃《みの》の斎《さい》藤道三《とうどうさん》と戦って完敗し、命からがら逃げ帰ったところだったが、「なんとか生きていたのもこのときのためです。家の面目、これにすぎるものはありません」と、たいそう喜んだ。

2

●織田信秀
信秀は数多い織田一門のひとりにすぎなかったが、その才覚によって頭角を現わした。自身が開創した万松寺《ばんしょうじ》（名古屋市）に木像がある。

信秀と別れた宗牧は、知多《ちた》郡の大野《おおの》から船で三河《みかわ》に渡り、やがて岡崎《おかざき》に到着、そのまま深溝《ふこうず》に赴いた。かつて宗長を迎え入れた松平好景《よしかげ》（大炊助）のもとで、宗牧は気安く近辺を遊覧した。ここで連歌会が開かれたが、西郡《にしのこおり》の鵜殿長持《うどのながもち》や五井《ごい》の松平元心《もとむね》など、近隣の武士たちも集まってきた。酒宴のなかばで宗牧は西郡に向けて出発し、城が並んでいる山々や里の風景を目にしながら、「三河では何度も争い事があったが、この城々は戦いをまぬがれて、このあたりもほんとうに繁昌している」と、感慨にふけりつつ歩いた。

鵜殿長持の居城の上之郷《かみのごう》城で千句の連歌会が開かれたのは、一一月二五日のことだった。深溝の松平好景、竹谷《たけのや》の松平清《きよ》善《よし》、下之郷の鵜殿玄長《げんちょう》、柏原の鵜殿長忠《ながてる》、五井の松平元心といった地域の武士たちが一堂に会して連歌会に加わった。早く出発しなければと思いながら、西郡の人々に引き止められ、しばらく温泉につかって養生する日々が続いた。

そうこうするうちに噂《うわさ》が広まり、豊川《とよがわ》流域の奥、山家《やまが》の菅沼織部入道《すがぬまおりべにゅうどう》から、ぜひこちらの風景を見にきてくださいという誘いがかかり、宗牧はすぐに遠江《とおとうみ》に入るという予定を変更して、山家を通

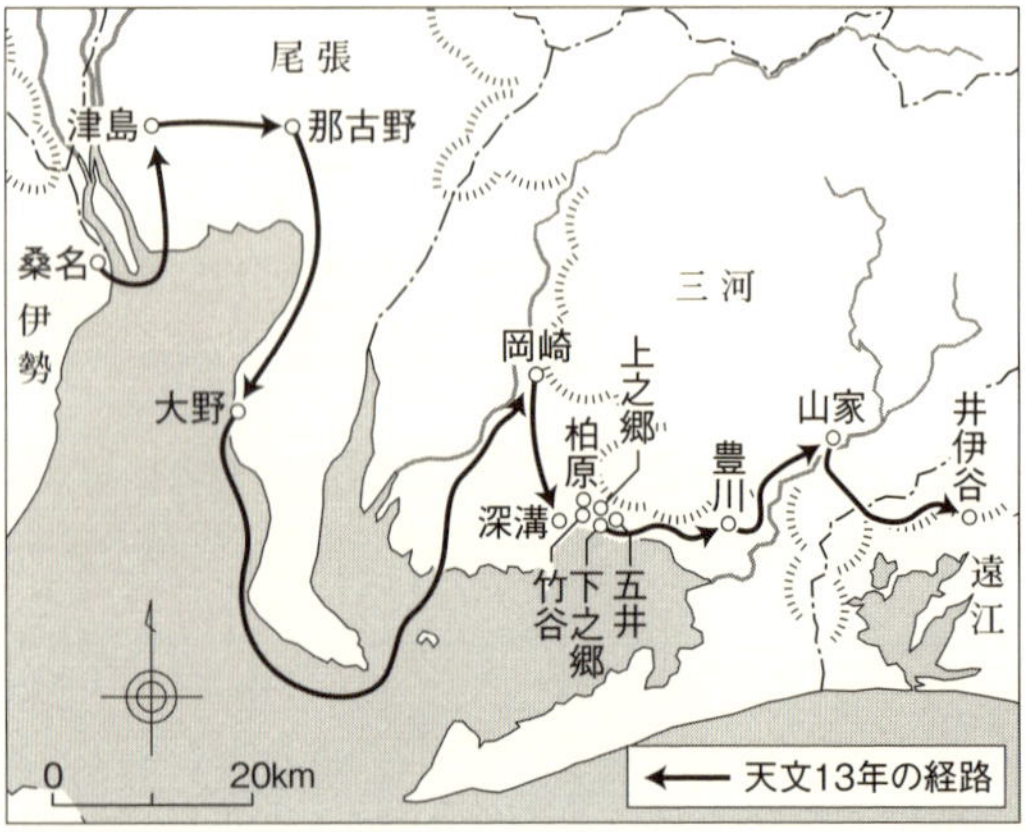

●谷宗牧の旅
西郡の地は現在の蒲郡《がまごおり》（愛知県）にあたる。数多くの城があり、松平と鵜殿の一門が並びたっていたが、彼らはそろって宗牧を迎え入れた。

って山越えをすることにした。やがて宗牧一行は西郡を出発したが、地域の人々は一〇〇人ばかりどっと集まって別れを惜しんだ。西郡を離れた宗牧は豊川の寺で歓待されたのち、山家に向かって出発する。牧野平四郎・平三郎らがしばらく供《とも》をし、途中からは迎えにきていた織部入道の子息たちと今泉弥四郎《いまいずみやしろう》が案内をしてくれた。こうして宗牧一行は菅沼織部入道の館に着き、風呂に入れてもらったうえで、鵠《くぐい》や雁《がん》の料理をはじめ尾張・遠江の名酒でもてなされた。

ここでも山家地域の武士たちがこぞって宗牧一行を迎え入れ、道中の案内もしてくれたが、じつをいうと去年からこの地域では戦いが絶えず、通路も通れない状況になっていた。ふだんは戦い合っている間柄であるにもかかわらず、都から高名の連歌師が来てくれると聞くと、彼らは敵味方であることを忘れて、一緒になって連歌師一行をもてなしたのである。

そもそも豊川で昼から酒を飲んでいたわけで、夕食のときの大酒はさすがにこたえたが、拒むわけにもゆかず、宗牧は夜更けまで飲みつづけた。その二日後、宗牧は多くの餞《はなむけ》をもらって出発する。今泉弥四郎がまた道案内をしてくれて、山道を伝いながら一行は遠江の井伊谷《いいのや》に入った。

陣中の日常

戦国時代というと、各地でいつも戦いが繰り広げられていたようなイメージがあるが、華々しい戦いはめったにあるものではなかった。動員を受けて出陣しても、陣地に長居したり、城を囲みながら滞在を続けることが多く、部将や兵士たちも陣中ではけっこう平穏な日常を送っていた。

日向《ひゅうが》宮崎に本拠を置く上井《うわい》覚兼《さとかね》が、島津《しまづ》氏の命を受けて出陣し、肥後《ひご》の八代《やつしろ》に到着したのは、天正《てんしょう》一〇年（一五八二）一一月一一日のことだった。島津氏の当主義久《よしひさ》は鹿児島にとどまり、弟の忠平《ただひら》（のちの義《よし》弘《ひろ》）が総大将として八代に来ていた。忠平の弟の家久《いえひさ》や、伊集院忠棟《いじゅういんただむね》らの重臣たちもここに集結しており、重臣のひとりである上井覚兼も、遅ればせながら仲間に加わったのである。

八代に到着すると、覚兼はさっそく大将の忠平のもとに参上し、太刀《たち》一腰《こし》と銭三〇貫文《かんもん》を進上、肴《さかな》と酒で歓待され、さらに島津家久と伊集院忠棟のところに赴いて礼を述べた。大将格の三人にまずは挨拶《あいさつ》をすませたわけだが、翌日からさっそくせわしないつきあいが始まる。一二日には伊集院忠棟が家久の宿所に出向いて寄合《よりあい》がなされ、覚兼も招かれて、一日中乱舞に興じた。翌一三日には島津忠平の宿所で談合がなされた。ちょうど有馬《ありま》と隈本《くまもと》に使者に出向いていた武士たちが帰ってきていたので、彼らも加えて談合の会が開かれ、そのあと忠平の差配で酒が振る舞われた。会議のあとは酒が出るというのがどうも通例だったらしい。

翌朝、伊集院忠棟が来てくれたので、覚兼は酒を出してこれをもてなした。その場には肝付兼寛《きもつきかねひろ》

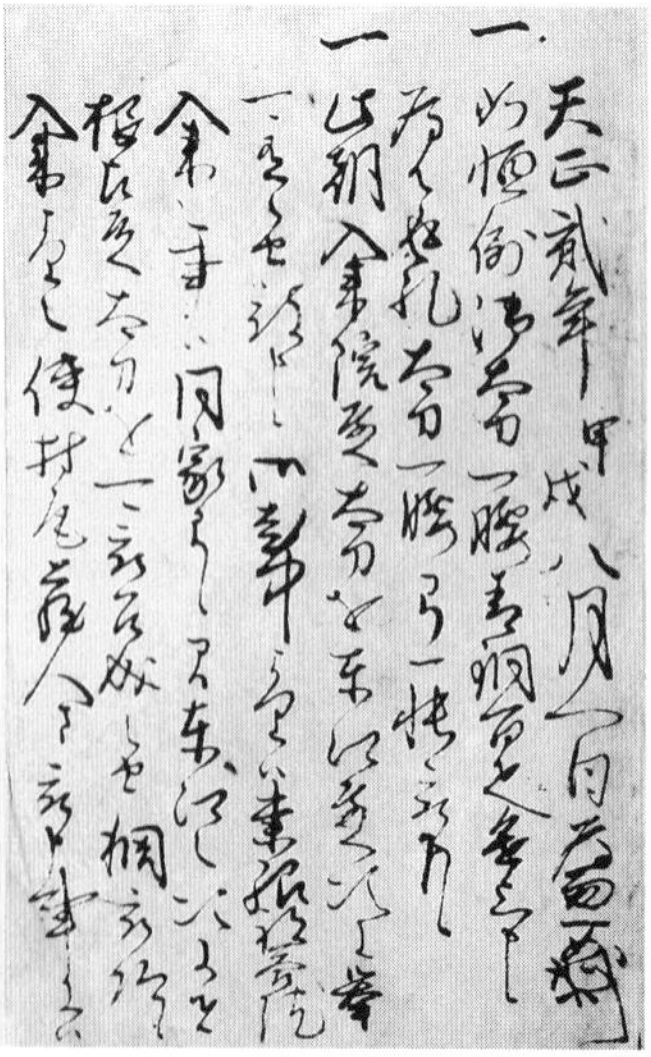

3

◉『上井覚兼日記』
覚兼は類まれな日記マニアで、その描写はまことに詳細である。武士の日記が書き残されたこと自体も興味深い。

をはじめとする傍輩《ほうばい》たちも招かれ、昼間から酒の会が開かれた。晩になると今度は忠棟から風呂に入りにこないかと誘いがかかり、覚兼は忠棟の宿所で風呂に入ったあと、またまた宴会に列席した。一日おいて一六日、大将の忠平の宿所で今後の軍事行動などを決める談合が開かれ、一二人の一門や家臣が参加したが、談合が終わるとやはり御酒寄合に移行した。石原《いしはら》という武士が狂言を披露したりして、酒宴は盛り上がった。

つぎの日、覚兼は忠棟と一緒に肝付兼寛の宿に出かけ、昼から酒を飲んでいたが、宴席が終わったあと、すぐに会議を開くからと呼び出され、また忠平の宿所で談合が開かれた。参加者は前日と同様だったが、ここで軍勢の一部を有馬に渡海させることに決まった。これから出陣の準備となるが、毎日のように会議と酒宴が行なわれる状況に変化はなかった。有馬に向かって軍勢が出発した翌日、覚兼は忠平のもとで寄合に加わったあと、忠平・家久兄弟とともに伊集院忠棟の宿所に赴き、それから酒宴が始まって、一日じゅう飲み明かす結果になった。このときも石原が狂言を披露し、幸若与十郎《こうわかよじゆうろう》という者が一曲舞った。プロの芸人がわざわざ戦陣に招かれていたのである。

有馬に出かけた兵士たちのことを気遣いながらも、八代に滞在中の重臣たちは会議と酒宴に明け暮れ、夜更けまで酒を飲みながら語り合うのが日課となった。大将の忠平の宿所で会議が重ねられたが、会議のない日には同輩の家に集まって語り合っていたわけで、結果的に毎日どこかで酒を飲むことになる。一二月になると忠平の弟の歳久《としひさ》と従兄弟《いとこ》の忠長《ただなが》、一門の島津義虎《よしとら》や、村田経平《つねひら》ら家臣たちも加わって、覚兼のつきあいの範囲も広がりを見せる。

有馬に渡海した軍勢は、それなりの戦果を上げて引き返してきた。敵は肥後《ひご》の竜造寺隆信《りゅうぞうじたかのぶ》で、その勢力拡張によって窮地に追い込まれた有馬鎮貴《ありましげたか》（晴信《はるのぶ》）に頼まれて出兵した事情があり、鎮貴は自身八代の陣に参上していた。一二月一四日にはこの有馬のところで寄合がなされ、酒が振る舞われた。先の幸若与十郎が舞を披露し、島津への人質となっている鎮貴の弟も座に招かれている。島津一門や重臣だけでなく、地域の領主や人質たちも宴席のメンバーになっていたのである。

そうこうするうちに年が明け、天正一一年を迎える。元旦早々、覚兼は伊集院忠棟・村田経平と連れ立って島津忠平のもとに参上し、三献《さんこん》の寄合に加わって、太刀一腰と銭一〇貫文を進上した。そこに忠平の弟の家久と歳久、一門の島津義虎・朝久《ともひさ》や地域の地頭たちが現われ、酒宴が開かれた。そのあと覚兼は忠棟・経平と一緒に島津歳久の宿所に挨拶に行き、中紙《ちゅうし》一〇帖《じょう》を進上したが、島津家久もそこに来ていて、ここでも三献の儀があり、結局酒宴も開かれた。これが終わると忠棟・覚兼・経平の三人組はこぞって島津家久の宿所を訪問した。あいにく家久は留守だったが、覚兼はここから島津朝久の宿所に行って三献の寄合に参加し、さらに島津義虎のところに出向いて酒宴に加わった。翌日も三人組は島津忠長のところに行き、そのあとで覚兼のところで三人の集まりが開かれた。

八代の陣中でなされた正月の挨拶まわりはこんなものだった。一堂に会して年始を祝うわけではなく、あくまで個別に宿所を訪問し、しかるべき品を進上しなければならなかったのである。このころには帰国の準備も進み、正月一一日、覚兼はようやく八代を離れて帰国の途についた。二か月に及ぶ陣中生活は、まさしく会議と酒宴、いうなれば人づきあいに明け暮れたといえよう。

考えてみれば戦陣は仕事のない長期出張のようなものである。最前線の兵士たちの運命を気遣いながら、陣中の部将たちは平凡な日常をいかに楽しく過ごすか、さまざまな工夫を凝らしていた。退屈な陣中で味方どうしの人間関係をいかにうまく保つかということが、重要な課題だったのである。

足軽合戦

戦いの現場では大将が前面に立つことはめったにない。なかなか敵に遭遇しないで時日が過ぎるのがふつうだし、敵と向かい合ったとしても、前線の足軽《あしがる》たちが小競り合いをして終わり、というケースがほとんどだった。足軽合戦と呼ばれるものが、当時の戦いの大部分を占めていたのである。

織田信長《おだのぶなが》の従軍記者で、『信長公記《しんちようこうき》』をまとめあげた太田牛一《おおたうしかず》も、はじめは弓を持って戦いに加わったひとりの足軽だった。そうしたこともあって、『信長公記』には足軽にかかわる記事が多い。最初の場面は天文《てんぶん》二二年（一五五三）の尾張赤塚《おわりあかつか》（名古屋《なごや》市）の戦いである。このとき信長は一九歳で、鳴海《なるみ》の山口九郎二郎《やまぐちくろうじろう》が戦いの相手だった。那古野《なごや》を出発した信長は、古鳴海まで進んで三の山《さんのやま》に登るが、対する山口九郎二郎も、軍勢を率いて赤塚まで乗りだしてきた。このとき山口勢の最前線にいたのは、清水又十郎・柘植《つげ》宗十郎・中村与八郎・萩原助十郎・成田弥六・成田助四郎・芝山甚太郎・中嶋又二郎・祖父江《そぶえ》久介・横江孫八・荒川又蔵といった足軽たちだった。これを見た信長は、さっそく赤塚まで軍勢を移動させるが、こちら側でもいちばん前には、荒川与十郎・荒川喜右衛門・蜂屋般若介・長谷川橋介・内藤勝介・青山藤六・戸田宗二郎・賀藤助丞といった足軽の面々がいた。

そして足軽どうしの戦いが始まる。敵味方の間は五、六間《けん》（約一〇メートル）離れていたので、まずは互いに矢を放つことになった。山口方の足軽の放った矢を額に受けて荒川与十郎が落馬すると、足軽たちがどっと押し寄せてきて、与十郎の脛《すね》をひっぱって持っていこうとした。信長方の足軽たちも、そうはさせじと集まり、こちらは頭と胴体を持ってひっぱりあった。与十郎はこのとき長さ一間、幅が五、六寸もある熨斗《のし》つきの刀を差していたが、これも両者でひっぱりあいになった。綱引きまがいの勝負の結果、信長方の足軽はなんとか与十郎の体と刀を敵に奪われずにすんだ。

二時間ほど戦いが続き、山口方では萩原助十郎・中嶋又二郎・祖父江久介・横江孫八・水越助十郎が討死《うちじ》にし、荒川又蔵は生け捕りとなった。信長方でも赤川平七という者が敵方に生け捕られた。その間には足軽ではない兵士も加わり、信長方でも三〇騎が討死にしたというが、やはりいちばん

4

●武田軍の足軽
屏風《びょうぶ》に描かれた武田軍の足軽たち。軍勢の先頭に立ってまっさきに進んでいる。（『長篠合戦図《ながしのかっせんず》屏風』）

生命の危機に直面していたのは足軽たちだった。山口方の足軽として名前のあげられた人のうち半分近くが討死にしていることからも、いかに危険に満ちていたかがわかる。

織田方でも山口方でも、足軽といわれていたのはみな名字をもつ人々だった。貧しい庶民が足軽になるというイメージがあるが、足軽として戦陣に立ったのは、侍といってもいいような、それなりの地位がある人々だったのである。

桶狭間《おけはざま》で今川《いまがわ》軍を破ったのち、信長は美濃《みの》の斎藤《さいとう》氏と戦うが、そのなかでも足軽たちは活躍する。永禄《えいろく》四年（一五六一）五月一三日、斎藤軍は十四条《じゆうしじよう》（岐阜県本巣《もとす》市）に布陣、信長は墨俣《すのまた》（同大垣《おおがき》市）から駆け付けて、両方の足軽たちの小競り合いが展開された。朝の戦いでは信長方が敗れ、斎藤軍は北軽海《きたかるみ》まで進んで備えをしいた。これを見た信長は西軽海に移って陣を立て直し、改めて足軽たちの駆け引きが始まり、そのあと夜まで戦いが続いた。一日に二回も戦いがあったわけだが、そのいずれにおいても、まずは足軽たちの小競り合いから始まったのである。

美濃を平定した織田信長は、やがて足利義昭《あしかがよしあき》を奉じて上洛《じようらく》するが、同盟関係にあった近江《おうみ》の浅井《あざい》長政《ながまさ》の離反にあい、しばらく小谷《おだに》の長政との戦いを続けることになった。ここでも織田方の足軽は活躍したが、対する浅井の側にも組織された足軽たちがいた。元亀《げんき》二年（一五七一）五月六日、木下《きのした》（羽柴《はしば》）秀吉《ひでよし》のこもる横山《よこやま》城に向かって長政が出陣してきたとき、その先鋒《せんぽう》をつとめたのは足軽大将の浅井七郎だった。足軽たちは足軽大将という隊長に率いられていたのである。浅井七郎の指揮のもと、足軽たちは城の近辺を動きまわり、あちらこちらを放火した。多人数で散らばって放火するというのが、足軽の重要な任務になっていたわけだが、こうした状況に対し、木下秀吉はやはり足軽を使って攻めさせるという方法を選び、結局これが成功して浅井軍は退散した。

翌年七月に浅井方のこもる大嶽《おおづく》を攻めたときも、足軽たちが信長の命を受けて前線で戦った。野に臥《ふ》して山に登り、幟《のぼり》や指物《さしもの》・道具などを取り、頸《くび》を二つ三つ持って帰ってきた者も多かったと『信長公記』は記す。戦功の軽重によって褒美を与えたので、彼らもいっそう励んだともここには書かれている。いかに多くの敵を討ち取っても、一国一城の主になれる可能性はほとんどなかったし、所領をもらうことも難しく、刀や財宝を賜わるのがせいぜいだったはずだが、こうした足軽はつぎつぎと供給され、それなりの集団を構成するまでに至ったのである。

戦国大名やその家臣たちが動員した兵士の主力は、領主の高《たか》に応じて集められた者たちで、特定の主人に仕える侍だが、足軽はこれとは違い、みずからの力を頼みとする一匹狼の傭兵《ようへい》だった。平凡な日常にあきたらない若者たちが、みずからの可能性を求めて戦陣に赴いたといえば聞こえはいいが、ふつうの兵士に比べて危険の多い前線にすすんで赴いた彼らの心中ははかりがたい。きかんきの若者たちがそのような道を選択してしまうというのが、戦国という時代なのかもしれない。

開城の作法

戦国時代の戦いといえば、川中島《かわなかじま》や関ヶ原《せきがはら》のような両軍の激突がまず思い浮かぶが、軍勢が城を囲んで攻め立てるというのもおなじみの場面である。テレビの落城シーンの影響もあって、籠城《ろうじょう》している人のほうが同情されがちだが、城を囲んでいる兵士たちも大変で、総攻撃をすれば多くの負傷者を出すのが常だった。こうした事情もあって、力攻めという方法はめったに用いられず、相手の兵粮《ひょうろう》が尽きるまでにらみあいを続けるのがふつうだった。城方の兵粮が尽きることもあるが、遠路出陣しているほうの兵粮にも限界があったので、ひたすら耐えていれば敵は退散するはずだった。また敗北が決定的になったとしても、城兵が全滅することはめったになく、たいていの場合は使者が城中に送り込まれて、降伏交渉がなされ、平和裏に城の引き渡しが行なわれた。

永禄《えいろく》一一年(一五六八)の冬、武田信玄《たけだしんげん》の攻撃を受けて駿府《すんぷ》を追われた今川氏真《いまがわうじざね》は、遠江《とおとうみ》の懸川《かけがわ》城に入るが、三河《みかわ》の徳川家康《とくがわいえやす》が西から攻め寄せ、今川氏の領国は滅亡の危機に瀕《ひん》した。このとき家康の軍勢に対面したのは、浜名湖に面した堀江《ほりえ》城で、城主の大沢基胤《おおさわもとたね》をはじめ城兵たちはよくこらえたが、やがて兵粮も残り少なくなっていった。家康としても味方の軍勢の犠牲を払ってまで力攻めする意図もなく、城を明け渡してほしいとの誘いが大沢に対してなされた。

大沢基胤が懸川の氏真に長文の書状をしたためたのは、永禄一二年四月四日のことだった。「兵粮をいただければ、二、三か月はもちこたえられますが、そうでなければ兵粮は枯渇《こかつ》します。城下の知行地《ちぎょうち》も支配できず、今年できる米はあてになりません。どこからも兵粮がこないので、多くの軍勢をかかえていても、運を開く手立てがありません。がんばって討死《うちじ》にすることもできますが、そんなことをしても御国のためになるとも思えません」。大沢は城中の状況を切々と訴えた。

「御国」というのはもちろん今川のことで、大名のために命を捨てることもできるけれども、それも無益だと書いたあと、こう続ける。「敵方からもいろいろ調停が入っています。とりあえずはあれこれと難題をふっかけているので、決着することはないでしょうが、もし話がまとまったとしても、いままでがんばってきたのだから、あなたのことをおろそかに思っているということにはならないと思います」

家康からの誘いを受け入れて、降伏してもいいでしょうかと、大沢は婉曲《えんきょく》にお伺いを立てたのである。「何か作戦があったら、ご命令に従います」と断わり書きを入れていたが、この書状を受け取った氏真は、「こうなった以上は致し方ない。とくに命令することも思いつかないから、あなたの思うとおりに決着させてほしい」と返事した。

降伏許可状を申請しながら、大沢基胤は家康との交渉を着々と進めた。四月一二日、家康と大沢の間で起請文《きしょうもん》の交換がなされるが、家康の起請文の冒頭には「このまま堀江城に居つづけてください」と書かれてあった。基胤らの守将《しゅしょう》は、そのまま城に残ることを認められ、このあとは家康の家臣に編入された。堀江城はこの日に開城したことになるが、実際には城将も兵士たちもまったく移動せず、見た目は何も変わらない。城とその周辺地域が徳川氏の領国に組み込まれただけである。家康にしてもそれで十分だったわけで、両軍ともに損失を出さない最良の結末だった。

似たようなことが同じ時期、はるか西の筑前《ちくぜん》でも起きている。大友義鎮《おおともよししげ》と毛利元就《もうりもとなり》とが戦いを繰り広げていたが、海に面した要地立花城《たちばな》が争奪戦の舞台となった。もともとここは大友方の城で、立花親続《ちかつぐ》や田北鑑益《たきたあきます》らの家臣が守っていたが、永禄一二年五月の戦いで毛利方が勝利をおさめると、城を守りきるのは難しくなり、開城交渉が始まった。吉見《よしみ》正頼《まさより》の熱心な説得が実を結んで、籠城していたすべての人々を毛利方が責任をもって大友の陣まで送り届けるという約束がなされ、これはきちんと実行された。ここまで約束しないと簡単には降伏勧告に応じてもらえなかったのだろうが、それにしてもこのときの毛利方の対応は紳士的である。

こうして平和裏に開城は実現し、立花城には乃美《のみ》宗勝《むねかつ》や桂元澄《かつらもとずみ》ら毛利の家臣が兵士を率いて乗り込んだ。ところがこれで戦いが終わったわけではなく、やがて形勢が逆転する。毛利軍が筑前に遠征している間に、山陰では尼子《あまこ》勝久《かつひさ》、周防《すおう》では大内輝弘《おおうちてるひろ》が立ち上がったのである。こうなってはいつまでも九州にこだわるわけにもいかず、毛利の軍勢はつぎつぎに引き揚げていったが、乃美宗勝ら立花城の部将たちは、命令がないのに退去するわけにもいかないと、そのまま城にとどまった。

敵軍退散に喜んでいた大友方も、この立花城をどうしようか思い悩んだ。このまま放置して帰国するわけにもいかず、かといって力攻めするのも得策ではないということで、やはり降伏勧告がなされたが、このとき仲介役を買って出たのは、かつて城に詰めていた立花親続と田北鑑益だった。彼らの熱心な説得に折れて乃美宗勝らは立花城を明け渡し、安芸《あき》に帰っていった。

吉見正頼の調停があったとはいえ、毛利方の判断によって命拾いをした田北鑑益らは、逆の立場になると、今度は敵方を救うために奔走したのである。立花城の守将宛《あて》の書状で、「吉見正頼の恩義に報いるということもあるが、こうしたことは弓箭《きゅうせん》（戦い）の習いだ」と鑑益は述べている。窮地に陥った敵を撲滅《ぼくめつ》するのは美学に反するという認識を、当時の武将たちは共有していたのである。

戦いのなかの女性たち

籠城《ろうじょう》戦のときに城中にいたのは兵士だけではなかった。彼らの日常生活を支えるために働く人々も必要だったから、武将たちの家族や地域の百姓たちもこぞって城内にこもるのがこの時代には一般的だった。戦争状況のなかで路頭に迷うよりは、侍たちと一緒に城内にいるほうが、彼らにとっても安全だったのである。

城の中には多くの女性や子供たちもいた。その生活のありさまはよくわからないが、わずかながら貴重な証言を残してくれた人もいる。石田《いしだ》三成《みつなり》に仕えていた山田《やまだ》去暦《きょれき》という武士の娘、おあむという名の女性が、八〇歳くらいになってから、子供たちにせがまれて、若い時分の話をした。そしてこれを聞いたひとりの少年が、後年になってこれを筆録した。『おあむ物語』という記録は、戦いのなかで籠城していた女性たちの様子をなまなましく伝えている。

時は慶長《けいちょう》五年（一六〇〇）九月、関ケ原《せきがはら》の戦いの直後のことである。山田去暦はふだん近江《おうみ》の彦根《ひこね》（佐和山《さわやま》城）にいたが、

5

◉城から逃れる人々
武器を持った侍たちに囲まれながらとぼとぼ歩く人々。身柄を拘束されそうになっている男の姿も見える。（『大坂夏の陣図屏風』）

このときは美濃《みの》の大垣《おおがき》に家族とともに籠城していた。三成が敗れたあと、ここも家康方の攻撃対象になり、石火矢《いしひや》（大砲）が打ち込まれた。「はじめは生きた心地がしなかったが、そのうち光りものがあっても気にならなくなった」とおあむは回想し、さらにこう続ける。「私も母も、そのほか家中の者たちの妻や娘たちも、みんなで天守閣《てんしゆかく》に集まって鉄炮玉《てつぽうだま》を鋳《い》た。それから味方の武士が取ってきた頸《くび》が天守閣に集められ、それぞれに札が付けられていたが、みんなでその頸にお歯黒をつけた。身分のある者はお歯黒をつけていたので、もし白歯の頸があったらお歯黒をつけてやっていたのだ。頸も特別怖《こわ》いものではなく、頸が並んでいる血なまぐさいなかで寝たものだった」

なんともすさまじい話だが、この時代にはこういうことも当たり前で、みな慣れっこになっていたのだろう。かつて家康の手習いの師匠だったこともあるので助命してやるから下城するようにとの矢文がもたらされ、山田去暦は妻と娘、四人の家来とともに城を抜け出す。天守の北の塀のわきから梯子《はしご》をかけて、つり縄を下げ、降りたところでたらいに乗って堀を渡った。

城からの脱走のありさまについては、おきくという名の女性の回顧譚《かいこたん》のほうがいっそう具体的である。おきくはかつて大坂城の淀殿《よどどの》に仕え、慶長二〇年の落城のときには二〇歳だった。のち備前《びぜん》に移って八三歳で死去したが、孫にあたる田中意徳《たなかいとく》という医師は、この祖母から大坂落城当時の話を詳しく聞かされていた。そして意徳から話を聞いた何者かがそれを筆録して『おきく物語』が生まれた。そこには冒頭から落城の当日の様子が詳しく書かれている。

運命の日は五月七日。落城は間近に迫っていたが、城中にいた女子たちはそんなことを予想もせず、淡々とした日常を送っていた。おきくもそのひとりで、そば粉があるのを見つけて、近くにいた下女に「これをそば焼きにしてくるように」と申し付け、その下女は台所に入っていった。そのときあたりが騒ぎはじめたので、千畳敷きの縁側に出て見てみると、あちらこちらで火の手が上がっていた。ここでおきくは帷子《かたびら》三枚を重ねて身に着けて、帯も三本腰に巻いて決死の逃走をはかる。城外に出たそのとき、竹束の陰から錆《さ》び刀を持った男が現われ、「金を持っていたら出せ」と迫った。脱走のときに竹流金《たけながしきん》（円筒形を縦割りにした形の金塊）二本を懐に入れてきたが、これがここで役に立つ。一本で七両《りょう》二歩《ぶ》に相当する金を渡された男はいたく喜んだので、「藤堂《とうどう》殿の御陣はどこですか」とおきくは聞いてみた。藤堂高虎《たかとら》とは縁があったので、そこまで行こうと考えたのである。男が陣所の方向を教えると、「そこまで連れていってくれたら、また金を与えるから、連れていってくれないか」と、おきくは交渉を始めた。

いちかばちかの駆け引きはうまくいき、見ず知らずの男に護衛されながら歩みを進めたが、そこでちょうど淀殿の妹の要光院《ようこういん》殿の一行といきあった。いまがチャンスとばかりに、おきくは男を振りきって駆け寄り、このあとは道中をともにした。要光院殿の供《とも》のなかに、かつて秀頼《ひでより》に仕えていた女中がいたが、帷子一枚に下帯も一本だけという様子だったので、不憫《ふびん》に思ったおきくは、三枚重ねていた帷子のうちの一枚を脱いで彼女に与え、帯も一本くれてやった。命がけの脱走劇のなかでも、こうした助け合いがあったのである。

こんなこともあって、結局おきくはこの女性と連れ立って行動することになった。まずは京都に行って、知り合いの町人を訪ねたが、大坂の落人《おちゆうど》を泊めるわけはいかないと拒絶された。ただこの町人もさすがに不憫に思ったのか、二人に晒布《さらしぬの》を一疋《ぴき》ずつ手渡してくれた。そのあと連れの女中の叔父《おじ》にあたる織田左門《おださもん》の屋敷に行くが、なかなか門内に入れてくれない。冷たい仕打ちにおきくは怒った。「ここにいるのはあなたの姪《めい》ではないか。どうして入れてくれないのか」

あまりの剣幕に恐れをなした織田左門は、二人を屋敷の中に入れ、思いのほかもてなしてくれた。ここで四、五日逗留《とうりゆう》したが、さすがにおおっぴらにするわけにもいかず、怪しげな二階に押し込められ、そこで食事もした。そのあとおきくはいとまごいをして、秀吉《ひでよし》の愛妾《あいしょう》だった松丸殿《まつのまるどの》のところに行き、ここで抱えられることになる。命がけの逃走はこうして終わった。

城中には女性や子供も多かったから、逃げていく人々を襲って金品を略奪しようとする男たちもいただろうが、彼らにしても人を殺傷するのは得策ではなく、交渉によって金品を手に入れられればそれでよく、金さえ渡せば道案内もつとめてくれた。逃走の成否も金次第だったのである。

『おきく物語』には大坂城にいた時期の日常のことも多少書かれている。毎日毎日餅《もち》をついていて、朝早くに女中たちでその餅を局《つぼね》ごとに配っていた。最初は食べてくれたが、そのうち慣れっこになって、つぎの朝までそのまま置かれていることもあった。そういうときでもきちんと新しい餅と交換した。籠城中とは思えないような牧歌的な日常がそこにはあったのである。

戦国時代の人々

法論の世界

京都の本能寺《ほんのうじ》といえば、織田信長《おだのぶなが》が明智《あけち》（惟任《これとう》）光秀《みつひで》の軍勢に襲われて滅亡した、天正《てんしょう》一〇年（一五八二）の事件が頭に浮かぶが、そもそも本能寺は応永《おうえい》二二年（一四一五）に日隆《にちりゅう》によって開創された法華宗《ほっけしゅう》本門流の本山である。日蓮《にちれん》の教えを受け継ぐ寺院は各地に生まれたが、法華経の解釈をめぐって勝劣派《しょうれつ》と一致派《いっち》と呼ばれる二派に分かれており、本能寺は勝劣派の中心寺院でもあった。

日蓮宗の根本経典である法華経（妙法蓮華経《みょうほうれんげきょう》）は、全体で二八の品《ほん》からなり、前半一四品を迹門《しゃくもん》、後半一四品を本門と呼ぶ。法華経の奥義が後半の本門にみえることではみな共通認識をもっていたが、前半の迹門の評価をめぐって意見が対立したのである。本門と迹門の優劣ははなはだしいと説くのが勝劣派で、迹門にもそれなりの価値を認めるのが一致派と一般的に呼ばれている。京都の本能寺は本門と迹門の間に大きな懸隔《けんかく》を認める立場に立っていたのである。

ところがこうした考えに若干の疑義をとなえる僧侶《そうりょ》が現われた。同じく京都の本隆寺《ほんりゅうじ》の住持日真《じゅうじにっしん》である。もともと日真は一致派の寺院にいたが、本迹に勝劣があると主張して新たに本隆寺を創建したという経緯をもつ。本能寺と同じく本門と迹門は隔絶しているとする立場にいたはずだったが、本門の最初にある従地涌出品《じゅうちゆじゅっぽん》の本文解釈を進めてゆくうちに疑問が生じたのである。

従地涌出品の最初の部分の内容はつぎのようなものである。釈迦《しゃか》の前にいたさまざまな菩薩《ぼさつ》たちが「あなたがこの世を去られたあと、この世界で、この経典を護《まも》り、読み、書写し供養することを、私たちにお許しください」と申しあげたとき、釈迦はこう答えた。「善男子よ。この経を護持する必要はない。なぜならば、この世界にはあなた方の数をはるかに凌《しの》ぐ無数の菩薩たちがいて、彼らこそがこの地において、この経を護り広く教えを広める使命をもつからです」。釈迦の言葉が終わるやいなや、大地は震えて裂け、そのなかから無量千万億の菩薩たちが姿を現わした。

問題になったのはこの中の「この経を護持する必要はない」という一文（原文は不須汝等護持此経）の「この経」とは何を指すかということだった。ここは本門部分の最初なので、そこで「この経」といっているのは、それまで説いた迹門に相違ないと日真は考えたのである。経文解釈をめぐる新見解を示しただけともいえるが、あくまで本門と迹門は違うという立場を貫く本能寺側は、この新見解を認めず、互いの寺の信徒を巻き込んだ法論が展開されることになる。

大永《だいえい》二年（一五二二）二月上旬、本隆寺顕本院《けんぽんいん》の日唱《にっしょう》のもと

6

◉本隆寺
京都の法華宗一二本山のひとつとして栄えたが、天文《てんぶん》法華の乱で焼き討ちにあって堺《さかい》に避難し、その後京都西陣《にしじん》の地に再建された。

に、石川小次郎《いしかわこじろう》という人がひょっこり現われた。彼は本能寺の檀那《だんな》である小袖屋《こそでや》の公文所《くもんじょ》にいる人で、「護持此経」の「此経」が本門か迹門かという論争をすることが目的だった。このとき日唱のもとにいたある人物が、事の次第を克明に記録している。『曦真問答《ぎしんもんどう》』と名付けられたこの記録のなかで、彼は「某大夫《たいふ》」という名で登場しているが、このとき日唱は用事で出かけてしまい、この「某大夫」が小次郎の相手をすることになった。「本門の中に此経とあるものを迹門のことだというのは、俗人の私でも理解できない」といって、さまざまな疑問を投げかける小次郎に対して、彼はいちいち応酬したが、最後には相手の勉強ぶりに舌をまき、「俗人なのにここまで論争できるとは見上げたものだ」と感心している。

このときの議論はこれでおさまったが、本能寺側の問責は続き、日真もついに正式の書状を書いて自分の意見を述べたが、本能寺の日曦《にちぎ》はこれを拒絶、対立は解消されないまま年を越し、翌大永三年二月の初めになって大がかりな法論が行なわれることになる。

越前府中《えちぜんふちゅう》の小袖屋の京都の宿所が法論の場となった。本隆寺本行坊《ほんぎょうぼう》の日映《にちえい》、妙蓮寺真乗坊《みょうれんじしんじょうぼう》の日堯《にちぎょう》、本能寺の隆俊《りゅうしゅん》といった僧侶たちと、山本治左衛門《やまもとじざえもん》・山本左衛門五郎《さえもんごろう》らの俗人数人がその場にいたが、本能寺金輪坊日詮《こんりんぼうにっせん》も新たに招かれ、あの「某大夫」も駆け付けて法論に参加することになった。

上座には日映が座り、そのあと日堯・日詮・隆俊と続いて、その下に「某大夫」が座った。司会役の山本治左衛門も下座にいた。口を開いたのは日詮で、対する日映は無言のままだった。「お二人とも学侶なのだから、法義を語って私たちに聞かせてほしい」と山本治左衛門はお願いするが、日映は「私は法門は知らない」と苦笑いするばかりだった。

　こうして日詮ひとりが話しつづけたが、さすがにまずいと思った「某大夫」が、とうとう末座から発言する。上座の日詮に向かってつぎつぎと質問を浴びせ、最後には相手を怒らせる始末だった。気まずい雰囲気を察した日映がはじめて口を開く。「あの大夫は何を言っているのか。あのような者が法門についてあれこれ言うから事が破れるのだ。法論は我執《がしゅう》の媒《なかだち》、義絶《ぎぜつ》の基だから、とりあえず酒でも飲んで、それからまた意見を言えばいい。もうしゃべるのをやめよ」

「ほんとうに大夫殿の法門は強烈なことだ」と山本治左衛門は大笑いし、これから酒が出て、入麺《にゅうめん》を肴《さかな》にしながら語り合いが続いた。みんな笑顔で話がはずみ、いい感じになったところで治左衛門がまた司会進行をする。「大夫殿、ここにいる山本左衛門五郎を相手に議論してくれないか」。こうして論争は再開され、初夜《しょや》（午後八時頃）の鐘が鳴るまで続いた。

　そのひと月後、山本治左衛門と左衛門五郎が本隆寺に現われ、懐から一巻の書物を取り出して日真に渡した。これは本能寺の日曦がしたためた書状で、日真の解釈に対する疑問が書き並べられていた。日真もさすがに納得がいかず、反論を書いた書状をつくって本能寺に返した。こうした書状の往復は三回に及び、しだいに内容も詳細になっていった。

　三問三答の書状往復ののち、結局両者は歩み寄ることなく、本隆寺は真門流という独自の流派をつくってしまう。現代のわれわれからみれば、ちょっとした経文解釈の違いでここまで争う理由はわかりにくいが、当時の人々は真剣そのものだったのである。しかもこの法論の主役は僧侶たちだけではなく、「某大夫」や石川小次郎のように、物知りで勉強家の信徒たちが進んで議論に加わっていたし、山本治左衛門のように、法論を楽しそうに聞く人もいた。彼ら俗人の信徒の主体となったのは商業などを営んで財を蓄えた有徳人《うとくにん》たちだろうが、こうした人々は寺の檀徒として信仰世界に接しながら、学侶たちと比べてもひけをとらないくらい、仏典の学習に励んでいたのである。

寺院創建ブームの到来

家来筋にあたる三好《みよし》を打倒するため、細川晴元《ほそかわはるもと》は本願寺《ほんがんじ》とその教団の軍事力に頼った。門徒の襲撃を受けて三好は滅亡するが、門徒勢力の強大化を警戒した晴元は、今度は日蓮宗《にちれんしゅう》の門徒と結びついて、本願寺に対抗させた。そして法華《ほっけ》宗徒の攻撃を受けて山科《やましな》の本願寺は灰燼《かいじん》に帰する。

享禄《きょうろく》五年（天文《てんぶん》元年〔一五三二〕）に起きた一連の事件の詳細は、すでに第三章で述べたが、浄土真宗、とくに本願寺派と、京都を中心とする法華宗徒が政治の表舞台に躍り出た瞬間だった。信仰で結びついた人々が大名や武家をしのぐ勢力を築き上げたのである。

一向宗《いっこうしゅう》と法華宗の勢力拡大は顕著だったが、こうした状況は二つの宗派に限ったことではなかった。地域社会もそれなりに成熟を遂げて、富裕な百姓も現われ、また戦国大名やその家臣たちの世界でも一定の文化的指向が生まれるという社会状況に対応して、こうした豊かな人々をスポンサーとする寺院が各地でつぎつぎに創建されていったのである。

鎌倉材木座《かまくらざいもくざ》の光明寺《こうみようじ》は、良忠《りようちゆう》によって開かれた浄土宗の大本山であるが、戦国時代の初めごろ、ここに観誉祐崇《かんよゆうすう》という傑僧《けっそう》が現われた。近隣の諸国を歩きながら信者を獲得し、一代のうちに三〇あまりの寺院を創建したのである。駿河府中《するがふちゅう》の宝台院《ほうだいいん》（静岡市）、武蔵品川《むさししながわ》の願行寺《がんぎょうじ》（東京都）、相模《さがみ》三浦《みうら》の法幢寺《ほうどうじ》（神奈川県横須賀《よこすか》市）、上総木更津《かずさきさらづ》の選択寺《せんちゃくじ》（千葉県木更津市）というふうに、鎌倉の周辺が中心だが、京都や伏見《ふしみ》でも新たに寺を開いている。明応《めいおう》四年（一四九五）には宮中に召されて、光明寺を勅願寺《ちょくがんじ》とするとの綸旨《りんじ》を与えられた。

光明寺の僧侶と開創寺院

僧侶名	没年	開創寺院
雲誉岌信	文亀１（1501）	伊豆天然寺
観誉祐崇(8世上人)	永正６（1509）	駿河宝台院、教念寺、法源寺、江浄寺、武蔵願行寺、源光寺、相模法幢寺、正行院（中興）、九品寺、京都永養寺、山城城円寺、上総選択寺ほか
源誉正空(9世上人)	永正16	相模二伝寺
芳誉恵仁(10世上人)	大永７（1527）	相模報土寺
仁誉如忠(11世上人)	？	武蔵願成寺
弁誉正印	？	甲斐源正院
昌誉道順	享禄２（1529）	安房金台寺
聴誉岌纂	享禄４	阿波浄智寺
深誉江月	天文７（1538）	陸奥光明寺
量誉稲沢岌寿	天文10	伊豆海善寺
行誉愚童還夢	天文13	信濃安楽寺
法誉智聡(14世上人)	天文16	駿河報土寺
相誉	？	上総大乗寺
専誉念超	？	能登新善光寺
大誉岌天	永禄２（1559）	越中大泉寺
岌鎮	永禄３	越後長恩寺（中興）、満蔵寺
念誉行明	永禄６	筑前妙円寺、正法寺、常福寺、安養寺、摂取寺、筑後専修寺
然誉禅芳(17世上人)	永禄７	相模来迎寺、武蔵天竜寺
浄誉順故	？	信濃生安寺
栄誉秀興慶伝	永禄12	尾張誓願寺
法誉清教	元亀３（1572）	下総西念寺、称専寺、武蔵光明寺
応誉良道	天正１（1573）	下総仲台院
貞誉良記	天正２	信濃法光寺
名誉月秀善室	天正11	信濃長明寺、生蓮寺、大信寺
霊誉良三	天正11	大和来迎寺
円誉道阿賢公	天正12	京都透玄寺、竹林院、山城宗運寺
信誉洞庫	天正14	堺遍照寺
誠誉演甫	天正16	遠江大見寺
静誉三故	天正18	筑前大善寺
聖誉信阿願生	文禄4（1595）	河内台鏡寺
讃誉故念	慶長4（1599）	尾張専念寺
光誉春古	慶長4	堺竜門寺
存誉自闇	慶長4	堺超善寺
然誉清善	慶長9	京都善導寺、法雲寺
叡誉智了	慶長10	近江浄慶寺
洪誉岌真隆恕	慶長10	三河縁心寺
深誉	？	京都安養院
三誉	？	美濃洞泉寺
慶誉学幢	慶長19	陸奥大泉寺（中興）
深誉全貞	元和２（1616）	甲斐西凉寺
正誉闇道	元和４	大和実相寺
央誉重信	元和８	大和権現寺（中興）、如来寺（中興）
満誉玄道	寛永３（1626）	武蔵正覚寺

こうしたことで箔《はく》がついたのもあってか、これから光明寺の勢力は急速に拡大する。光明寺の歴史を記した『檀林《だんりん》鎌倉光明寺志』には、光明寺の歴代と、ここで学んだ僧侶《そうりょ》たちの事績が列記されているが、光明寺とかかわりのある多くの僧侶たちが、列島各地で檀越《だんおつ》とつながりをもち、つぎつぎと寺院をつくっていったことがわかる。そのありさまは前ページの表に示したとおりだが、多数の僧侶がそれぞれひとつあるいは複数の寺院をみずから開いていったのである。

光明寺は鎌倉にあるので、鎌倉周辺の一帯が多いことは当然だが、列島各地で生まれた若い僧侶たちが修行のために鎌倉までできて研鑽《けんさん》を積み、そのあと故郷やその近くに戻って、地域の武士や有力者の助力を得て寺を開くというケースが多かった。またこうしたUターン形ではなく、教化《きょうげ》のための旅を続けながらスポンサーに巡り会い、そこで寺を開いた僧侶も多かった。

鎌倉のすぐ隣にあたる三浦半島では、光明寺の僧侶たちの布教によって、村々につぎつぎと浄土宗の寺院がつくられるという、前代未聞の事態になった。決して広いとはいえない地域

7

◉働く大工たち
鎌倉時代末期に描かれた普請の場面。大工たちが鑿《のみ》や槍鉋《やりがんな》・手斧《ちょうな》を巧みに操って作業を進めている。(『春日権現験記絵巻《かすがごんげんけんきえまき》』)

に、戦国の一〇〇年の間に少なくとも三〇もの浄土宗の寺が創建されたことがわかっている。三浦の各地には古くから日蓮宗や臨済宗《りんざいしゅう》の寺院が広がっていたが、半島の村々を巡遊した光明寺派の僧侶たちは、こうした寺院のあるところは避けて、まだ自前の寺をもたない村に焦点を定め、村人との関係を築き上げたうえで寺を創建していった。わが村にも寺をもちたいという地域住民の願いと、旅の僧侶の情熱とが合体して、新たな寺院が生まれていったのである。

　地域の有力者の資金援助によって、列島各地で寺院創建ブームともいえる現象が起きていたが、この時期新たに台頭した戦国大名や武将たちも、自分の力で寺をつくりたいという意欲をもっていた。みずからの領国内に寺をつくるのは当然だが、できれば京都の大寺院の高僧とかかわりあいをもって、都に自分の庵室《あんしつ》をつくりたい。こうした願いにこたえたのが紫野《むらさきの》の大徳《だいとく》寺《じ》である。

8

◉大徳寺の唐門《からもん》（京都市）
秀吉《ひでよし》が創建した聚楽第《じゅらくだい》にあったものを移築したといわれており、現在は方丈の表門として伽藍《がらん》の中心に位置する。豪華絢爛《けんらん》な装飾彫刻で有名である。

　大徳寺は鎌倉時代末期に開かれた臨済宗の名刹《めいさつ》だが、室町《むろまち》幕府のもとでは五山《ござん》のなかに加わらず、林下《りんか》の寺院として歩む道を選んだ。応仁《おうにん》の乱《らん》で焼亡するが、一休宗純《いっきゅうそうじゅん》が堺《さかい》の豪商尾和《おわ》宗臨《そうりん》の支援を得て復興し、五山の寺院が衰退するなかで、各地の大名や商人たちとのつながりをもとに急速に発展してゆく。尾和宗臨は一休を開山として真珠庵《しんじゅあん》を創建したが、このように檀越が特定の師を開山とするかたちで、多くの塔頭《たっちゅう》が大徳寺の境内につぎつぎとつくられていった。近江の六角政頼《ろっかくまさより》が古《こ》岳宗亘《がくそうこう》のために開いた大仙院《だいせんいん》、能登《のと》の畠山義元《はたけやまよしもと》らが東渓宗牧《とうけいそうもく》を開山として創建した竜源院《りょうげんいん》が古い時期のもので、この両院のもとからまた新たな塔頭が生まれるというかたちで、大徳寺全体の勢力は広がりを見せることとなる。

能登の畠山氏は竜源院のほかに興臨院《こうりんいん》も開き、豊後《ぶんご》の大友義鎮《おおともよししげ》は徹岫宗九《てつしゅうそうきゅう》のために瑞峯院《ずいほういん》を創建している。また三好長慶《みよしながよし》の養子の義継《よしつぐ》は、養父の菩提《ぼだい》を弔うために聚光院《じゅこういん》を開いている。織田信長《おだのぶなが》の仏事が大徳寺で行なわれたことは有名だが、羽柴秀吉《はしばひでよし》は信長の菩提を弔うために総見院《そうけんいん》を開き、古《こ》渓宗陳《けいそうちん》を開山としている。秀吉配下の武将たちもつぎつぎと僧侶に帰依し、小早川隆景《こばやかわたかかげ》・蒲生《がもう》氏《うじ》郷《さと》・森忠政《もりただまさ》など、みずから檀越となって塔頭をつくる者も現われた。

延暦寺《えんりゃくじ》や金剛峯寺《こんごうぶじ》・東寺《とうじ》といった密教寺院や、五山をはじめとする臨済宗の寺院などは、かつては広大な荘園を領有する大領主だった。室町《むろまち》幕府の政治体制が解体に瀕《ひん》し、地域の武士たちが勢力を伸ばすなかで、こうした寺院の所領はつぎつぎに失われ、多くの寺は境内とわずかな門前敷地だけに押し込められた。こうした状況を見るかぎり、戦国時代は宗教の衰退期だといえなくもない。ただその一方で、富と力をもった新興の人々が各地でみずからの寺をつくりあげ、列島の村々のほぼすべてに寺が広がっていくという劇的な現象があったことは見逃せない。地域社会で地位を得た人々は、みずからの存在意義を確かめるため、一種の慈善事業のような感覚で寺を築いていったのではないだろうか。

侍たちの履歴書

慶長《けいちょう》八年（一六〇三）といえば、関ヶ原《せきがはら》の戦いから三年、戦乱の時代もそろそろ終わりという雰囲気が広がっていた時期だが、若い時分からの戦場でのみずからの足取りを、一つひとつ書き記している、六〇がらみのひとりの老武者がいた。野口豊前《のぐちぶぜん》というその侍は、下総《しもうさ》の結城晴朝《ゆうきはるとも》のもとにあって、北条《ほうじょう》氏や周辺の敵との戦いの場にはいつも参加していた。それぞれの戦いの現場を、記憶を頼りに書き連ねていったが、最後にはその数は三八にのぼった。

越後《えちご》の上杉輝虎《うえすぎてるとら》（謙信《けんしん》）が小山《おやま》城を攻めようと迫ってきたときのことから、野口豊前は書きはじめた。このとき豊前は夜がけの兵のなかにいたが、上杉軍の陣所の幕のそばまで迫って、敵兵と鑓《やり》合わせをした。こうしたことを書きながら、「このときのことは、連れ合っていた厚木若狭《あつぎわかさ》と東郷縫殿《とうごうぬいどの》丞《じょう》が知っている」と最後に付け加えた。同輩たちと連れ立って、彼は戦いに参加していたのである。

上杉輝虎が小山を攻めたのは永禄《えいろく》六年（一五六三）だから、ちょうど四〇年前にあたる。自分の戦歴を書こうとしてはじめに頭に浮かんだのは、最初にそれなりの働きをしたこのときのことだったのである。このあと敵兵と鑓を持って戦った記事があるが、これに続く常陸《ひたち》の牛久衆《うしくしゅう》との戦いの描写はなかなか具体的である。

谷田部《やたべ》(茨城県つくば市)に攻め込んできた牛久衆が引き返していったとき、野口豊前はただ一騎で敵のしんがりのなかに乗り込み、大将格の岡見五郎左衛門《おかみごろうざえもん》に声をかけた。もちろんただですむはずもなく、まもなく五、六挺《ちょう》の鉄炮《てつぽう》からねらい撃ちを受けた。ところが運よく鉄砲玉ははずれ、その音を聞いた味方の兵士たちがみんなで乗りつけてくれた。こうして敵は総崩れになったが、こんな大勝利をおさめることができたのも自分のおかげだと、彼は得意気に書いている。

敵に向かって一騎で乗りかけたと回想しているように、このころには彼も馬に乗ることができていた。はじめて馬に乗った戦いのときに、彼は荒巻弥右衛門《あらまきやえもん》という敵兵の指物《さしもの》と鉄炮を奪い取っている。敵の名前もきちんと覚えているわけだが、同様の記事はほかにもある。負傷した同輩を救おうとして、鑓で三か所突かれてしまったと書いたあと、「このときのことは敵方で見ていた木戸大学《きどだいがく》が知っているはずだ」と、わざわざ敵の名前を書いているのである。

冒頭の記事の最後に、連れ合っていた同輩の名を書いていたことは前に述べたが、これは最初だけでなく、三八回の場面のほぼすべてにおいて、一緒にその場にいた人の名前を克明に記録している。自身の戦功を証明してくれるのはその現場にいた同輩だから、わざわざ名前を書いたのだろうが、その場にいたという意味からすれば、敵方にあって鑓を交えた侍も、立派な証言者だった。あるところで佐竹《さたけ》の兵と戦った記事のあとには「このときの敵は斎藤播磨《さいとうはりま》と小窪刑部《こくぼぎようぶ》で、味方で連れ合っていたのは野口玄蕃《げんば》と多賀谷将監《たがやしようげん》・厚木若狭だ」と書かれている。自身の業績を証明してくれるならば、敵でも味方でもよかったのである。

それにしても、三八回というのはただごとではない。敵の頸《くび》を取ることができたのはやはりまれで、だいたいが鑓合わせで終わっていたが、なかにはなかなか壮絶な記事もある。古河《こが》の鴻巣《こうのす》に攻め寄せたときには、沼に飛び込んだ敵をしとめようと、泳ぎながら追いつき、沼の中で頸を取った。城内の敵が橋板を引き落としたときに、さっそく駆け付けて板を取り上げさせ、なんとか二枚をかけたというようなことまで列記しているが、ここまで詳細に履歴を書いた動機は何か。

当時の彼はおそらく特定の主君をもたない、いわゆる牢人《ろうにん》の状態だったのではあるまいか。争覇《そうは》が続くなか、多くの大名や領主が滅ぼされ、大量の失職者が出現した。そして主を失った彼らが頼りにできるのは、これまで積み重ねてきた実績だけだったのである。

9

◉牢人たち
京都の五条大橋の上で、長刀《なぎなた》を持ち、大小の刀を差して立つ男と座り込む若者。主をもたない牢人たちであろう。(『洛中洛外図屏風《らくちゅうらくがいずびょうぶ》』舟木本)

直江兼続の訓戒

みずからの才覚を頼りに、さまざまな現場をくぐりぬけていたのは、こうした侍たちだけではなかった。戦国大名の重臣のなかにも、名門出身ではないが力量を認められて出世し、政務や軍事を担った武将がかなりいた。上杉景勝《うえすぎかげかつ》の重臣直江《なおえ》兼続《かねつぐ》はその代表的存在である。

彼はもともと越後《えちご》上田《うえだ》の地侍の子にすぎなかったが、上杉景勝に認められて召し抱えられ、以後上杉家の政治を差配しつづけた。慶長《けいちょう》三年（一五九八）に主君とともに会津《あいづ》に移り、慶長五年には石田《いしだ》三成《みつなり》と結んで決起し、徳川家康《とくがわいえやす》に与《くみ》した山形の最上義光《もがみよしあき》との戦いを展開した。戦い自体は優勢に進めていたが、その最中に三成敗北の知らせが届く。状況の急転をさとった兼続は、上杉家の廃絶を食い止めようと交渉を始めた。翌慶長六年、会津は没収されたものの、米沢《よねざわ》で三〇万石《ごく》を領有することを景勝は認められた。

　このとき兼続は四二歳。天下を動かす試みは実を結ばなかったが、このあとは三〇万石の大名家の宿老《しゅくろう》として、新たな領国の基礎を固めるとともに、漢詩を多くつくったりしながら、文事にいそしむ生活を続けた。そして五〇歳を過ぎたころ、彼は三つの自筆の小冊子をつくった。そのなかのひとつは『軍法』という表題がついた冊子で、戦いに関する心得が端正な漢文体で書かれている。

「軍を進めるときは、前後左右の列を定め、旗を乱さず、兵士が横に広がらないようにし、火縄を消すことなく、寂々として進むのがいい。進行と停止は鼓《つづみ》の合図に従え」というように、行軍のことが最初に書かれ

10

●直江兼続の直筆本
『軍法』『文鑑』『秘伝集』（右から）はほぼ同じ大きさで、兼続がみずから筆をとって書いたものと考えられる。兼続はなかなかの勉強家だった。

ている。悪所を渡るときの心得や、営塁《えいるい》の警備のことがこれに続き、備えのあり方について意見があったら、黙っていないで言上するように、といった条文もある。「陣中では衣食を節約して兵器や玉薬《たまぐすり》を備蓄し、遊興にふけってはならぬ。上客があっても一汁三菜にとどめ、酒は出しても飲みすぎないように」。陣中の生活は退屈で、綱紀を正すのは難しかったのだろう。

足軽《あしがる》など軽卒《けいそつ》の心得もここには書かれている。「軽卒は駆け引きの鍛錬《たんれん》が肝要だ。風を衝《つ》くように疾《はや》く、浮雲のように軽くあれ。もし敵が進んできたら、鳥の散るように軽々と引け。敵が退いたらすぐに駆け付け、雷撃のようにこれを追え。こうしたことを繰り返して、敵が自滅するのを待て。軽率に挑み戦ってはならぬ」

ひたすらチャンスを待ち、軽はずみなことをしてはならぬ。これは戦いの全体をまとめるべき部将たちに対する訓戒でもあった。敵を撃つ好機で、兵士たちも準備万端整っていて、しかも地の利を得たときには、急に攻め込んでも大丈夫だが、このうちひとつでも欠けたら、戦いを挑んではならないと、後半の一か条で書き記しているが、ひたすら慎重にせよというわけでもなく、チャンスだと思ったら猶予せず進むことも大切だ、ともいっている。

三二か条からなるこの書物は、二〇年余に及ぶ戦陣での経験をもとに、兼続が自身で心得をまとめたものとみてよいだろう。大きな戦いを終え、平穏な毎日を送るなかで、何か教訓めいたものを残しておきたくなったのだろうが、この訓戒書が整った正式の漢文体で書かれているのはやはり気になる。漢詩をよくした兼続は、きちんとした漢文を熱心に学んでいたらしい。

この『軍法』と同じ形の冊子の中に、『文鑑《ぶんかん》』という表題をもつものがある。これは慶長四年三月に、臨済宗妙心寺派《りんざいしゅうみょうしんじは》の名僧南化玄興《なんかげんこう》から与えられた抄録を、兼続がのちにみずから書き写したものである。この内容は漢文の文辞にかかわるもので、とくに文章の最後につける助字《じょじ》の解釈が詳しく書かれていた。もともとは中国の柳子厚《りゅうしこう》という学者の書いたものの抄録で、「乎」「歟」「耶」「夫」といった文字は、まだ決まっていなくて疑いのあるときにつける「疑辞《ぎじ》」で、「矣」「耳」「焉」「也」は決定していることに用いる「決辞《けつじ》」だとして、その詳しい使い方が記されていた。

慶長四年という、秀吉《ひでよし》死後の緊迫した状況のなかでも、兼続は意欲的に学問に触れていた。そしてみずから『軍法』を著述するにあたり、この文法書を参考にしたと考えられる。しっかりとした漢文の勉強をしながら、漢文体の書物をつくりあげたのである。

三冊のうち最後の一冊は、『秘伝集』というタイトルの、何やら怪しげな内容のものである。「天に向かって自分の影を見たとき、その日大事が起こるときには影が見えないものだ。そういうときには、よくよくつつしんで、大切な用事があっても家を出てはならぬ」「小便をして泡が立たないときは、その日大事があると考えよ。泡が立っていれば心配はない」。こうした心得が綴《つづ》られた一冊で、後半には毒を盛られないための注意事項が並べられている。「自分の前に毒があれば、にわかに口が渇いて、唇がひりめくようになる」「毒のある膳を持ってきた者は、目に涙を浮かべているはずだ。自分も涙目になって、急に小便に行きたくなるものだ」

一大事を避けるためにはどうしたらいいか、毒殺されないためには何に注意したらいいか。こうしたことを書き連ねた、まことに風変わりな一冊である。これは兼続自身の作品ではなく、どこかで手にした秘伝を書き写したものだろうが、それにしてもこうした心得を筆録したのにはそれなりの事情があるのだろう。長年にわたって政治の中心にいた彼には、政敵も多かったし、いつ何が起こるかわからない緊張感のなかで、毎日を送っていたのではあるまいか。

『秘伝集』のなかには、戦いに臨むときの心得を書いた一か条もある。「口の中に脈がある。それと手の脈を取り合ってみよ。その日に大事があるときには、脈はそろわないものだ。二つの脈が同時に打てば、どんな難儀があっても身に危険が及ぶことはない。これから合戦というときにも、このことによって生死を知るべきである。脈が同時に打ったならば、心を強くもって高名をあげよ。またそうでなければ用心して、きちんとつつしむように」。こう訓戒しながら、この書はつぎのように続ける。「もしどちらかわからないときには、思いきって、討死《うちじ》にしようと思い定めて進め。意外にうまくいって高名をあげることもあるものだ」

先の見えない状況のなかで、大将も兵士たちも、こうしたかたちで天の声を聞き、自分自身を励まそうとしていた。やるべきときはやり、つつしむべきときはつつしめ。ただ判断に迷うことがあったら、思いきって実行せよ。そうするとうまくいくこともある。『秘伝集』の作者が誰かはわからないが、戦国時代という時代を生きた人がたどり着いた、ひとつの人生訓とみることもできよう。

コラム6

頼りにされた女性

武蔵岩付《むさしいわつき》城主の太田資正《おおたすけまさ》は、上杉謙信《うえすぎけんしん》に従って活躍していたが、やがて城を追われて常陸《ひたち》に入っていた。その後謙信から、もとどおり自分に従ってほしいと頼まれたが、資正はこれを拒絶、怒った謙信は資正との絶交を宣言する。

ところが謙信はすぐに後悔し、資正の妹で三戸《みと》駿河守《するがのかみ》という家臣の妻となっている女性に、兄を説得してもらおうと考え、重臣の山吉豊守《やまよしとよもり》に内々の手紙を書くよう命じる。「このままで終わるのは残念だから、あなたのお力で、資正が前のように忠義を尽くしてくれるよう説得してほしいと、主君は申しております」「とにかくあなたが頼りだ、とのことです」。豊守は書状のなかで謙信の気持ちを懇々と伝えた。この試みは功を奏し、資正との和睦は実現する。

戦国時代の女性は政略結婚などで翻弄《ほんろう》されつづけたという印象が強いが、彼女らの発言が大名や領主の行動を左右することも多かった。謙信自身は生涯妻帯しなかったが、女性たちの力量をよく理解していたのである。

◉武田信虎《のぶとら》夫人
武田晴信《たけだはるのぶ》・信廉《のぶかど》の母親。信廉がみずから亡き母の容顔を描いた。戦国時代にはこうした女性の肖像が数多くつくられた。

1

第七章

大名の相克と統合

――織田信長の時代

信長と信玄

信長上京

永禄《えいろく》一一年（一五六八）の年明けを迎えたころ、畿内とその周辺にはさまざまな勢力が並びたち、情勢は混沌《こんとん》としていた。三好《みよし》氏の当主義継《よしつぐ》は若年で、一門や家臣を統率する力をもたず、三好三人衆と呼ばれた三好長逸《ながゆき》・三好政康《まさやす》・石成友通《いわなりともみち》と、大和《やまと》に拠点をもつ松永久秀《まつながひさひで》・久通《ひさみち》父子とが争いを続けていた。また阿波《あわ》から渡海して摂津《せっつ》の富田《とんだ》まで出てきていた将軍足利義栄《あしかがよしひで》は、征夷《せいい》大将軍《たいしょうぐん》に任命されたものの、京都に入ることができずにいた。そして越前一乗谷《えちぜんいちじょうだに》の朝倉義景《あさくらよしかげ》のもとに身を寄せていた足利義秋《よしあき》は、四月に元服の儀式を終えて義昭《よしあき》と名を改め、再起の時をうかがっていた。

前年に美濃《みの》平定を実現した織田信長《おだのぶなが》は、続いて伊勢《いせ》北部の経略に着手、子息の信孝《のぶたか》を神戸《かんべ》氏、弟の信包《のぶかね》を長野《ながの》氏の家督に据えた。美濃・尾張《おわり》に伊勢北部を加えた一帯を掌握した信長に期待を寄せた義昭は、一乗谷を去って美濃に入り、信長の出迎えを受ける。七月二七日のことである。

このあとの信長の行動は素早かった。八月になって信長は近江《おうみ》の佐和山《さわやま》（滋賀県彦根《ひこね》市）まで出て、観音寺城《かんのんじ》（同安土《あづち》町）の六角義賢《ろっかくよしかた》・義治《よしはる》父子に、義昭の上京を助けるように要請したが、六角に

◉南蛮風鉄兜

織田信長が所用したと伝えられている鉄兜《てつかぶと》で、南蛮《なんばん》風のデザインが施されている。はるか遠い世界に信長は関心を寄せていた。

前ページ図版

拒絶されると、いったん岐阜に帰って軍備を整え、やがて数万の大軍を率いて近江に入った。九月一二日の夜、織田軍はついに箕作城《みつくり》（滋賀県東近江市）を攻め落とし、かなわないとみた六角父子は観音寺城から逃亡する。信長はさっそく美濃にいる義昭に迎えの使者を遣わし、義昭はやがて観音寺山の麓《ふもと》の桑実寺《くわのみでら》に入った。次いで信長は琵琶湖《びわこ》を渡って園城寺《おんじょうじ》（三井寺《みいでら》）極楽院《ごくらくいん》に布陣し、義昭も園城寺に現われた。

そして九月二六日、織田信長は京都に入って東福寺《とうふくじ》に布陣、義昭は清水寺《きよみずでら》に居を定めた。当面の敵は勝竜寺《しょうりゅうじ》城（京都府長岡京《ながおかきょう》市）の石成友通だったが、大軍に攻められて退散し、摂津芥川《あくたがわ》城の池田《いけだ》勝正《かつまさ》もこらえきれずに降参した。三好義継と松永久秀は、三好三人衆を討つ好機とみて信長と通じ、久秀は大和一国の支配を認められ、義継は河内《かわち》の飯盛《いいもり》城に入った。こうして山城《やましろ》・摂津・河内・丹波《たんば》・近江と広がる諸国が、あっというまに信長の統治下に入る。

摂津富田にいた将軍義栄は、ちょうどこの時期に死去していたから、義昭の将軍就任を拒む要因はなくなっていた。一〇月一八日、義昭は征夷大将軍に任じられ、参議《さんぎ》左近衛中将《さこのえちゅうじょう》の地位も得た。このとき義昭は三二歳、三年の流浪生活にピリオドを打ち、宿願を果たしたのである。

2

◉足利義昭
信長のおかげで将軍の地位を手にしたが、結局は対立して京都を離れた。それから二四年、幕府再興を果たせないまま六一歳で死去した。

しかし将軍の地位を手にできたのも信長のおかげだった。恩に報いるべく、義昭は斯波《しば》家の家督の地位を信長に与え、また桐《きり》や二引両《ふたつひきりょう》の紋を使用することを許可した。信長もありがたく受け入れたが、そのまま京にとどまることをせず、早々に岐阜に帰った。三好長慶《ながよし》と同じように、京都に住まずに畿内近国ににらみをきかすかたちを信長も選択したのである。

いったん逼塞《ひっそく》した三好三人衆は、年末になって反撃に転じ、翌永禄一二年正月早々、南から京都に押し寄せ義昭のいる本圀《ほんこく》寺《じ》を取り囲んだ。義昭は危機に陥ったが、奉公衆《ほうこうしゅう》たちや三好義継らの奮戦によって三人衆の軍勢は撃退され、義昭は窮地を逃れた。急を知った信長はただちに岐阜を出て上京を果たしたが、尾張・美濃・伊勢・近江・若狭《わかさ》・丹波・摂津・河内・山城・大和・和泉《いずみ》の諸国から動員された八万の大軍が信長に従った。

このあと信長はしばらく京都にとどまり、義昭のための新しい御所の建築を見届けつつ、朝廷や公家《くげ》との関係も築き上げた。四月一四日、義昭は新築なった二《に》条《じょう》の御所に移り、まもなく信長は岐阜に帰るが、この在京の間に、京都とその周辺の平和がみずか

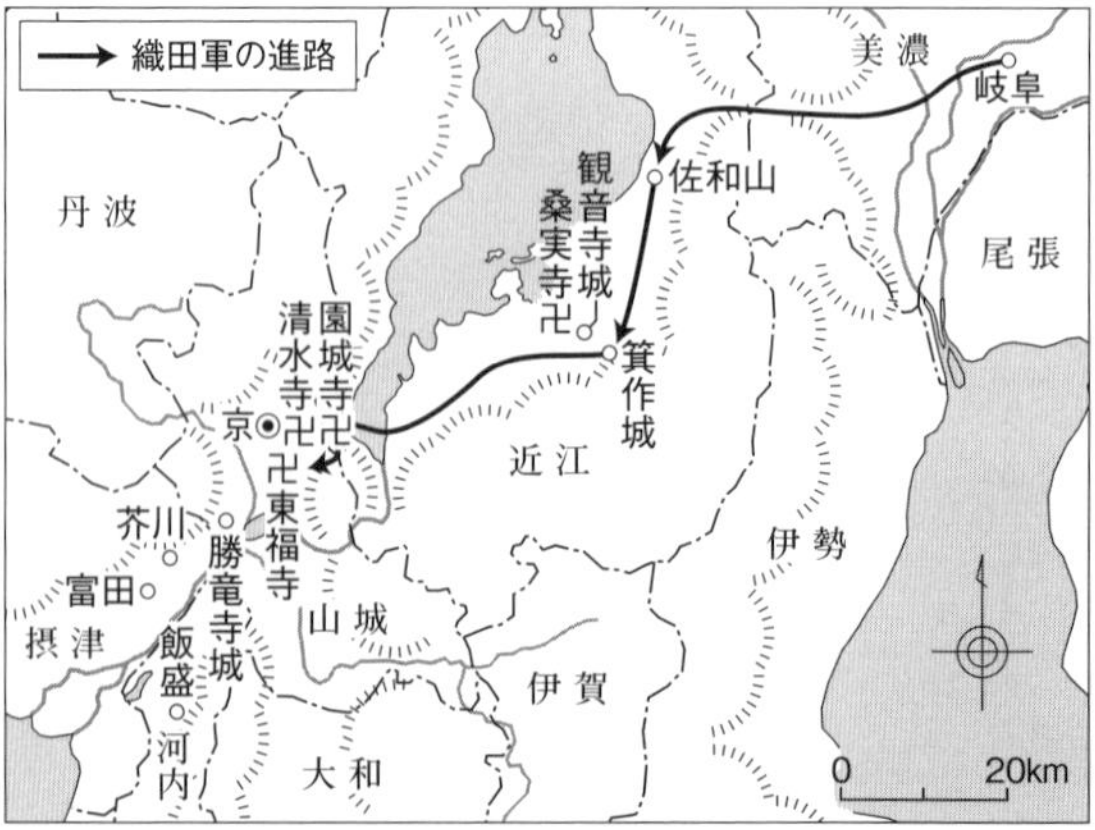

◉織田信長の上京
岐阜を出発してから京都に入るまで、わずか二〇日たらず。この間に信長は六角氏を滅ぼして近江を傘下におさめた。

らの力によって成り立っていることを、人々に強く印象づけることに成功したのである。

今川氏の滅亡

ちょうどこのころ、東国も大きな転機を迎えていた。長い間結束を保っていた武田《たけだ》・北条《ほうじょう》・今川《いまがわ》の同盟が崩壊し、武田信玄《しんげん》の侵攻によって、今川氏が滅亡する事態になったのである。

永禄《えいろく》三年（一五六〇）に今川義元《よしもと》が戦死したのちも、今川氏はそれなりの勢威を保っていたが、徳《とく》川家康《がわいえやす》によって三河《みかわ》を奪われ、国力の低下は覆いがたかった。信玄の子の義信《よしのぶ》と今川氏真《うじざね》の妹の婚姻によって武田と今川の同盟は成り立っていたが、この義信が父と対立して抹殺されると、同盟関係は不安定なものになる。このままでは武田に攻め込まれると危惧《きぐ》した氏真は、その背後にいる上《うえ》杉輝虎《すぎてるとら》と連絡をとりはじめたが、これが信玄の駿河《するが》侵攻の名目になった。永禄一一年一二月六日、信玄はついに甲斐府中《ふちゅう》（甲府《こうふ》）を発《た》って駿河に向かい、かなわないとさとった氏真は駿府《すんぷ》を放棄して遠江《とおとうみ》の懸川《かけがわ》城（静岡県掛川《かけがわ》市）まで逃れた。

武田信玄は難なく駿府を手に入れたが、同盟破棄に怒った北条氏がさっそく軍勢を出したため、しばらく北条氏との対陣を続けねばならなくなった。翌永禄一二年正月、北条氏政《うじまさ》が薩埵《さった》山《やま》に入り、信玄は興津《おきつ》（静岡市）に陣取って対抗、戦いは容易に決着せず、やがて信玄も氏政も本国に帰った。信玄は駿府と興津を確保したものの、薩埵山以東は北条に押さえられる格好になったわけである。

この結果に満足できなかった信玄は、六月にふたたび駿河に攻め込んで富士《ふじ》の大宮《おおみや》城（静岡県富士宮《ふじのみや》市）を陥落させ、いったん甲斐《かい》に帰ったのち、今度は上野《こうずけ》方面に出兵して北から小田《おだ》原《わら》城に攻め込んだ。城を陥落させることはさすがにかなわず、帰路三増《みませ》峠（神奈川県愛川《あいかわ》町）で北条軍から手痛い追撃を受けたが、このように北条氏の領国を攪乱《かくらん》させたのち、改めて駿河に攻め込み、蒲原《かんばら》城を攻め落として、駿府から富士に至る一帯を手中におさめた。年が明けて永禄一三年正月、信玄は西駿河の拠点である花沢《はなざわ》城（静岡県焼津《やいづ》市）の攻略に成功し、富士より東を除く駿河の大半を手に入れることに成功した。

武田信玄の駿河侵攻に呼応して、三河の徳川家康も動いた。永禄一一年一二月一二日、家康は本坂《ほんさか》峠を越えて遠江侵攻を開始した。まもなく浜松に入った家康は、ここを拠点としながら、各地の武将たちをつぎつぎと服属させていく。翌永禄一二年、家康は懸川城の攻撃を開始し、五月六日、今川氏真はついに城を放棄して家康の軍門に降った。今川氏の領国は解体し、徳川家康は遠江一国を手中におさめたのである。

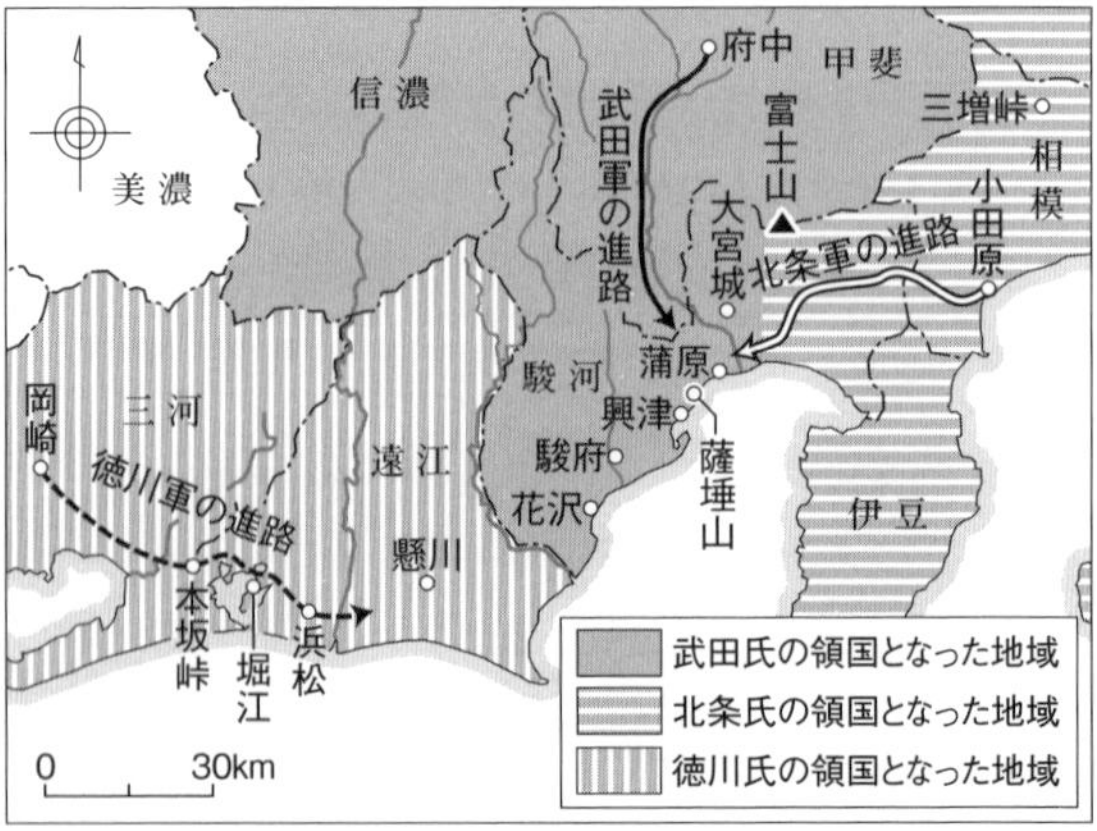

●今川領国の解体
武田信玄は駿河の大半を確保し、徳川家康は遠江をほぼ手中に入れた。北条氏は駿河の富士以東を得た。

今川氏の滅亡によって、武田氏の領国は大きく拡大し、徳川家康も三河・遠江二か国を領する大名に成長した。東国の政治地図は大きく書き換えられたが、これと連動して大名の同盟関係にも変化がみられた。信玄との対決にあたって、北条氏康《うじやす》は長く敵対していた越後《えちご》の上杉輝虎と和睦《わぼく》して、後方から武田を牽制《けんせい》してもらおうと考え、積極的な和平交渉を始めた。同盟はまもなく締結をみたが、武蔵《むさし》や上野の諸城を北条と上杉でどう分配するかといった具体的な事項で意見が合わず、輝虎がなかなか武田攻撃の兵を出してくれなかったこともあって、北条と上杉の関係はぎくしゃくしていた。元亀《げんき》二年（一五七一）に北条氏康が死去すると、北条氏政は武田信玄とふたたび和睦して上杉との同盟を解消したが、先に同盟締結の証《あかし》として輝虎の養子となっていた氏政の弟（上杉景虎《かげとら》）は、小田原に送り返されることもなくそのまま越後にとどまった。

朝倉・浅井との戦い

一方、岐阜を拠点としながら、織田信長《おだのぶなが》は着々と領国を広げていた。伊勢《いせ》北部に続いて、北畠《きたばたけ》氏の支配する伊勢の南部にも触手を伸ばしたのである。永禄《えいろく》一二年（一五六九）の夏、大河内《おかわち》城（三重県松阪市《まつさかし》）の北畠具教《とものり》は、耐えきれず和睦《わぼく》を請い、信長の子茶筅丸《ちゃせんまる》（のちの信意《のぶおき》、信雄《のぶかつ》）を養子として家督を譲ることを余儀なくされた。伊勢一国を手中におさめた信長は、一〇月に上京して将軍にこのことを報告したが、わずか六日後帰国を宣言し、早々に岐阜に帰ってしまった。このころすでに将軍との意思の疎通を欠いていたのかもしれない。

明けて永禄一三年正月、信長は五か条からなる弾劾状を義昭に突きつけ、その反省を迫った。「諸国に御内書《ごないしょ》を出す必要があるときには、すべて私に連絡してほしい、そうしたら添状《そえじょう》を出す。いままで出された御《おん》下知《げち》はすべて取り消して、いま一度考え直すように。天下のことは、すべて私にお任せになっているはずだから、誰でも上意をうかがうことなく自由に成敗することにする」。将軍は武家の棟梁《とうりょう》ではあるが、政治には口出しすべきではない。信長はきっぱりと宣告したのである。

さすがにこれには義昭もこたえたらしく、信長との関係もとりあえず修復されたかにみえた。信長は二月末に軍勢を率いて上洛《じょうらく》し、四月二〇日に越前《えちぜん》の朝倉義景《あさくらよしかげ》を討伐するため、三万の軍勢を率いて京都を出発した。なかなか上洛要請に応じないのでこらしめるというのが名目だったらしいが、美濃《みの》・尾張《おわり》・伊勢・近江《おうみ》の四か国を押さえた信長が、つぎの攻撃目標として越前を選ぶのは自然の成り行きで、やはり領国拡大のための戦いだったとみてよいだろう。

越前に入った織田信長は、四月二五日に金ケ《かなが》崎《さき》城（福井県敦賀《つるが》市）を攻め落とし、木目《きのめ》峠（同今庄《いまじょう》町）を越えようとしたが、ここで近江小谷《おだに》（滋賀県湖北《こほく》町）の浅井《あざい》久政《ひさまさ》・長政《ながまさ》父子が朝倉方に寝返って挙兵したとの

3

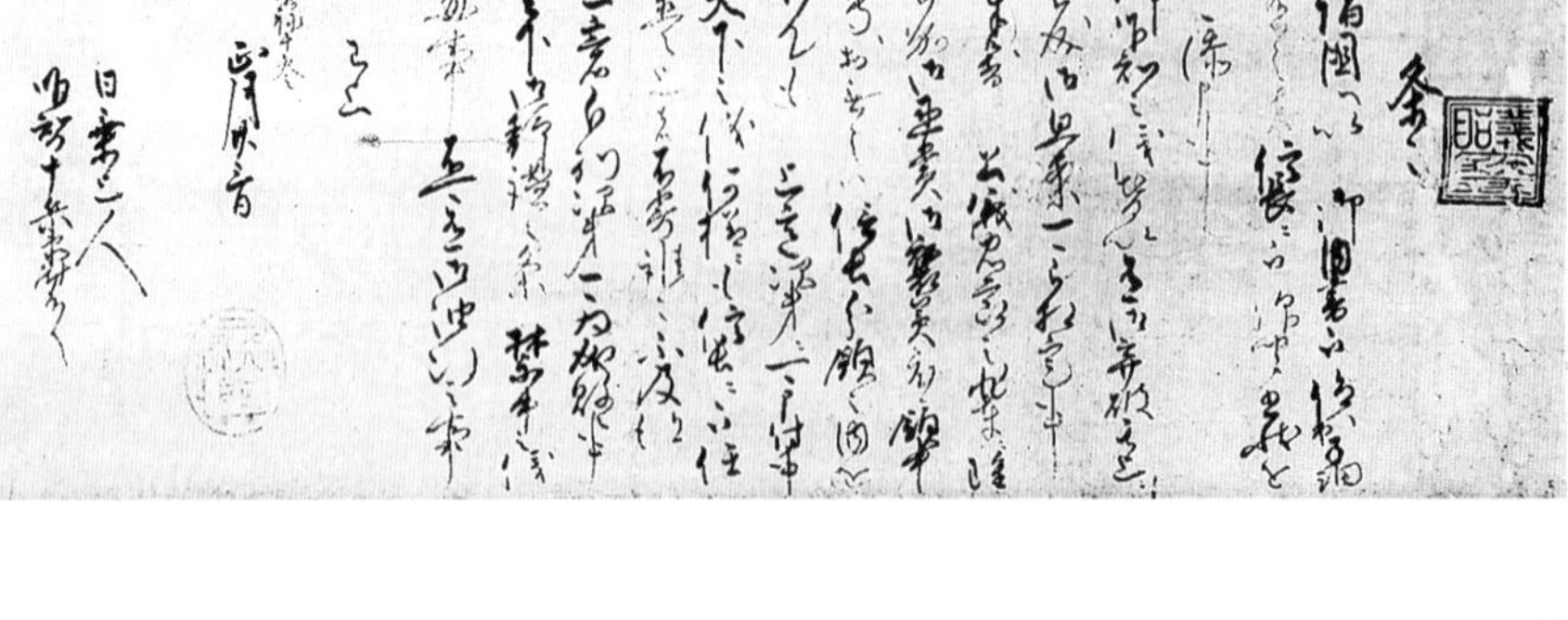

急報に接した。長政の妻は信長の妹で、信頼していた姻戚だったので、信長もさすがに驚いたが、このままでは袋の鼠《ねずみ》だとさとって撤退を試みた。越前から美濃への通路は遮断されていたし、近江の湖東も浅井に押さえられていたので、信長は若狭《わかさ》から朽木《くつき》を通る道を選んで必死の撤退を決行、三〇日の深夜に京都に着いた。

浅井父子の寝返りの理由は定かでないが、朝倉討伐にはさしたる名目もなかったし、信長の勢力がひたすら拡大してゆくのに不安を感じていたのかもしれない。浅井の決起によって朝倉義景は難を逃れたが、信長を滅ぼすことはできず、朝倉と浅井は信長との長い戦いに身を投ずることになる。

岐阜に帰った信長は、さっそく浅井討伐の準備を整え、六月には近江に入って小谷城を攻め、続いて横山城《よこやま》（滋賀県長浜市《ながはま》）を取り囲んだ。浅井氏の危機を救うべく、越前からも援軍が駆け付け、信長の側には遠く三河《みかわ》から馳《は》せ参じた徳川家康《とくがわいえやす》が加わって、姉川《あねがわ》を挟んで織田軍と朝倉・浅井軍がにらみあう格好になった。越前朝倉の軍勢は一万五〇〇〇、浅井軍は五、六〇〇〇ほどだったが、信長は家康とともに攻めかかり、激戦の末に勝利をおさめた。六月二八日のことである。

こうして雪辱を果たしたものの、そのまま攻めのぼる余力もなく、信長はいったん京都に入り、まもなく岐阜に帰った。八月になると三好長逸《みよしながゆき》を討伐するために摂津《せっつ》に出陣するが、ここで思いもかけない知らせに接する。大坂の本願寺《ほんがんじ》が三好三人衆と通じて兵を挙げたというのである。本願寺の顕如光佐《けんにょこうさ》も信長の勢力拡大を快く思っていなかったのだろうが、これによって天下の形勢は動き、

◉信長の弾劾状
「天下布武《てんかふぶ》」と刻まれた信長の朱印が見える。右端の黒印は足利義昭のもので、義昭が信長の言い分を認めて押印したことがわかる。

朝倉と浅井が信長不在のすきをねらって近江南部まで攻め寄せる事態になった。驚いた信長は摂津の陣を撤収して京都に戻り、近江坂本《さかもと》に出て朝倉・浅井の軍勢と対峙《たいじ》した。にらみあいが続くなかで冬を迎えるが、天皇や将軍の調停によって和睦が成立、年内に両陣営の撤退が実現した。

しかし講和は一時的なものにすぎず、翌元亀《げんき》二年（一五七一）になるとまもなく戦いが始まった。近江の中央にそびえる佐和山《さわやま》城（滋賀県彦根《ひこね》市）を手に入れた信長は、ここに重臣の丹羽《にわ》長秀《ながひで》を置き、小谷城に向かってにらみをきかせた。一方、浅井長政は五月になって姉川まで出陣して織田方の城を攻めた。八月には信長も動いて横山城に入り、小谷城を攻めて近辺に放火したのち、勢多《せた》（大津《おおつ》市）を通って坂本に入り、比叡山《ひえいざん》延暦寺《えんりゃくじ》に攻め込んだ。九月一二日のことである。麓《ふもと》の日吉《ひよし》社や山上の東塔《とうとう》・西塔《さいとう》・無動寺《むどうじ》などが焼け失せ、僧兵たちはことごとく討死《うちじ》にし、多数の僧俗男女が斬《き》り捨てられた。

朝倉や浅井に与《くみ》して山上から機をうかがっている比叡山延暦寺の存在は、信長にとって大きな脅威だった。王城鎮護《おうじょうちんご》の寺を灰燼《かいじん》に帰したことについては非難もあったが、比叡山の僧兵たちが長年

4

◉顕如光佐
証如《しょうにょ》の子で、一二歳で本願寺の第一一代法主となる。織田信長との戦いに敗れたが、羽柴秀吉《はしばひでよし》とは友好関係を保ち、本願寺の存続を実現した。

にわたって京都の幕府を悩ませてきたことも考慮に入れねばなるまい。みずからの主張を通すために、神輿《みこし》を担いで京都に現われ示威行動を行なうのは、僧徒たちの常套《じようとう》手段で、幕府内部の対立や大名たちの争いにも関与しながら、勝敗の帰趨《きすう》に大きな影響を及ぼしていたのである。信長にとって比叡山は、みずからの存在を脅かしかねない敵だった。だから先手を打って殲滅《せんめつ》したのである。

元亀三年にも同じような戦いが続いた。七月に信長が近江の虎御前山《とらごぜんやま》（滋賀県虎姫町《とらひめ》）に城を築いて浅井を攻めようとすると、朝倉義景もみずから軍勢を率いて近江に入り、信長と対峙した。大坂の本願寺は相変わらず朝倉に味方しており、三好義継《よしつぐ》も信長を裏切って朝倉に与し、本願寺と共同歩調をとっていた。朝倉・浅井と信長との戦いは三年に及び、決着のつかないまま天正《てんしよう》元年（一五七三）を迎えることになる。

信長包囲網の解体

朝倉義景《あさくらよしかげ》や本願寺《ほんがんじ》の顕如光佐《けんにょこうさ》が期待したのは、武田信玄《たけだしんげん》が出兵して織田信長《おだのぶなが》の背後を衝《つ》いてくれることだった。信玄自身は西に向かって出兵する必然性はそれほどなかったらしいが、朝倉や本願寺の要請を受け入れるかたちで、遠江《とおとうみ》・三河《みかわ》方面の攻略を開始した。元亀《げんき》三年（一五七二）一〇月に甲府《こうふ》を出た信玄は、遠江に入って二俣城《ふたまた》（静岡県浜松市）を陥落させ、一二月には三方ヶ原《みかたがはら》（同）で徳川家康《とくがわいえやす》の軍勢と戦って大勝利をおさめた。翌元亀四年二月には三河の野田城《のだ》（愛知県新城市《しんしろ》）を攻め落としたが、このころには病が重くなっていたとみえ、まもなく帰国の途につき、四月一二日、その五三年の生涯を閉じた。

信玄が野田城にいたころ、将軍足利義昭《あしかがよしあき》が信長と対決する姿勢をあらわにし、事態は急を告げた。信長は軍勢を率いて岐阜を出発、三月末には京都に入って、義昭のいる二条《にじょう》城を取り囲んで講和を迫った。いったん和議がまとまって信長も岐阜に帰るが、義昭の決意は固く、七月には二条城を出て南方の真木島《まきのしま》城（京都府宇治《うじ》市）に入って兵を挙げた。これを知った信長は、ただちに京都に入り、そのまま進んで真木島城を攻め立てた。かなわないとさとった義昭は、子息を人質に出して降伏し、城を逃れて三《み》好義継《よしよしつぐ》の居城の河内若江《かわちわかえ》城に入った。

このころには武田信玄死去の噂《うわさ》は広まっていただろうから、情勢の悪化は明白だったが、いったん振り上げた旗を降ろすわけにはいかなかったのだろう。若江に入った将軍義昭は、各方面に御内《ごない》書《しょ》を出して決起を促したが、信長もこの機会に反対勢力を殲滅《せんめつ》しようと行動を開始した。八月にな

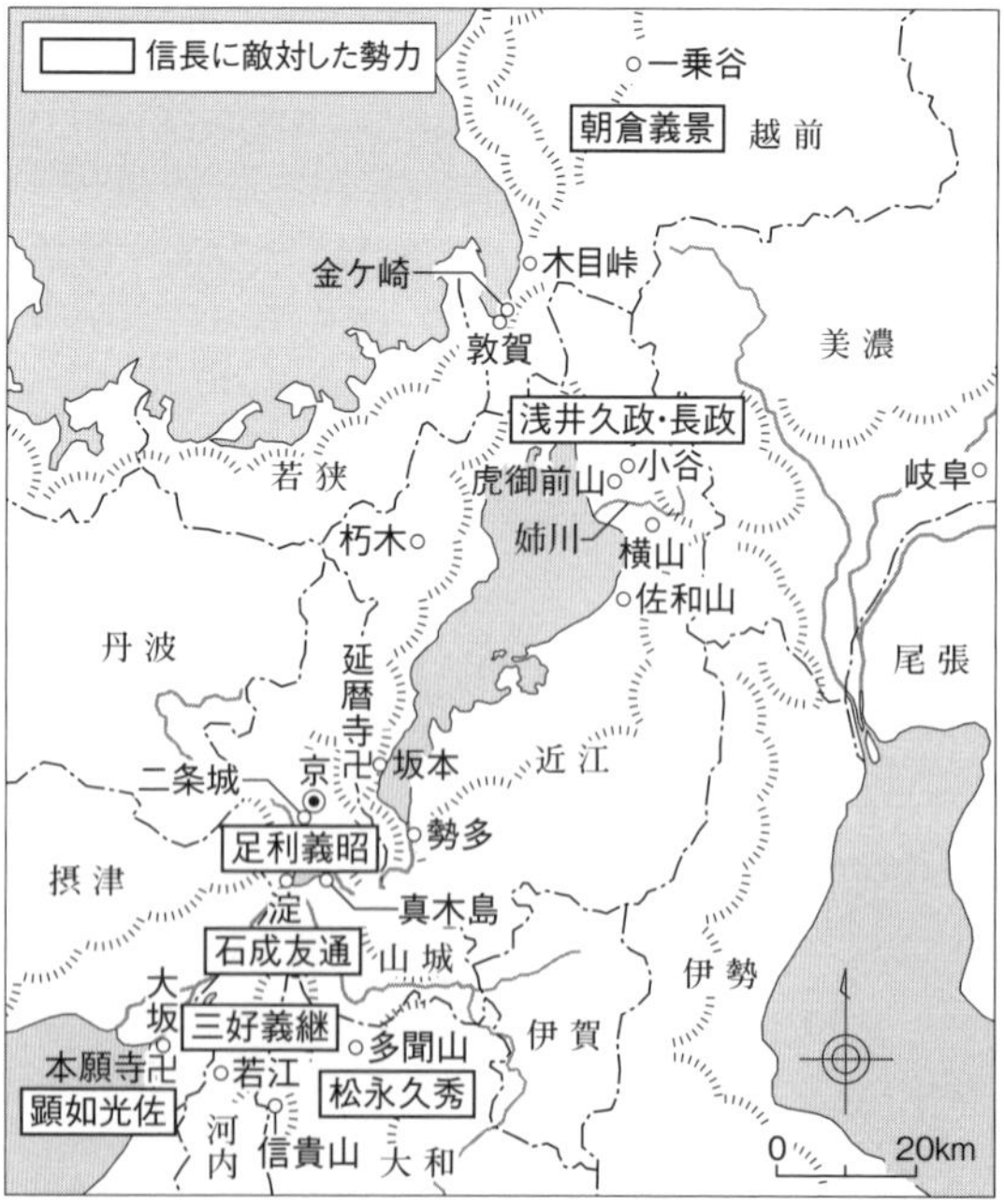

●崩れゆく信長包囲網
信長に敵対した浅井・朝倉と石成・三好は滅ぼされ、義昭は京都を離れた。松永は信長に従い、本願寺もいったん和睦して包囲網は解体する。

ると三好三人衆のひとりで淀《よど》城にいた石成友通《いわなりともみち》が討たれ、反信長陣営の一角が崩れた。

同じころ織田信長は浅井氏を討つべく近江《おうみ》に出兵、救援に駆け付けた朝倉の軍勢を打ち破り、そのまま勢いにのって敦賀《つるが》に進軍、一乗谷《いちじょうだに》めがけて攻撃を開始した。朝倉の家中は動揺し、一門や家臣がつぎつぎと降伏、朝倉義景は一門の朝倉景鏡《かげあきら》に迫られて自害した。八月二〇日のことである。朝倉討伐を実現した信長は、休む間もなく近江に引き返し、小谷《おだに》城の総攻撃にとりかかった。八月二七日、浅井久政《あざいひさまさ》・長政《ながまさ》父子は滅亡し、浅井氏の分国《ぶんごく》は羽柴《はしば》（木下《きのした》）秀吉《ひでよし》に与えられた。

将軍義昭の挙兵から浅井滅亡まで、二か月たらずの出来事だった。信長包囲網はここに解体し、信長の勢威は一気に高まった。若江城で抵抗していた三好義継も、佐久間信盛《さくまのぶもり》らに攻め込まれて、一一月一六日に自害し、三好の宗家はここに絶えた。三好とともに信長に反旗を翻した松永久秀《まつながひさひで》・久通《ひさみち》父子は、結局降伏して多聞山《たもんやま》城を信長に渡し、みずからは信貴山《しぎさん》城（奈良県平群《へぐり》町）に退いた。そして若江城から和泉堺《いずみさかい》に出ていた義昭は、信長の講和交渉を拒みつづけて紀伊《きい》に逃れた。

敵対勢力の鎮圧がほぼ実現した一二月上旬、信長は正親町《おおぎまち》天皇に対して譲位を実現させる準備があると申し入れた。財源不

●正親町天皇
三〇年にわたって天皇の地位にあり、譲位が実現したのは天正《てんしょう》一四年（一五八六）、七〇歳のときだった。

足などの理由で、後土御門《ごつちみかど》天皇の時代から生前の譲位はかなわなくなっていたが、信長のおかげでようやく実現できるかもしれないと、天皇は喜びをあらわにした。年内は日もないので、年が明けたらすぐに譲位の儀を執り行ないますと、信長は返答している。居ならぶ敵対勢力を討ち果たして、信長は得意満面だったのである。

安土城の時代

一向一揆と武田勝頼

年が明けたら譲位の儀式を執り行なうと、格好よく宣言した織田信長《おだのぶなが》だったが、思っていた以上に政治情勢は厳しく、譲位の話は結局沙汰止《さたや》みとなってしまった。天正《てんしょう》二年（一五七四）正月早々から、越前府中《えちぜんふちゅう》（福井県越前市）で富田長繁《とみたながしげ》らが一揆《いっき》を起こし、守護代《しゅごだい》の桂田長俊《かつらだながとし》が討ち取られたとの知らせが届いた。また武田信玄《たけだしんげん》の跡を継いだ子息の勝頼《かつより》が、美濃《みの》に攻め込んで明智《あけち》城（岐阜県恵那《えな》市）を陥落させていた。一向一揆《いっこういっき》と武田勝頼、これからしばらくの間、信長はこの二つの強敵に悩まされることになる。

武田勝頼は信玄の四男で、兄の義信《よしのぶ》が父と敵対して殺されたため、武田の跡継ぎになっていた。家督を継承したとき勝頼は二九歳、すでに壮年に達していたが、父の名声を汚すまいと、意欲的に外部進出をはかった。明智城攻略はその手始めだったが、さらに徳川家康《とくがわいえやす》に属していた遠江高天神《とおとうみたかてんじん》城（静岡県掛川《かけがわ》市）の攻撃を開始した。不利をさとった家康が信長に救援を依頼、信長は岐阜を出発して三河《みかわ》の吉田《よしだ》に到着するが、城主が耐えきれずに勝頼に降参したため、むなしく引き揚げざるをえなかった。

岐阜に戻った信長は、すぐに尾張長島《おわりながしま》（三重県桑名《くわな》市）の一向一揆討伐のため出陣した。七月一三日、織田軍の攻撃を受けた一揆衆は、長島・屋長島《やながしま》・中江《なかえ》の三か所に逃げ込み、ここで二か月半に及ぶ籠城《ろうじょう》を強《し》いられることになった。信長はさらに進んで伊勢大鳥居《おおどりい》の一揆衆を攻め、大鉄炮《おおでっぽう》で塀や櫓《やぐら》を切り崩した。八月二日の夜、風雨にまぎれて逃げ出そうとした人々に、織田の軍勢が襲いかかり、一〇〇〇人ばかりの男女が斬《き》り捨てられた。

大鳥居のそばの篠橋《しのはせ》にいた一揆衆も、城を捨てて長島に逃げ込むが、多くの人を抱え込んだ長島城では兵粮《ひょうろう》が枯渇《こかつ》し、餓死

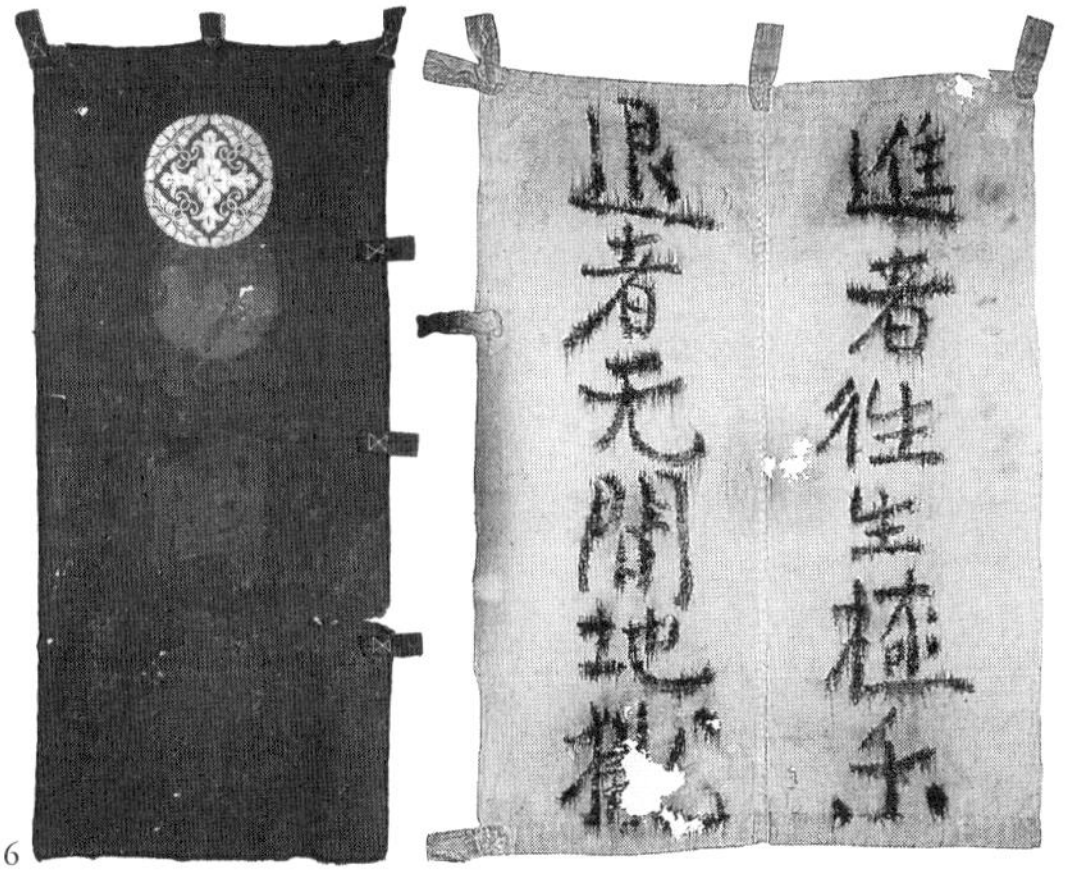

6

◉一向宗徒の旗
右の「進まば往生極楽、退かば無間地獄」と書かれた旗は、本願寺を支援した毛利軍の宗徒が用いたという。左は加賀の松岡寺《しょうこうじ》に残されていた旗。

者も出るありさまとなった。九月二九日、城の人々は舟で必死の逃亡をはかるが、弓や鉄炮で攻められて、川に落とされた。結局一揆は鎮圧され、矢長島と中江の城にこもっていた人々は、まわりを塀や柵《さく》で囲まれたうえで火をつけられ、二万人ほどが焼き殺された。

翌天正三年も信長は、武田と一向一揆との対決に迫られた。三河《みかわ》方面への進出を企てた武田勝頼が、大軍を率いて徳川家康配下の奥平信昌《おくだいらのぶまさ》のこもる長篠《ながしの》城（愛知県新城《しんしろ》市）に迫ったのである。城の危急を救うべく家康も浜松《はままつ》を出て三河吉田に到着し、前年と同じように信長に救援を請うた。川と堀に囲まれている長篠城は容易に落ちず、目的を達成できないまま織田軍の到来を知った勝頼は、兵を進めて敵と対峙《たいじ》し、決戦を挑んで大敗を喫した。五月二一日のことである。この一戦で武田は大きな打撃を受けたが、信長にも進んで攻め込む余力はなく、そのまま岐阜に引き返した。

八月になって信長は越前《えちぜん》の一向一揆討伐を決行、大軍を率いて出発し、越前敦賀《つるが》に到着、その翌日の一五日、柴田《しばた》勝家《かついえ》・佐久間《さくま》信盛《のぶもり》・滝川一益《たきがわかずます》・明智《あけち》光秀《みつひで》・丹羽《にわ》長秀《ながひで》・羽柴《はしば》秀吉《ひでよし》・長岡藤孝《ながおかふじたか》・荒木《あらき》村重《むらしげ》らをはじめとする三万余の軍勢が一団となって大良《だいら》越《ごえ》（福井県南越前《みなみえちぜん》町）に攻め込み、数百艘《そう》の船に乗った別働隊が海からあちこちの浦や湊《みなと》に乗り上げた。一向宗徒の砦《とりで》は陥落して二、三〇〇人が討ち取られたが、光秀と秀吉はそのまま進んで府中《ふちゅう》に攻め込み、二〇〇〇余騎の一揆衆を斬《き》り、

7

◉文字瓦
越前の小丸山《こまるやま》城跡（石川県七尾《ななお》市）から出土した文字瓦《もじがわら》。蜂起《ほうき》した一揆のうち一〇〇〇人ほどが生け捕りにされ、磔《はりつけ》や釜煎《かまい》り、焼き殺しにあったと書かれている。

勝家と長秀らは鳥羽《とば》の城（三重県鳥羽市）に攻めかかって五、六〇〇〇人を斬り捨てた。男女の別なく斬り殺せというのがこのときの基本方針で、捕らえられた一万二〇〇〇あまりの人々も斬殺《ざんさつ》された。

長島でも越前でも、男女を問わず皆殺しにする方針が貫かれ、多くの人命が失われた。阿弥陀如来《あみだにょらい》のもとに結束した人々の力を身にしみて知っていたからこうした行為に及んだということかもしれないが、これまでにない異常なことだった。そしてこの殺戮《さつりく》戦を実行したのは信長家臣の歴々だった。勝家も光秀も秀吉も、先を争い、競いあいながら一揆の討伐に身を投じたのである。

越前平定を実現させた信長は、柴田勝家を越前にとどめてその統治にあたらせることとし、支配の心得を説いた九か条の掟書《おきてがき》を勝家に与えたが、その最後の一か条にはこう書かれていた。「何事においても私のいうとおりにするのが肝要だ。非理無法のことがあったら意見を言ってほしいが、とにもかくにも私を崇敬して、軽々しく思わないでほしい。私のいる方角には足を向けない、といった気持ちでいることが大事だ。そうすれば侍として冥加《みょうが》もあり、武運長久でいられるはずだ」

自分のやり方については意見もあろうが、基本的には主人を信頼して励んでほしい。これが信長の願いだった。敵対勢力との戦いを続けながら、その尖兵《せんぺい》となって働いている家臣たちをどうまとめ、競いあわせるかが新たな課題となってきたのである。

安土築城

越前《えちぜん》平定を終えた織田信長《おだのぶなが》は、いったん岐阜に帰ったのち、天正三年《てんしょう》（一五七五）一〇月になって上京する。一一月、信長は権大納言《ごんだいなごん》に任じられて右近衛大将《うこのえたいしょう》も兼ね、長男の信忠《のぶただ》は秋田城介《あきたじょうのすけ》、次男の北畠信意《きたばたけのぶおき》（のちの信雄《のぶかつ》）は左近衛中将《さこのえちゅうじょう》に任じられた。まもなくして信長は信忠に家督を譲ると宣言、岐阜の城を信忠に渡し、翌天正四年正月、新たな支配拠点を近江《おうみ》の安土山《あづちやま》に定め、惟住長秀《これずみながひで》に築城を命じた（前年、信長から天皇に申請するかたちで、丹羽《にわ》長秀は惟住、明智光秀《あけちみつひで》は惟任《これとう》の名字を与えられていた）。普請は順調に進み、二月二三日、信長は安土に入った。

信長の居所《きょしょ》はとりあえずできたが、大石を積み上げて石垣を築き、さらに天守閣もつくるようにとの命令が下され、尾張《おわり》・美濃《みの》・伊勢《いせ》・三河《みかわ》・越前・若狭《わかさ》と畿内の侍たちや、京都・奈良・堺《さかい》の大工や職人たちが召し寄せられて、大がかりな建築工事が進められた。観音寺山《かんのんじやま》や長命寺山《ちょうめいじやま》（滋賀県近江八幡市《おうみはちまんし》）などから数限りない大石が切り出され、工事に参加した人々の手で山上まで運ばれた。蛇石《へびいし》と名付けられた巨大な石も、惟住長秀や滝川一益《たきがわかずます》・羽柴秀吉《はしばひでよし》らが動員した一万人の力で山の上まで運び込まれた。

安土山は観音寺城の北にあり、琵琶湖《びわこ》を眼下に見下ろす場所

8

◉安土城の絵図
江戸時代に描かれたこの絵図によると、安土城は湖と沼に囲まれていて、入り口の沼には橋が架かっている。頂上には天守閣がそびえ、その麓《ふもと》に摠見寺《そうけんじ》があった。（『安土城図』）

で、ここから舟で京都やさまざまな場所に容易に行けるという絶好の地の利をもっていた。観音寺城のような奥に入った高山に城を構える時代はすでに終わり、直接舟を出せるような交通の要地こそ、居城として適切であると信長は判断したのである。そこには七重の天守閣がそびえたち、山麓《さんろく》には家臣たちの屋敷が広がり、門前の町も繁栄をみせた。

二年後の天正六年正月、ある弓侍《ゆみざむらい》の家から火が出た。彼は妻子を尾張に残したまま安土に出てきていたが、失火があったのは妻子不在で無用心だったからだと問題視した信長は、この機会をとらえて城下の侍たちの実状調査を始めた。妻子を伴わず在城している者は一二〇人にのぼり、信長はさっそく岐阜の信忠に命じて、この侍たちの尾張の私宅を放火させた。この強硬な仕置きによって、尾張にいた妻子たちはみな安土に越していった。

信長の家臣はいずれも尾張出身で、多くの武士が妻子を尾張に置いていたが、信長はこうした状況を許さず、すべての武士の家族を城下に招き寄せた。侍本人だけでなく、その家族も城下に集住するという管理体制が、ここで確立されたのである。

◉安土城趾《し》
頂上の天守跡から山麓の家臣屋敷跡まで、現在でも石垣がよく残る。隣の観音寺城と比較すると、石垣づくりの技術の進歩は明瞭である。

本願寺との戦い

越前《えちぜん》の一向一揆《いっこういっき》を平定して一安心した信長《のぶなが》だったが、前途には新たな困難が待ち受けていた。本《ほん》願寺《がんじ》の顕如光佐《けんにょこうさ》が、改めて信長打倒の旗を上げたのである。天正《てんしょう》四年（一五七六）四月一四日、信長は惟任《これとう》（明智《あけち》）光秀《みつひで》・長岡藤孝《ながおかふじたか》・原田直政《はらだなおまさ》・荒木村重《あらきむらしげ》といった面々に大坂攻撃を命じた。荒木村重は大坂の北の野田《のだ》（大阪府高槻市《たかつき》）に砦《とりで》を構え、光秀と藤孝は大坂の東南の森口《もりぐち》（守口市《もりぐち》）と森河内《もりがわち》（東大阪市）にやはり砦を築いた。そして原田直政は大坂の南の天王寺《てんのうじ》に入ってにらみをきかせたが、本願寺方は楼岸《ろうのきし》と木津《きづ》を押さえて、難波口《なにわぐち》から海に出て諸方と連絡をとりあうことができるように算段していた。

　木津を乗っ取れば敵の連絡網を遮断できると考えた信長は、早くここに攻め込めと命令を下した。原田直政のいた天王寺砦に惟任光秀が入り、根来《ねごろ》・和泉衆《いずみしゅう》や大和《やまと》・山城《やましろ》の軍勢とともに木津に攻め寄せたが、このとき楼岸から本願寺方の一万の軍勢がどっと繰り出して織田軍を取り囲んだ。鉄炮《てっぽう》でさんざんに打ちのめされて織田の軍勢は総崩れとなって、原田直政は討死《うちじ》にし、本願寺勢はそのまま進んで天王寺の砦を取り囲んだ。五月三日のことである。

　圧倒的な兵力に押しつぶされた織田方の完敗だった。知らせ

●織田軍の本願寺攻略
信長配下の武将たちは森口・森河内・野田・天王寺に入って本願寺を包囲した。本願寺は海の入り口を押さえて遠方の味方と連絡をとった。

を聞いた信長は、ただちに京都を出発して河内《かわち》の若江《わかえ》城に入り、七日には摂津《せっつ》の四天王寺《してんのうじ》（大阪市）に出て、住吉口《すみよしぐち》から攻撃をしかけた。佐久間信盛《さくまのぶもり》・長岡藤孝・松永久秀《まつながひさひで》らが先陣をつとめ、惟住長秀《これずみながひで》・滝川一益《たきがわかずます》・羽柴秀吉《はしばひでよし》らの軍勢が続いて、そのあと信長の馬廻衆《うままわりしゅう》（騎馬武者）が攻め込んだが、信長自身も戦陣に身を投じ薄手《うすで》を負った。決死の努力が身を結んだのか、敵軍はしだいに後退し、天王寺砦は危機を脱した。

このあと信長は大坂城の四方の一〇か所に砦を築き、兵士を配置して城を取り囲み、住吉の浜手《はまて》に要害を構えて、海上警固の拠点とした。本願寺の軍勢は城の中に押し込められたが、織田方も城に攻め込むことができず、にらみあいが続くことになる。籠城《ろうじょう》が長引けば兵粮《ひょうろう》が枯渇《こかつ》するだろうと、信長も考えていたらしいが、中国地方に覇をとなえる毛利《もうり》氏が本願寺に味方して大量の兵粮を船で送り込んだため、こうした見通しも破綻《はたん》することになった。本願寺と毛利氏。信長はこの両者を敵にまわして苦労することになる。

西国の情勢

永禄《えいろく》九年（一五六六）年に尼子《あまこ》氏を滅ぼし、中国地方の大半を手に入れた毛利元就《もうりもとなり》は、新たな矛先を九州に向け、筑前《ちくぜん》の立花鑑載《たちばなあきとし》や肥前《ひぜん》の竜造寺隆信《りゅうぞうじたかのぶ》と連絡をとって大友宗麟《おおともそうりん》の領国を攪乱《かくらん》しようとした。永禄一一年、宗麟の重臣戸次道雪《べっきどうせつ》（鑑連《あきつら》）の活躍によって立花城は陥落し、鑑載は討ち取られたが、隆信は佐賀《さが》城を拠点としながら反抗を続け、永禄一二年に宗麟の軍勢に攻められてようやく和睦《わぼく》を結んだ。そして立花城の奪取を企てた毛利軍は、この年の夏に海上から城に押し寄せて、まもなく城を手中におさめた。

情勢は毛利に有利に進んでいるかにみえたが、ここで事件が起こる。尼子氏の一門の勝久《かつひさ》が、家の再興をはかって決起し、出雲《いずも》に攻め込んだのである。同じころ大内《おおうち》氏の一門の輝弘《てるひろ》も、大友宗麟の後援を得て周防《すおう》に攻め入り、山口を乗っ取ることに成功した。毛利によって滅亡に追い込まれた大名たちの復活戦が、時を同じくして始まったのである。

筑前《ちくぜん》に出ていた吉川元春《きっかわもとはる》と小早川隆景《こばやかわたかかげ》は、背に腹はかえられないと兵を撤退させ、ただちに山口を攻めた。大内輝弘はあえなく滅亡したが、尼子勝久とその家臣山中幸盛《やまなかゆきもり》の動きはおさまらず、各地で戦いが続いた。元亀《げんき》二年（一五七一）六月、毛利元就が七五歳で死去し、孫の輝元《てるもと》が当主となるが、この年の八月、勝久と幸盛はともに出雲から逃亡して京都に入り、尼子再興の戦いはとりあえず鎮圧された。

畿内を押さえた織田信長《おだのぶなが》が、播磨《はりま》や備前《びぜん》までその力を伸ばしてきたのはこのころだった。毛利輝元と信長との間はとりあえず円満だったが、天正《てんしょう》元年（一五七三）冬に信長が浦上宗景《うらがみむねかげ》に備前・美作《みまさか》・播磨三か国を安堵《あんど》するとの朱印状を与え、また山中幸盛が信長に主家再興を支援してほしいと願ったあたりから、毛利と信長の関係は悪化していった。

天正二年になると浦上と山中が結託して戦いを始め、再起した尼子勝久は因幡《いなば》の鳥取《とっとり》城に入った。毛利氏は備中《びっちゅう》の確保には成功したが、播磨以東に進むことは難しく、因幡の尼子も鎮圧できずにいた。毛利輝元が本願寺《ほんがんじ》と結びついたのは、こうした事態を乗り越えるためのひとつの方途だった。

天正五年になると播磨を舞台に毛利と織田方の戦いが始まった。まず、毛利軍が備前の宇喜多直家《うきたなおいえ》とともに播磨に乗りこむが、信長の命を受けた羽柴秀吉《はしばひでよし》は、一〇月に京都を出発して姫路《ひめじ》に入り、さらに播磨の上月城《こうづき》（兵庫県佐用町《さよう》）を陥落させて、ここに尼子勝久と山中幸盛を入れた。因幡から逃れて播磨に来ていた尼子と山中は、結局秀吉の配下に組み込まれ、毛利との戦いの前線に配置されたのである。

上杉氏の領国拡大と内紛

織田信長《おだのぶなが》が畿内近国のとりまとめに苦慮していたころ、東国や北国の情勢も変化を見せていた。天正《てんしょう》二年（一五七四）の閏《うるう》一一月、関東の中心部に位置する下総関宿城《しもうさせきやど》が北条《ほうじょう》軍の手中に落ち、北条氏が関東の過半を押さえるかたちが固まった。そして関東制圧の困難さをさとった上杉謙信《うえすぎけんしん》は、領国拡大の方向を西に転じることになる。

天正四年の秋、越中《えっちゅう》に入った謙信は、越中をほぼ制したのち加賀《かが》の津幡《つばた》（石川県津幡町）まで進み、さらに能登《のと》の七尾城《ななお》（石川県七尾市）を包囲した。年が明けて天正五年、謙信はいったん越後《えちご》に戻るが、秋になってまた出馬し、ふたたび七尾城を取り囲んだ。九月一五日、城はついに陥落、能登守護《しゅご》の畠山《はたけやま》氏はここに滅亡した。越前《えちぜん》にいた柴田勝家《しばたかついえ》は、上杉軍の進撃を阻止するべく加賀まで出てきていたが、謙信は湊川《みなとがわ》（富山県氷見市《ひみ》）で柴田軍と戦い撃退した。

七尾城陥落によって上杉領国は急速に拡大した。越後と上野《こうずけ》だけでなく、越中と能登も領国に組み入れ、加賀北部と飛驒《ひだ》もその影響下に入った。武田信玄《たけだしんげん》と同じく、謙信も一代のうちに領国を大きく広げたわけだが、こうした状況も長くは続かなかった。年が明けた天正六年三月一三日、謙信は春日山《かすがやま》城中で病死し、上杉家中は大規模な分裂を起こすことになる。

上杉謙信は生涯妻帯しなかったため実子はなく、越後上田《うえだ》の長尾政景《ながおまさかげ》と姉との間に生まれた景勝《かげかつ》を養子として育てていた。またかつて北条氏と和睦《わぼく》を結んだときに迎え入れた景虎《かげとら》も、養子のひとりとして抱え込んでいた。二人とも二〇代なかばの青年で、景虎の妻は景勝の妹という関係でもあったが、協力して上杉家を受け継ぐというのは難しく、家中を巻き込む大乱が勃《ぼっ》発《ぱつ》することになる。先手を制したのは景勝で、春日山城の本丸を占拠してみずからが家督であると宣言したが、景虎のほうも五月になって城を脱走し、越後府中《ふちゅう》の御館《おたて》にこもって対抗姿勢を明らかにした。

春日山城は景勝が押さえていたが、景虎の実家にあたる北条氏が救援に駆け付けることが予想されたので、勝敗は予断を許

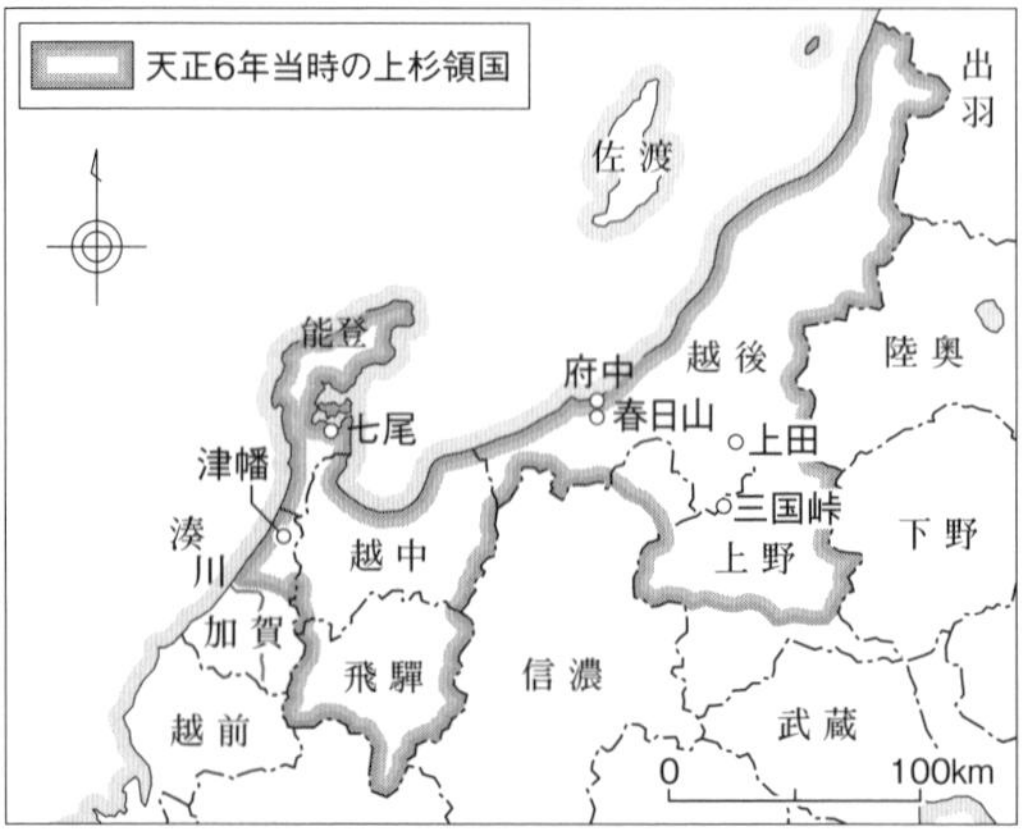

●上杉領国の拡大
越後と上野だけでなく、越中・能登・飛驒、さらには加賀まで上杉領国は拡大したが、長く確保することはできなかった。

さなかった。景虎の実兄である北条氏政《うじまさ》は、同盟関係にある武田勝頼《かつより》に出兵を依頼し、勝頼は越後に入るが、景勝を討って景虎を越後の国主にしても、結局は北条の勢力を伸ばすだけだと考えた勝頼は、むしろ両者の和議を模索していった。景勝は喜んで勝頼と同盟したが、景勝と景虎の和議締結は難しく、勝頼は軍勢を率いて甲斐《かい》に帰っていった。

上杉景勝は窮地を脱し、景虎は不利な立場に追い込まれた。やがて関東から北条氏の軍勢が三国《みくに》峠を越えて越後に攻め込むが、結局帰国を余儀なくされた。年が明けて天正七年三月、景虎は滅亡し、景勝は命の恩人ともいえる武田勝頼との同盟を確実なものとするべく、その妹を妻室に迎えた。

上杉との同盟によって武田勝頼は父の宿願だった信濃《しなの》全土掌握を実現したが、約束を反故《ほご》にされた北条氏政はさすがに怒って武田との断交を宣言し、駿河《するが》に攻め込む姿勢を見せた。武田と北条が同盟を結んで上杉に対するという関係は一転し、武田と上杉が結びついて北条と向かい合い、北条は徳川《とくがわ》や織田と連携をとるというかたちになったのである。武田と北条の争いは

9

●長尾政景夫妻
上杉景勝は謙信の姉（仙桃院《せんとういん》）と長尾政景の間に生まれた。夫妻が並んで座るかたちの肖像も、この時期多く描かれた。

上野でも展開されるが、天正八年六月になると、武田の有利は決定的になった。信濃と上野をほぼ手中にするという、父の実現できなかった課題を、武田勝頼は成し遂げたのである。

信長と家臣たち

上杉謙信《うえすぎけんしん》の侵攻に対抗するべく柴田勝家《しばたかついえ》らが加賀《かが》に進んでいたころ、摂津《せっつ》天王寺《てんのうじ》で本願寺《ほんがんじ》攻囲《こうい》にあたっていた松永久秀《まつながひさひで》・久通《ひさみち》父子が、陣中から脱走して大和《やまと》の信貴山《しぎさん》城にこもり、織田信長《おだのぶなが》に反旗を翻すという事件が起きた。天正《てんしょう》五年（一五七七）八月のことである。

各地を転戦しながら力を蓄えた久秀の力量を、信長も評価していたとみえ、大和の支配を任せていた。久秀父子は信長の家臣というわけでもないが、惟任光秀《これとうみつひで》・惟住長秀《これずみながひで》や羽柴秀吉《はしばひでよし》らとともに戦いに参加しており、実質的にみれば信長の重臣のひとりといえなくもない。松永父子の謀叛《むほん》は、信長配下の武将の離反のさきがけだった。

この謀叛は織田信忠《のぶただ》や光秀の活躍によって鎮圧され、久秀・久通父子は信貴山城で滅亡したが、一年後の天正六年一〇月、摂津の有岡《ありおか》城（兵庫県伊丹《いたみ》市）にいた荒木村重《あらきむらしげ》が本願寺と結んで謀叛を起こすという、いっそう深刻な事件が起きた。上杉謙信の死去によって北方からの脅威は去ったが、西の毛利《もうり》との戦いは思うにまかせず、この年の七月には播磨《はりま》の上月《こうづき》城が陥落し、尼子勝久《あまこかつひさ》と山中幸《やまなかゆき》盛《もり》も討ち取られた。村重謀叛の噂《うわさ》が広まったのはこうした時期で、信長も惟任光秀らを遣わして慰留に努め、村重もいったん和解に応じたが、結果的には信長との決別を宣言することになる。

本願寺との戦いに決着をつけられないまま、織田信長は摂津攻めに力を尽くさねばならなくなった。一一月に摂津に出陣した信長は、高槻城《たかつき》（大阪府高槻市）の高山友祥《たかやまともなが》や茨木城《いばらき》（同茨木市）の中川清秀《なかがわきよひで》らを味方に組み込んで有岡城の荒木村重を孤立させた。まもなく信長は安土《あづち》に帰って、荒木対策は家臣たちにゆだねられ、翌天正七年九月、村重は城を脱走して尼崎城《あまがさき》に入った。信長はただちに有岡城に入り、尼崎の村重に降伏勧告をするが、村重はこれを受け入れず、怒った信長は、村重の一族や家臣の家族たちを皆殺しにするというかたちで報復した。

荒木村重の反乱はほぼ鎮圧され、本願寺も長く抵抗するのは難しいとさとるに至った。天正八年閏《うるう》三月、顕如光佐《けんにょこうさ》はついに和議を受け入れ、子息の教如光寿《きょうにょこうじゅ》に大坂城を譲り渡して紀伊《きい》の雑賀《さいか》（和歌山市）に退いた。跡を継いだこの子息は強気で、ふたたび挙兵を企てるが、結局失敗して雑賀に逃れ、信長は大坂城をわがものとすることに成功した。そして八月、大坂に入った信長は、長く城の包囲にあたってきた佐久間信盛《さくまのぶもり》を追放すると宣言する。五か年に及ぶ在陣の間、とりたてて攻撃や調略《ちょうりゃく》をしなかったというのがその理由だった。

「大敵だから軽々しく手出しもできないし、そのうち降伏するだろうと呑気《のんき》に考えて、何もしなかったのだろうが、これでは武者道は成り行かない。勝ち負けを分別したうえで一戦を遂げようという心意気が大切なのだ。光秀は丹波《たんば》を平定して天下の面目を施したし、秀吉の活躍も比類ないものだ。勝家も越前《えちぜん》を押さえながら、それだけでは格好が悪いと考えて、この春に加賀に攻め込んで一国を奪い取ったではないか。みんな競ってがんばっているのに、おまえの体《てい》たらくは何事か」。信長はこう叱責《しっせき》したのである。

味方の兵力を温存したまま勝利に導くというこれまでの作法からみれば、佐久間の行動は常識的ともいえるが、信長の軍隊はそういうことでは成り立たないと、信長はここで強調している。各地に配置された部将たちが、競いあいながら積極的に領国拡大に邁進《まいしん》してくれなければならないと考えた信長は、一種の見せしめとして佐久間父子を追放したのであろう。

思いおこせば四年前、越前を任せた柴田に向かって、私に足を向けないという心持ちが肝要だと、信長は訓示を垂れていた。家臣たちが自分を尊敬しながら切磋琢磨《せっさたくま》してくれることを、彼は切望していたに相違ない。家臣が主君を乗り越えるのは時代の風潮で、信長が家臣の裏切りや自立を強く警戒していたのも当然といえるが、こうした問題に対処するにあたって、家臣の自由な活動を認めるというよりは、むしろ強くこれを統制しつつ奔走させるというかたちで、信長は権力の解体を阻止しようとしたのである。

しかし現実に戦いに明け暮れる部将たちにとって、こうした状況は手放しで喜べるものではなかったはずである。松永久秀や荒木村重が謀叛を起こした理由は定かでないが、信長の手先としてひたすら邁進することに、疑問がなかったとはいえないだろう。村重はもと摂津池田《いけだ》氏の郎党《ろうどう》にすぎなかったが、信長に見いだされて摂津一国の支配を任せられるまでに出世したという経歴をもつ。信長の恩義は深く感じていただろうが、それでも決起に及ばざるをえなかったのである。

こうした家臣の謀叛に対して、その家族を皆殺しにするという苛酷《かこく》な方法で信長は対応した。同じようなことをすればこうした目にあうと、多くの家臣たちに向けた政治的メッセージともいえるが、それが家臣たちの心を動かしたかどうかは疑わしい。

天正九年四月、信長は近江竹生島《おうみちくぶじま》（滋賀県長浜市《ながはま》）参詣《さんけい》に出かけるが、長浜に一泊するだろうと考えた女房たちは、たまの気晴らしにと桑実寺《くわのみでら》に出かけた。ところが信長はその日のうちに安土に帰り、女房がいないのに激怒して、桑実寺に使いを遣わして女房たちを出せと迫った。寺の長老は女房たちの助命を懇願したが、これも信長の気に障り、結局この長老も一緒に処刑されてしまった。

本願寺も屈伏させて、諸国の統一は順調に進んでいたが、信長の精神は不安定で、その苛酷さはいっそうきわだっていったのである。

10

◉都久夫須麻（竹生島）神社の本殿
竹生島は琵琶湖の北部に浮かぶ小島で、島の南方に都久夫須麻《つくぶすま》神社と宝厳寺《ほうごんじ》がある。神社の本殿は豪華な装飾で名高い。

秀吉と家康

激動の天正一〇年

荒木村重《あらきむらしげ》の反乱がなんとかおさまり、本願寺《ほんがんじ》との戦いも終局を迎えたころから、織田《おだ》信長とその配下の勢力拡大の試みは、順調に成功を重ねるようになっていった。天正《てんしょう》八年（一五八〇）正月、羽柴秀吉《はしばひでよし》率いる軍勢の攻囲に耐えきれず、播磨《はりま》の三木《みき》城がついに開城、城主の別所長治《べっしょながはる》が切腹するかわりに、兵士の命は助けるという約束のもとで開城は実現された。播磨を平定した秀吉は、続いて山陰の因幡《いなば》攻略に乗りだし、天正九年一〇月には、やはり城主の吉川経家《きっかわつねいえ》を切腹させるかたちで、鳥取《とっとり》城の接収に成功した。

北陸方面では柴田勝家《しばたかついえ》や前田利家《まえだとしいえ》・佐々成政《さっさなりまさ》らが活躍していた。天正八年の夏ごろには加賀《かが》をほぼ平定、さらに能登《のと》の七尾《ななお》城を手中にした。そして勝家配下の前田利家が能登一国を拝領し、七尾城に入ることになる。加賀に続く越中《えっちゅう》には佐々成政が入り、上杉景勝《うえすぎかげかつ》の軍勢とにらみあいを続けた。

天正九年九月には伊賀《いが》の平定が実現し、畿内近国は例外なく織田信長の統制下に入った。領国拡大によって動員できる兵力は格段に増えたが、こうした実力を背景として、信長はついに武田《たけだ》討伐を決行する。天正一〇年二月一二日、総大将の織田信忠《のぶただ》が岐阜を出発、徳川家康《とくがわいえやす》も南方から甲斐《かい》を衝《つ》くべく、浜松《はままつ》を出て駿河《するが》に向かった。まもなく信忠は信濃《しなの》に入るが、入り口にいた木曾義昌《きそよしまさ》は早くから織田に内通しており、信忠は難なく高遠《たかとお》まで兵を進めた。一方の家康は駿河江尻《えじり》城（静岡市）主の穴山信君《あなやまのぶきみ》を下して駿河を押さえ、甲斐に迫った。やがて高遠城は陥落、武田勝頼《かつより》は対戦かなわず新府《しんぷ》（山梨県韮崎《にらさき》市）の居館を去り、田野《たの》（同甲州《こうしゅう》市）まで逃れたところで敵兵に迫られて自害した。三月一一日のことである。

天正三年の手痛い敗戦のあとも、武田は衰退したわけでもなく、勝頼の努力もあって領国はむしろ広がりを見せていた。甲斐・駿河・信濃・上野《こうずけ》と広がる大大名だったわけで、勝頼はもとより、周囲の諸大名も、武田がこのようなかたちで滅亡するとは夢にも思っていなかっただろう。しかし信長の意志は固く、使命を帯びて攻め寄せた信忠の行動も素早かった。家臣たちの相次ぐ降伏によって、武田の領国は一か月たらずのうちに瓦解《がかい》したのである。

まもなく信濃に到着した信長は、広大な武田領国の家臣への配分を行なう。徳川家康は駿河を加増され、甲斐は河尻秀隆《かわじりひでたか》、上野は滝川一益《たきがわかずます》に与えられ、信濃の北部四郡が森長可《もりながよし》に、伊奈《いな》郡が毛利《もうり》秀頼《ひでより》にそれぞれ配分された。

武田のあっけない滅亡によって、同盟関係にあった上杉景勝《うえすぎかげかつ》は危機に陥った。森長可が南から迫ってきたし、柴田勝家率いる北陸の軍勢に包囲されて、越中の魚津《うおづ》城（富山県魚津市）は苦境に立たされた。六月三日、魚津城はついに陥落、命運尽きたかと景勝も覚悟したようだが、数日たつと柴田の軍は退散し、上方《かみがた》で大事件があったらしいという噂《うわさ》が流れてきた。

わずかの供衆《ともしゅう》を連れて京都の本能寺《ほんのうじ》に寄宿していた織田信長《おだのぶなが》が、惟任《これとう》（明智《あけち》）光秀《みつひで》の率いる軍勢の襲撃を受けて落命したのは、六月二日の早朝だった。光秀は続いて二条城《にじょう》に攻め込み、織田信忠《のぶただ》を討ち取ったのち、近江《おうみ》に入ってこれを平らげ、六月九日には上京して天皇に銀五〇〇枚を献上した。クーデターは成功したかにみえたが、毛利《もうり》氏との講和を実現させた羽柴秀吉が、摂津《せっつ》の尼崎《あまがさき》に入って将士を糾合《きゅうごう》するに及んで形勢は逆転する。六月一三日、山城《やましろ》の山崎《やまざき》での決戦に敗れた光秀は逃走の途中に討たれ、秀吉は安土《あづち》城を制圧して近江を平定、さらに美濃《みの》や尾張《おわり》に入って光秀の残党を一掃した。

柴田勝家・羽柴秀吉・惟住長秀《これずみながひで》・池田恒興《いけだつねおき》といった面々が尾張の清洲《きよす》城に集まって、信長の遺領配分を決めたのは、六月二七日のことだった。信長の次男北畠信雄《きたばたけのぶかつ》が尾張と伊勢《いせ》、三男の神戸《かんべ》信孝《のぶたか》が美濃を確保したが、それ以外は重臣たちで配分され、羽柴秀吉が山城と丹波《たんば》を取るかわりに、かつて秀吉の所領だった近江長浜《ながはま》二〇万石《ごく》は柴田勝家に譲り、近江の高島《たかしま》・志賀《しが》二郡は惟住長秀が獲得し、池田恒興は十七箇所《じゅうしちかしょ》（大阪府寝屋川《ねやがわ》市ほか）と大坂をもらうことなどが決められた。

また信雄と信孝が跡目争いをして決着がつかないので、信忠の遺児三法師《さんぼうし》（のちの秀信《ひでのぶ》）をとりあえず家督に据えることになり、その傅役《もりやく》（世話係）となった堀秀政《ほりひでまさ》は近江中郡二〇万石

11

◉惟任（明智）光秀
明智は美濃の名族だが、光秀自身の出自は謎につつまれている。五五歳と伝えられる享年も確証がなく、より高齢だったとの説もある。

を配分された。

本領を失ったとはいえ、秀吉は山城と丹波を獲得し、結果的にはひとり勝ちのかたちになった。不満を抱いた柴田勝家は早々に帰国し、秀吉は惟住長秀を相談相手にしながら京都周辺の差配にあたらざるをえなくなった。家督になれず美濃しかもらえなかった神戸信孝も、勝家と結びながら秀吉の行動を非難したが、秀吉は長文の書状で反論を試みている。

「お父上の無念を散じて差しあげたいばかりに私も奔走したのです。信孝様のお力だけで光秀の首を取ることもできたでしょうが、私が急ぎ馳《は》せのぼったから、あっというまに本意を達することができたのです」。光秀の反乱を鎮圧できたのはひとえに自身の功績によるものだという、確固とした自信に裏付けられた反論だった。

◉本能寺と二条城
本能寺も二条城も、現在のものは当時と場所が異なっている。本能寺は秀吉の命で現在地に移転され、二条城は家康によって造営された。

徳川家康の雄飛

織田信長《おだのぶなが》が本能寺《ほんのうじ》で討たれたとき、徳川家康《とくがわいえやす》は和泉《いずみ》の堺《さかい》にいたが、決死の逃亡を試みて三河《みかわ》に帰り、しばらく状況を見たのち、惟任光秀《これとうみつひで》を討伐するといって尾張《おわり》の鳴海《なるみ》（名古屋市《なごや》）まで出たが、すでに光秀が討たれて決着がついたことを知り、なすすべなく浜松《はままつ》に帰った。

しかし信長の横死は、願ってもない領国拡大のチャンスをもたらした。当時家康は三河・遠江《とおとうみ》・駿河《するが》の三国を領していたが、駿河の隣国甲斐《かい》を治めていた河尻《かわじり》秀隆《ひでたか》が、地域の武士の襲撃にあって落命し、甲斐は一種の空白状態になっていたのである。七月三日に浜松を出発した家康は、駿河を経て甲斐の府中《ふちゅう》に入り、国内の武士たち配下におさめ、さらに信濃《しなの》に進んで諏訪《すわ》頼忠《よりただ》に圧力をかけた。

家康と同じように北条氏政《ほうじょううじまさ》・氏直《うじなお》父子も動いた。上野《こうずけ》に入った氏直は、神流川《かんながわ》の戦いで滝川一益《たきがわかずます》を撃破して上野の過半を制圧し、東から信濃に迫った。こうして信濃をめぐって徳川と北条の対陣が繰り広げられることになる。八月一日、八ヶ岳山麓《やつがたけさんろく》の乙骨《おっこつ》(長野県富士見町《ふじみまち》)で両軍の合戦があり、その後もにらみあいが続いた。信濃佐久《さく》の依田信蕃《よだのぶしげ》が家康の先鋒《せんぽう》として活躍していたが、彼の説得もあって真田昌幸《さなだまさゆき》が家康に降り、諏訪頼忠も家康に来属すると、上杉景勝《うえすぎかげかつ》に制圧された北部を除く信濃はほぼ家康のもとに置かれる格好になった。こうした

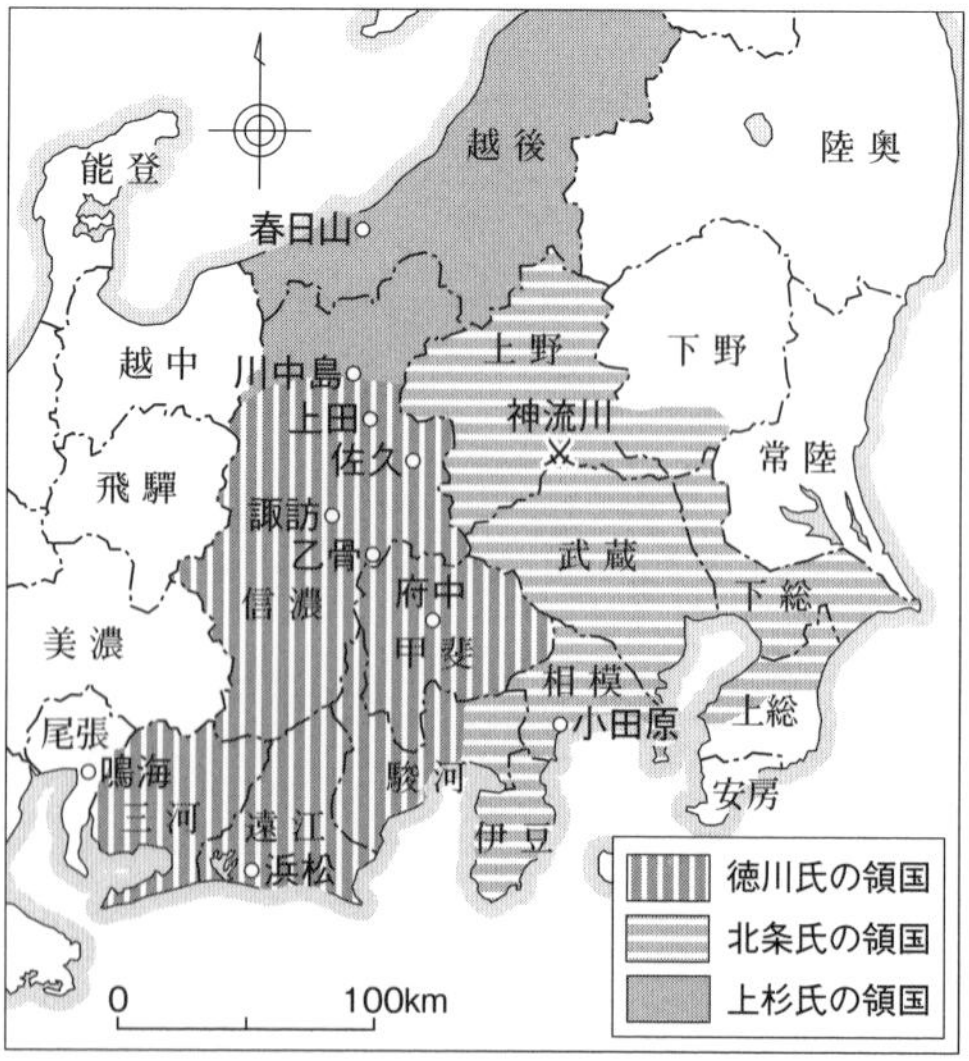

◉天正一〇年の東国
徳川家康は甲斐と信濃の過半を獲得し、北条氏は上野をわがものとした。上杉景勝は信濃の川中島《かわなかじま》を手に入れた。

状況のなかで徳川と北条の和睦《わぼく》工作が進められ、甲斐《かい》と信濃は徳川、上野は北条のものとすることで話がまとまった。

信濃北部の四郡を押さえていた森長可《もりながよし》も、後ろ盾を失って逃走したので、上杉景勝は難なく信濃北部の掌握に成功した。父の悲願だった川中島《かわなかじま》の確保を、景勝はついに実現したのである。滝川も森も河尻も、しょせんは信長の一部将にすぎず、わずか数か月でせっかくもらった国を失ってしまう。そしてかつての武田の遺領は、北条・上杉・徳川の三者によって切り取られたのである。

北条は上野、上杉は信濃北部を新たに手に入れたが、この混乱のなかでいちばん得をしたのは徳川家康だった。甲斐一国と信濃の過半を手に入れた家康は、大久保忠世《おおくぼただよ》・鳥居元忠《とりいもとただ》・平岩親吉《ひらいわちかよし》といった家臣たちに両国の仕置きを任せたうえで、一二月になって意気揚々と浜松《はままつ》に入った。家康はついに三河・遠江・駿河・甲斐・信濃とつながる五か国の太守《たいしゅ》(国主大名)となったのである。

勝家と信孝の滅亡

神戸《かんべ》信孝《のぶたか》と柴田《しばた》勝家《かついえ》は共同して決起の時をうかがい、羽柴秀吉《はしばひでよし》も来るべき戦いに備えた。天正《てんしょう》一〇年(一五八二)一二月、秀吉はかつての居城だった近江《おうみ》の長浜《ながはま》城に圧力をかけ、城将《じょうしょう》の柴田勝豊《かつとよ》を降伏させることに成功し、そのまま美濃《みの》に進んで信孝のいる岐阜城を取り囲んだ。織田《おだ》家の家督に決められた三法師《さんぼうし》は、これまで信孝が抱え込んでいたが、羽柴勢の攻囲に耐えきれず、信孝は三法師を秀吉に手渡して降伏した。翌天正一一年閏《うるう》正月、信孝の兄北畠信雄《きたばたけのぶかつ》が三法師とともに安土《あづち》に入り、幼少の甥《おい》にかわって政務をみるというかたちになった。

二月になると秀吉は伊勢《いせ》の攻略を開始した。上野《こうずけ》から逃れて伊勢に入っていた滝川一益《たきがわかずます》が信孝と勝家に与《くみ》していたので、これをこらしめようとしたわけだが、そうした秀吉の陣中に、越前《えちぜん》の軍勢が動いたとの知らせが届く。ただちに長浜に引き返した秀吉は、佐久間《さくま》盛政《もりまさ》率いる大軍が近江北端の柳瀬《やながせ》（滋賀県余呉《よご》町）まで出てきていることを知り、北に進んでこれと向かい合った。

対陣が続くなか、予想どおり岐阜の神戸信孝が兵を挙げたとの連絡が届いた。近江北部の陣を諸将に守らせながら、秀吉は美濃に進んで大垣《おおがき》城（岐阜県大垣市）に入り、岐阜城をにらみつけた。四月二〇日、佐久間盛政が大岩山《おおいわやま》（滋賀県野洲《やす》市）の陣地を襲い、守将《しゅしょう》の中川清秀《なかがわきよひで》が討死《うちじ》にするが、急遽《きゅうきょ》引き返した秀吉は、翌二一日、賤ヶ岳《しずがたけ》（滋賀県木之本《きのもと》町）の地で盛政の軍勢を大破し、そのまま越前に攻め込んだ。

北荘《きたのしょう》（福井市）の居城を攻囲《こうい》された柴田勝家は、二四日に夫人（信長の妹）とともに自害し、翌日

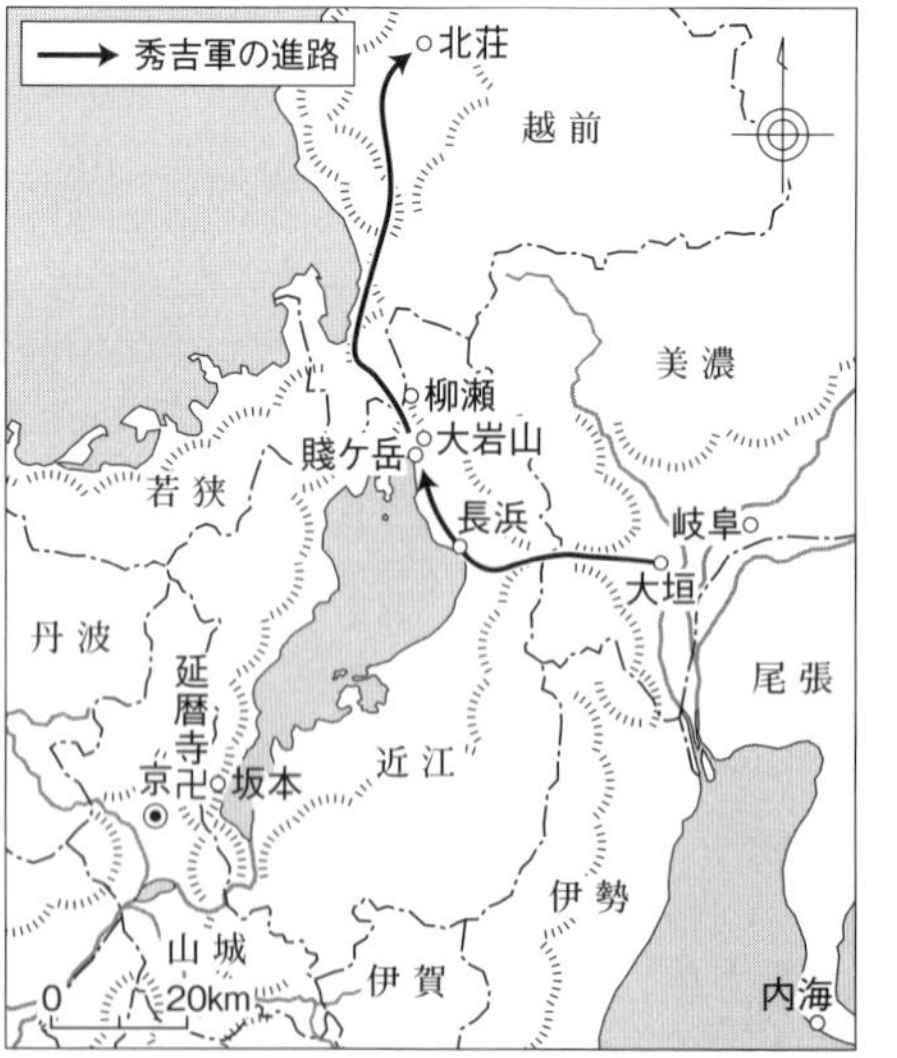

●賤ヶ岳の戦いと越前攻略
美濃の大垣に出ていた秀吉は、味方の敗戦を聞いて引き返し、賤ヶ岳で大勝、そのまま越前に攻め込んだ。北荘落城までわずか四日だった。

には加賀《かが》の将士も降伏して、越前・加賀の平定は実現された。近江坂本《さかもと》から馳《は》せ付けて活躍した惟《これ》住長秀《ずみながひで》が越前と加賀南部の二郡を与えられ、勝家と決別して越前攻略の先鋒《せんぽう》をつとめた前田利家《まえだとしいえ》が加賀の石川・河北二郡を与えられた。利家が金沢《かなざわ》を拠点とするのはこのときからである。

勝家の滅亡によって神戸信孝の命運も定まった。尾張《おわり》の内海《うつみ》（愛知県南知多町《みなみちた》）に幽閉された信孝は、まもなく秀吉の命により自害させられた。五月二日のことである。滝川一益もやがて降伏し、伊勢の平定も実現した。毛利《もうり》輝元《てるもと》も人質を秀吉のもとに送って服属の意を明らかにした。北畠信雄を実質的家督に据えるかたちで、秀吉は畿内とその周辺の平定をとりあえず成し遂げたのである。

八か月の対陣

畿内を押さえた羽柴秀吉《はしばひでよし》は、まもなくして東の雄、徳川家康《とくがわいえやす》と向かい合うことになる。家康は織《お》田信長《だのぶなが》の同盟者だったから、秀吉とは格が違うし、領国を五か国に拡大させて勢いづいていたから、簡単に秀吉に服属するわけもなかった。天正《てんしょう》一二年（一五八四）になって、家康は秀吉に正面から挑み、長い戦いが始まることになる。

きっかけをつくったのは織田（北畠《きたばたけ》）信雄《のぶかつ》だった。実質的な織田の家督となっていた信雄は、形式的には諸将の頂点にいたが、秀吉には逆らえない状況に置かれていて、しだいに不満をつのらせていたのだろう。家康とひそかに通じながら、信雄は決起の時期を探り、この年の三月六日、秀吉の意を受けたお目付役である三人の家老《かろう》を殺害して、秀吉との絶交を宣言した。

秀吉はみずからの新たな拠点とするべく大坂城の普請を進めていたが、知らせを聞いてただちに京都に入り、そのまま近江《おうみ》に出陣、池田恒興《いけだつねおき》・森長可《もりながよし》ら美濃《みの》の部将たちも秀吉のもとに参じた。一方、家康は浜松《はままつ》を出発して尾張《おわり》の清洲《きよす》に出て信雄と会見した。三月末になると尾張に入った秀吉が楽田《がくでん》（愛知県犬山《いぬやま》市）に陣を構え、家康が小牧山《こまきやま》に布陣して、両軍対陣の構図が固まった。

先にしかけたのは秀吉方だった。四月九日のこと、秀吉の甥《おい》の三好秀次《みよしひでつぐ》を大将とする一団が、小牧山の陣を通り越して家康の本拠岡崎《おかざき》を衝《つ》こうとしたが、気づいて引き返した家康の軍勢と尾張長久手《ながくて》（愛知県長久手町）の地で決戦がなされた。この戦いで秀吉方は大敗、池田恒興・森長可らの歴々が討死《うちじ》にした。

早いうちに家康の出鼻をくじこうという作戦は失敗に終わったが、家康のほうも美濃以北に兵を進めるわけにもいかず、これから両軍の対陣が延々と続くことになる。いったん大坂に帰った秀吉は、七月にふたたび美濃まで来るが、尾張に進むこともできずにまた引き返し、新築なった大坂城に入った。八月に秀吉はふたたび出陣、久方ぶりに尾張に入り、家康も岩倉《いわくら》（愛知県岩倉市）まで出て対抗した。

両雄がふたたびにらみあう場面になったが、決定的勝敗をつ

12

●織田信雄
秀吉の命に逆らって領国を失うが、やがて許されて相伴衆《しょうばんしゅう》となった。家康とも親しく、五万石を与えられて、七三歳の天寿をまっとうした。

けられないのは明らかで、まもなく和睦《わぼく》交渉が始まった。一一月一五日、桑名《くわな》の近くで織田信雄と会見した秀吉は、信雄の子と弟長益《ながます》の子、重臣たちの子や母を人質に出すことを条件に講和を受け入れ、伊勢《いせ》北部四郡と尾張の犬山（愛知県犬山市）・甲《こう》田《だ》（同一宮《いちのみや》市）は秀吉方のものとすること、伊勢北部や尾張で築いた城は両軍ともすべて破却することを取り決めた。講和のかたちをとるものの、実質的には信雄の敗北で、信雄も秀吉配下の一員であることが確認される格好になった。家康との講和交渉はやや時間がかかったが、家康が次男の於義丸《おぎまる》（のちの秀康《ひでやす》）を秀吉に人質として差し出すことで話がまとまった。

東国五か国の太守《たいしゅ》である家康との対陣を乗り越えて、秀吉の地位はようやく定まった。越後《えちご》の上杉景勝《うえすぎかげかつ》は早い時期から秀吉への服属を宣言しており、北陸での反抗勢力は越中《えっちゅう》の佐々成政《さっさなりまさ》のみという状況になった。東は越後・信濃《しなの》・駿河《するが》、西は長門《ながと》・周防《すおう》まで、大きく広がるこの一帯が、とりあえずは秀吉の威令の届く範囲におさまったのである。

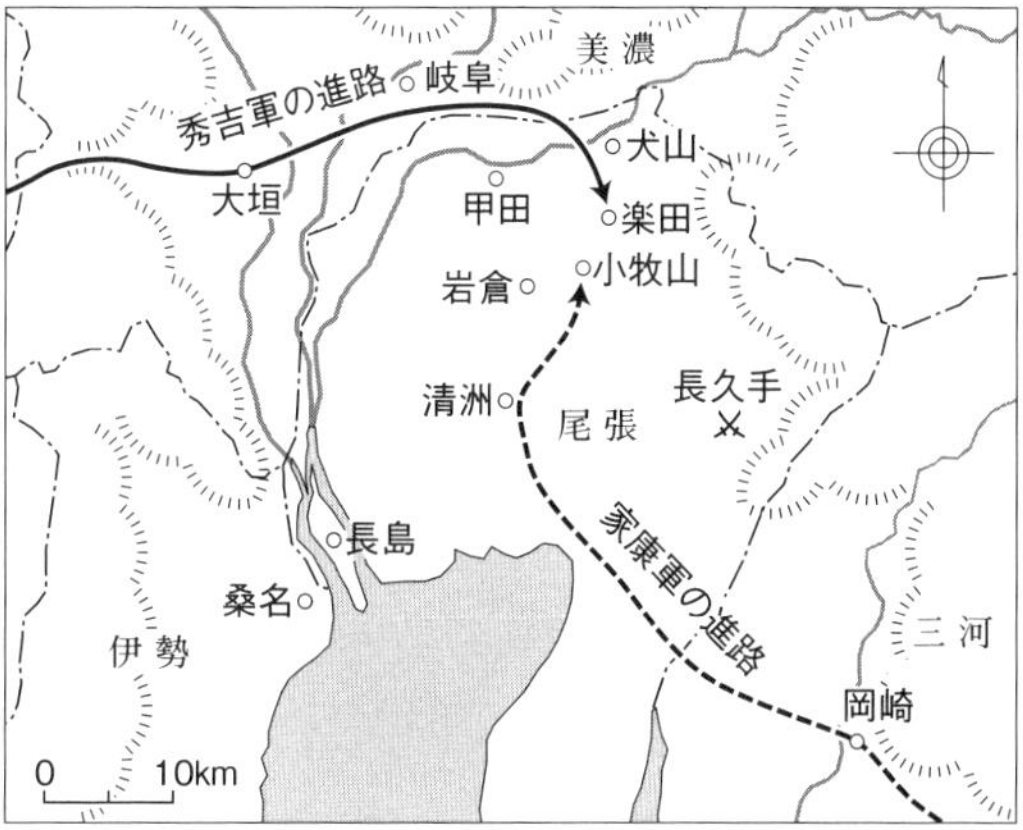

●小牧・長久手の戦い
秀吉は楽田に入り、対する家康は小牧山に布陣した。岡崎に向かった秀吉方は長久手の地で大敗し、これからは両者のにらみあいが続いた。

コラム7

羽柴か豊臣か

天正《てんしょう》一三年（一五八五）に関白《かんぱく》に任じられた羽柴秀吉《はしばひでよし》は、それに先立って近衛《このえ》前久《さきひさ》の猶子《ゆうし》となり、姓を「藤原《ふじわら》」に改めた。近衛は藤原姓だから当然ともいえるが、しばらくして秀吉は「豊臣《とよとみ》」と姓を改める。このときから羽柴秀吉は豊臣秀吉になったとふつういわれているが、ことはいささか複雑である。

そもそも「藤原」といった姓は、本来「氏名《うじな》」と呼ばれるべきもので、「源《みなもと》」や「平《たいら》」もこれにあたる。古代の人々はこの「氏名」しかもたなかったが、やがて地名などに由来する「足利《あしかが》」のような名字を名のるようになる。

そう考えると羽柴は名字で、豊臣は「氏名」ということになるから、豊臣姓になったからといって羽柴の名字を改めたことにはならない。秀吉は生涯「羽柴秀吉」だともいえるのである。

ところで秀吉は居ならぶ諸大名に「羽柴」を名のらせ、「豊臣」の姓は大名の家臣たちにまで下賜した。どちらも政治的に利用し、自分の一家に人々をおさめようとしていたらしい。氏と名字の違いなど、秀吉は関心がなかったのかもしれない。

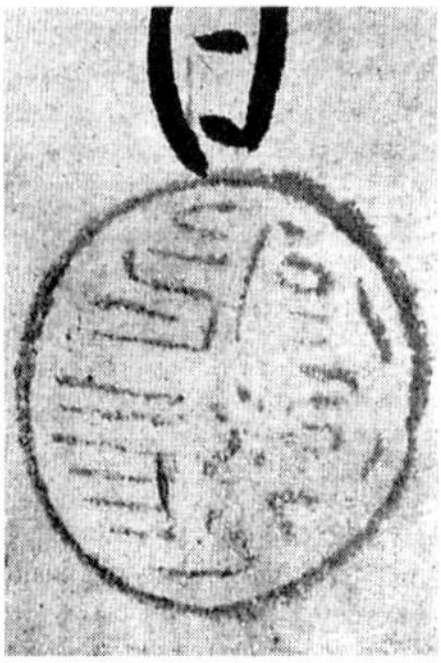

◉秀吉の朱印
秀吉は列島各地に大量の朱印状を発給したが、その紙は大型で、決まって円形の朱印が押されていた。印文は解読できていない。

第八章

戦乱の時代の終焉

——秀吉から家康へ

1

秀吉の戦争と平和

竜造寺・島津・長宗我部

安土《あづち》を拠点としながら織田信長《おだのぶなが》が勢力圏を広げていたころ、西国でも新たな動きが現われていた。大内《おおうち》氏滅亡ののち、豊後《ぶんご》の大友義鎮《おおともよししげ》（宗麟《そうりん》）が急速に領国を広げ、豊後・豊前《ぶぜん》・筑前《ちくぜん》・筑後《ちくご》・肥前《ひぜん》・肥後《ひご》と連なる六か国の守護職《しゅごしき》を獲得したが、広大な領国をまとめるのは容易でなく、やがて各地で反乱が起こることになる。その先鋒《せんぽう》となったのは肥前佐賀《さが》の竜造寺隆信《りゅうぞうじたかのぶ》だった。これまでも隆信はたびたび大友に反旗を翻していたが、やがて肥前各地を攻めて国内の平定を進め、大友とは完全に決別した。

天正《てんしょう》三年（一五七五）には筑後に出て三池《みいけ》城（福岡県大牟田《おおむた》市）の三池鎮実《しげざね》を降伏させ、天正五年には肥前の伊万里《いまり》（佐賀県伊万里市）に出陣して松浦鎮信《まつうらしげのぶ》を配下に加え、翌天正六年には有馬鎮貴《ありましげたか》（のちの晴信《はるのぶ》）も軍門に降った。天正九年には肥後の隈府《わいふ》（熊本県菊池《きくち》市）まで進み、さらに島津《しまづ》氏に通じた筑後柳川《やながわ》（福岡県柳川市）の蒲池鎮並《かまちしげなみ》を討ち取っている。一〇年ほどの間に肥前と筑後は竜造寺氏の領国に組み込まれ、肥後の北部もそのなかに入った。短い年月のうちに、竜造寺隆信はひとかどの大名となっていったのである。

◉**初花《はつはな》**
唐物肩衝《からものかたつき》の白眉《はくび》とされる茶入《ちゃいれ》。信長が所有し、のちに家康の手に渡ったが、家康が秀吉に献上、秀吉は多くの茶会でこれを用いた。
前ページ図版

同じころ南の島津氏もようやく勢力拡大の歩みを始めていた。日向《ひゅうが》の過半を押さえていた伊東義祐《いとうよしすけ》の軍勢が何度も攻め込み、島津義久《よしひさ》は対応に追われていたが、元亀《げんき》三年（一五七二）五月、木崎原《きさきばる》（宮崎県えびの市）の戦いで大勝したことで形勢は逆転した。天正五年の冬、島津軍の攻撃を受けて伊東義祐は都於郡《とのこおり》城（同西都市《さいと》）を脱走、島津義久は日向を領国に組み込むことに成功した。逃げ込んできた伊東の要請を受けるかたちで、大友軍は日向に攻め込んだが、天正六年一一月、耳川《みみかわ》の決戦で大敗を喫した。

この決戦は、周囲に大きな影響を及ぼした。大友が敗れたと知った筑前の武士たちの多くが離反したのである。秋月種実《あきづきたねざね》や宗像氏貞《むなかたうじさだ》など、かつて大友に屈伏させられた人々がそろって決起し、立花《たちばな》城（福岡県新宮町《しんぐうまち》）主として統治にあたっていた戸《べ》次道雪《つきどうせつ》（鑑連《あきつら》）も、彼らとの戦いに明け暮れることとなった。

土佐岡豊《とさおこう》（高知県南国市《なんごく》）の長宗我部元親《ちょうそかべもとちか》が四国平定の勢いを見せたのもこの時期だった。永禄《えいろく》三年（一五六〇）に家督を継いだ元親は、土佐の各地に兵を進めて豪族たちを従え、永禄

2

3

◉竜造寺隆信（右）と長宗我部元親（左）
織田信長が活躍していた同じ時期に、竜造寺隆信と長宗我部元親は地域の統一を進めていた。中規模の領主から出発した二人は、やがて数か国を従える戦国大名となる。

一二年には戦いを繰り返していた安芸国虎《あきくにとら》を滅ぼし、さらに土佐国司《こくし》の一条《いちじょう》氏も傘下《さんか》におさめた。こうして土佐平定をほぼ実現した元親は、隣国の阿波《あわ》や伊《い》予《よ》南部に出兵し、天正六年には讃岐《さぬき》に乱入して香川《かがわ》氏を配下におさめた。

天正九年、三好《みよし》一族の十河存保《そごうまさやす》が阿波の勝瑞《しょうずい》城（徳島県藍住《あいずみ》町）にこもって元親に挑んだ。織田信長もこれを支援して、元親は窮地に陥るが、天正一〇年六月に信長が死去したことにより虎口《ここう》を脱し、まもなく存保を破って阿波を平定、さらに讃岐に入って、天正一一年六月には十河《そがわ》城（高松市）を陥落させた。存保は京都に逃れ、讃岐も長宗我部の領国に組み入れられたが、元親は勢いにのって伊予に侵入し、天正一三年の春には湯築《ゆづき》城（松山市）主の河野通直《こうのみちなお》を降して四国平定を成し遂げた。

日向を手に入れた島津氏は、続いて肥後への出兵を本格化し、天正一〇年になると肥後の中央部まで島津氏の力が及ぶことになるが、これが竜造寺配下の諸士の離反を招いた。筑後鷹尾《たかお》城（福岡県柳川《やながわ》市）主の田尻鑑種《たじりあきたね》がさっそく島津氏に通じて反旗を翻し、軍勢の襲来を受けていったん降伏したが、天正一二年には肥前日野江《ひのえ》（長崎県南島原《みなみしまばら》市）の有馬鎮貴（晴信）がやはり反乱を起こして討伐

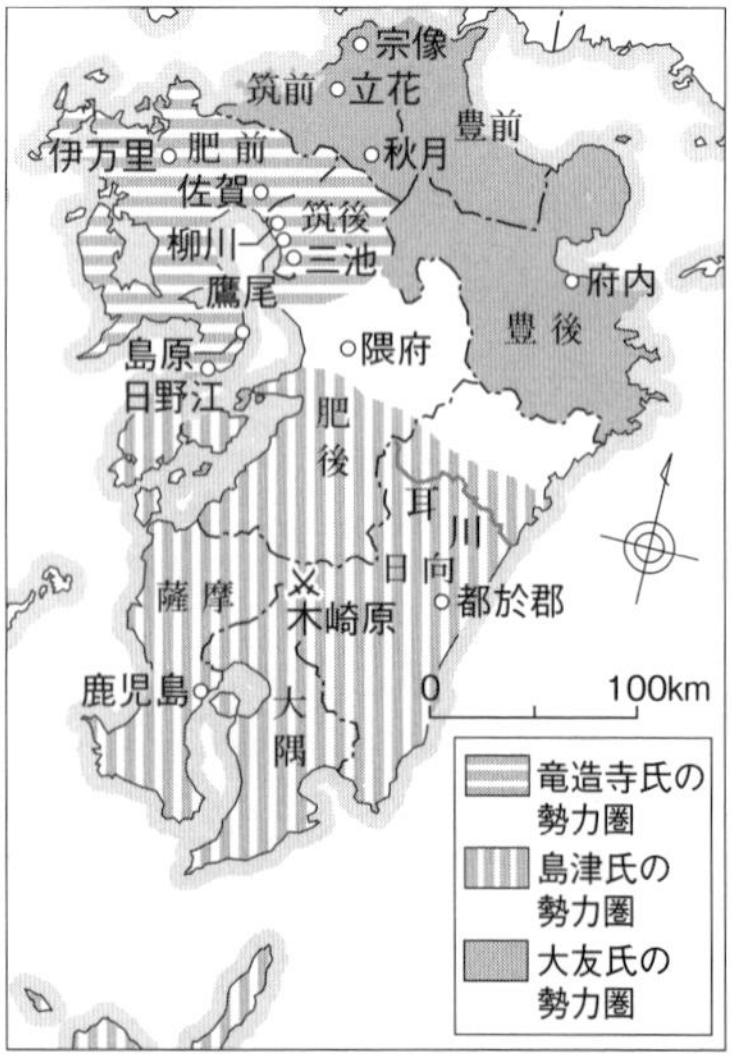

◉天正一〇年頃の九州
竜造寺隆信は肥前と筑後を治め、肥後にも勢力を伸ばした。島津氏は肥後と日向に進軍し、大友氏の領国は豊後・豊前・筑前のみとなった。

の対象となった。有馬を救うべく、当主島津義久の弟家久《いえひさ》を大将とする軍勢が送り込まれ、三月二四日、肥前島原《しまばら》の地で島津・有馬の連合軍と竜造寺軍との決戦がなされた。激戦の末、竜造寺隆信は戦死し、軍勢は敗走した。大きな領国を一代で築き上げた英傑はあっけない最期を遂げ、跡を継いだ子息の政家《まさいえ》は、島津氏の攻勢に耐えきれず、九月にはこれと和議を結んで、あい協力しながら大友と向かい合う関係となった。

紀伊攻略と関白任官

徳川家康《とくがわいえやす》との和睦《わぼく》をとりつけた羽柴秀吉《はしばひでよし》がつぎに着手したのは、紀伊《きい》の攻略だった。天正《てんしょう》一三年（一五八五）三月、秀吉は和泉《いずみ》の千石堀《せんごくぼり》の城（大阪府貝塚市《かいづかし》）を攻め落として、根来寺《ねごろでら》の僧徒たちを討ち果たしたが、隣の畠中《はたけなか》の城にこもっていた百姓たちも、かなわないとさとって城を焼いて逃亡し、さらに根来寺衆のいる積善寺《しゃくぜんじ》城（同）が開城、沢《さわ》城（同）の雑賀衆《さいかしゅう》（紀伊雑賀の本願寺門徒ら）も城を明け渡した。秀吉の軍勢はそのまま根来寺に攻め込み、衆徒《しゅと》を追い払ってここに陣取った。寺には放火してはならぬと指示

◉**根来寺（和歌山県岩出《いわで》市）**
新義真言宗《しんぎしんごんしゅう》の総本山で、高野山《こうやさん》と並ぶ権門《けんもん》寺院として繁栄した。写真は大塔《だいとう》（根本《こんぽん》大塔）と呼ばれる多宝塔《たほうとう》。

を下していたが、どこからともなく火がついて、寺は灰燼《かいじん》に帰し、翌日には粉河寺《こかわでら》も炎上した。

軍勢はさらに雑賀に攻め入り、一向宗徒《いっこうしゅうと》の百姓たちがこもっている太田《おおた》城（和歌山市）を包囲した。水攻めによって飢餓《きが》に陥った城方は降伏の交渉を始め、主だった者が五〇人処刑されるかわりに、それ以外の百姓や妻子たちは一命を助けられ、二〇日分の食糧をかかえて村に戻るようにとの指示を受けた。四月二二日のことである。城を出るとき百姓たちは腰刀や鉄炮筒《てっぽうづつ》などを没収されたが、このとき秀吉は、「在々の百姓たちは、これからは弓や鑓《やり》・鉄炮・腰刀などを持ってはならぬ。鋤《すき》や鍬《くわ》といった農具を持って耕作に励め」との布令を出している。反抗した百姓たちを皆殺しにしたりはしないから、今後は武器を使うことはまかりならぬと、秀吉ははじめて宣言したのである。

和泉と紀伊の平定を果たした秀吉は、両国の支配を弟の秀長《ひでなが》に任せ、秀長は新たに岡山《おかやま》（のちの和歌山）に城を築いてここを支配の拠点とした。真言密教《しんごんみっきょう》の総本山として力を誇った高野《こうや》山《さん》も秀吉の統治のもとに組み込まれ、木食応其《もくじきおうご》が中心となって堂宇《どうう》の再建がはかられることとなる。

ちょうどこのころ、朝廷ではひとつのもめごとが起きていた。当時の関白《かんぱく》は二条昭実《にじょうあきざね》だったが、左大臣の近衛信輔《このえのぶすけ》がそろ

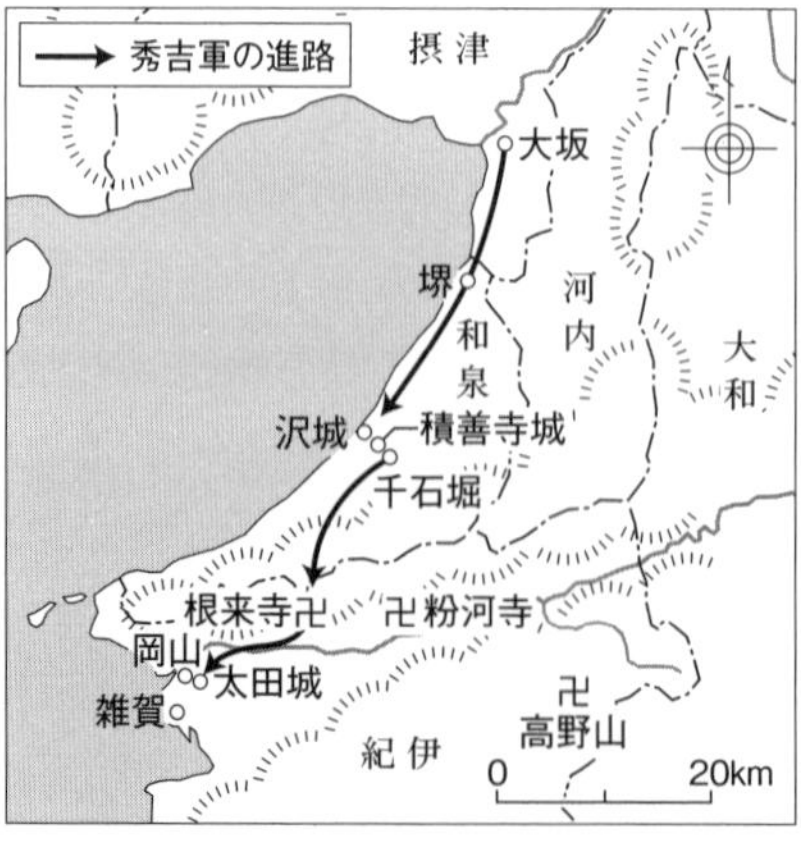

●秀吉の紀伊攻略
根来寺と粉河寺の僧徒と、雑賀の一向宗徒たちは、協力して秀吉に対抗したが、大軍に攻められて敗北した。

そろ自分が関白になってしかるべきだと主張し、二人の争いが深刻化していたのである。事を有利に動かしたいと考えた二条昭実は、所司《しょし》代《だい》として京都の統治にあたっている前田《まえだ》玄以《げんい》に、なんとか自分が関白を続けられるよう、とりはからってほしいと頼み込んだ。

ところが玄以から話を聞いた秀吉は、「いずれにせよ道理が合わない結果になったら、朝廷のためにもよろしくないので、いっそのこと私が関白になるというのはどうだろうか」と言いだし、近衛信輔の意見を聞くようにと玄以に命じた。さすがに驚いた信輔は、いままで五摂家《せっけ》以外で関白になった例はないから無理だろうと突っぱねたが、玄以はまたやってきて、「そうしたら竜山《りゅうざん》公（信輔の父の近衛前久《さきひさ》）の猶子《ゆうし》になって、関白職は早めにあなたにお渡しするというのではどうか」と食い下がった。

事が成就したあかつきには近衛家に一〇〇〇石《こく》、他の四家には五〇〇石ずつ家領を与えるとの約束もちらつかせながら説得を試みる玄以に、さすがの信輔も折れざるをえず、父親の竜山に相談をもちかけるが、「そもそも関白職というのは一天下をあずかっているという意味だ。いま秀吉は四海

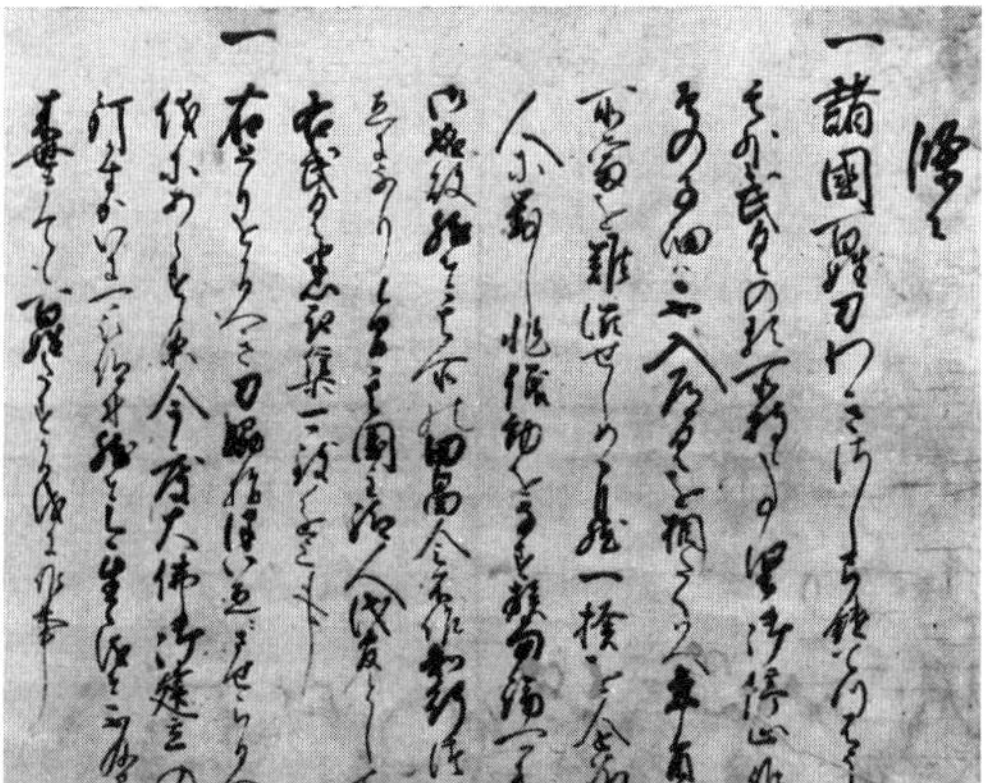
4

◉刀狩令
紀伊攻略から三年後の天正一六年（一五八八）、秀吉は百姓の武器所持を禁じる正式の掟書《おきてがき》を出した。

を掌《て》のうちに握っているのだから、文句もいえない」と、竜山はあっさり納得してしまった。こうして秀吉の関白任官が実現する。天正一三年七月一一日のことだった。

国替えの強行

紀伊《きい》を平らげた羽柴秀吉《はしばひでよし》がつぎの攻撃対象に選んだのは、四国の長宗我部元親《ちょうそかべもとちか》だった。元親はちょうどこの時期に四国をほぼ手中におさめていたが、やっと念願を果たせたと思ったとたん、上方の大軍の襲来を受けることになったのである。天正《てんしょう》一三年（一五八五）六月、大将の羽柴秀長《ひでなが》は船で阿波《あわ》に攻め込み、北からは吉川元春《きっかわもとはる》と小早川隆景《こばやかわたかかげ》の軍勢が出て、伊予《いよ》の城々に攻撃をしかけた。勝敗はおのずと明らかで、元親は秀長を頼って降伏した。秀吉としても元親を滅ぼす意図はなく、本国の土佐《とさ》を安堵《あんど》するかわりに、阿波《あわ》・讃岐《さぬき》・伊予の三か国は没収することで話がまとまり、阿波は蜂須賀《はちすか》家政《いえまさ》、伊予は隆景に与えられ、讃岐の半分は仙石秀久《せんごくひでひさ》が拝領することになった。

四国を押さえた秀吉は、休む間もなく北に向かい、佐々成政《さっさなりまさ》のこもる越中富山《えっちゅうとやま》城を攻めた。成政は剃髪《ていはつ》して降伏したが、秀吉はこれを助命して越中の半分を与え、残り半分は前田利家《まえだとしいえ》の子利勝《としかつ》（のちの利長《としなが》）に給与した。続いて秀吉の命を受けた金森長近《かなもりながちか》が飛騨《ひだ》に入って姉小路《あねがこうじ》（三木《みき》）自綱《よりつな》を破り、飛騨も秀吉の統治下に組み込まれることになった。越中・飛騨・美濃《みの》・尾張《おわり》とつながるラインまで、秀吉とその部将たちの支配圏は広がったのである。

越中平定を終えた秀吉は、越前《えちぜん》一国を押さえていた丹羽長重《にわながしげ》を若狭《わかさ》に移し、腹心の堀秀政《ほりひでまさ》を越前に入れると宣言した。長重は丹羽（惟住《これずみ》）長秀《ながひで》の子で、父の死後当主となっていたが、突然の移封《いほう》を命じられたのである。若狭は越前とは比較にならない小国だから、大幅な減封《げんぽう》である。同じ時期に大和《やまと》の筒井《つつい》定次《さだつぐ》も伊賀《いが》に移るよう命じられ、泣く泣く引っ越していったが、筒井の家臣の入部によって伊賀の武士たちは知行《ちぎょう》を失い、牢人《ろうにん》するか百姓になるか選択を迫られる結果となった。

丹羽長重にしても筒井定次にしても、当人に落ち度はなく、まだ若年で大国の統治はおぼつかないというのが国替えの表向きの理由だった。筒井の去った大和には羽柴秀長が入り、かつて一国を支配していた興福寺《こうふくじ》はわずかの寺領を認められたのみで勢威を失った。堀秀政は近江《おうみ》佐和山《さわやま》にいたが、彼が越前《えちぜん》に去ったのち近江は羽柴秀次《ひでつぐ》に与えられ、安土《あづち》の南の八幡山《はちまんやま》に新たな居城が築かれた。

わずか数か月の間に、大規模な領主の入れ替えがなされ、秀吉の地方統治のかたちが定まった。秀吉がもっとも頼りにしていた弟の秀長は、大和を中心に紀伊《きい》・和泉《いずみ》を押さえ、養子の秀次は近江を治めた。また越前と加賀《かが》には信頼厚い堀秀政と前田利家が配置された。大量の家臣の移動を伴う国替えは大事件だったが、さしたる抵抗もなく事は運んでいった。

越前の国替えを実行したとき、秀吉は国内の百姓たちに触れ

5

●羽柴秀吉
壮年のころの秀吉の姿を描いた肖像。低い身分の出のためか、慣習にこだわらない行動をすることが多かった。

を出し、領主が変わるからといって、居場所を変える百姓がいたら、本人はもちろんそれを許容した在所の一郷もことごとく成敗すると伝えている。領主はいつ変わるかわからないが、百姓はそれと関係なく村で耕作に励むべきだという論理がここにはみえる。百姓たちが領主と関係を結び、侍として走りまわった時代はすでに幕を閉じ、百姓と領主の関係は断ち切られていたのである。武士たちは国替えにともなって居所を変え、新天地で新たな生活を始めるのがつとめだが、百姓はいっさい居所を変えない。こうした状況がすでに成立していたことが、国替えが容易に実行された何よりの要因だった。

島津の領国拡大と挫折

羽柴《はしば》秀吉《ひでよし》が列島中央部の平定をほぼ達成していたころ、九州では島津《しまづ》氏の勢力拡大がいっそう加速していた。天正《てんしょう》一三年（一五八五）、島津忠平《ただひら》が大将となって八代《やつしろ》まで進み、さらに進んで甲佐《こうさ》・堅志田《かたしだ》の城に迫った。閏《うるう》八月一三日、軍勢のなかの若衆中《わかしゅうちゅう》が突然敵地に進撃して甲佐城を陥落させた。軍令もないのに突撃したのは一種の抜け駆けだが、勝利の知らせを聞いた忠平は、彼らを咎《とが》めもせずに軍勢を動かし、その日のうちに堅志田城を陥落させ御船《みふね》に迫った。やがて御船は開城、島津忠平は入城を果たし、地域の武士たちもつぎつぎと軍門に降って、肥後《ひご》平定は達成された。

島津の勢力伸張に、豊後《ぶんご》の大友《おおとも》は危機感をつのらせていた。苦境を乗りきるべく大友宗麟《そうりん》は秀吉に救いを求め、老軀《ろうく》を押してみずから大坂に出向いた。天正一四年四月五日、大坂城で秀吉と面会した宗麟は、島津を討伐してほしいと熱心に懇願し、かねてから島津討伐を公言していた秀吉は、要請を受け入れて九州侵攻の準備を着々と進めた。こうしたなかでも島津氏の攻勢は続いて、七月末には筑前岩屋城《ちくぜんいわや》（福岡県太宰府市《だざいふ》）が陥落、島津軍は北に進んで立花統虎《たちばなむねとら》（戸次道雪《べっきどうせつ》の養子）のこる立花城に押し寄せた。

秀吉の部将たちの軍勢が動きだしたのは、ちょうどこのころだった。黒田《くろだ》孝高《よしたか》を大将とする一団が豊前《ぶぜん》に向かって進み、毛利《もうり》・吉川《きっかわ》・小早川《こばやかわ》の軍勢もこれに続いた。立花城を囲んでいた島津軍は知らせを聞いて撤退し、立花統虎は危機一髪のところで難を逃れた。また仙石秀久《せんごくひでひさ》と長宗我部《ちょうそかべ》元親《もとちか》の率いる一隊は豊後に入り、大友義統《よしむね》（義鎮《よししげ》の子）はこれを迎え入れた。

いったん薩摩《さつま》に戻った島津軍は、一〇月になるとまた動き出し、島津義珍《よしまさ》（忠平の改名）が肥後、その弟家久《いえひさ》が日向《ひゅうが》に出て、互いに北上して大友を脅かした。日向を進んだ家久の軍勢は、やがて豊後に入り、大友の本拠を脅かすに至った。秀吉の命で豊後に来ていた仙石秀久は、軽々しく兵を動かすなという指示を無視して、戸《へ》次川《つぎがわ》を渡って島津軍に決戦を試み

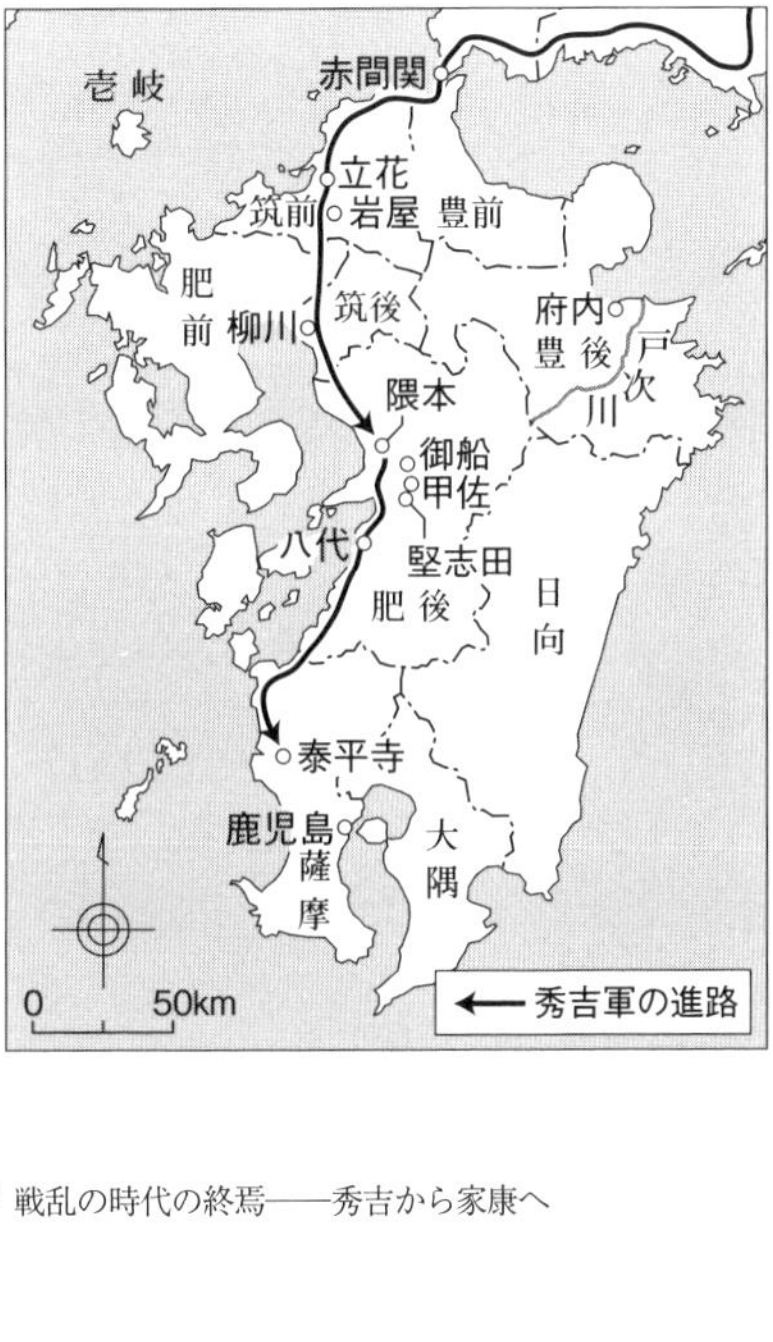

◉秀吉の九州攻め
九州に入った秀吉は、悠然と南に進んだ。観念した島津義久は、泰平寺に出向いて謝罪した。

た。結果は島津の大勝に終わり、長宗我部元親の子信親《のぶちか》や十河存保《そごうまさやす》が討死《うちじ》にし、大将の仙石秀久は命からがら逃走した。

敗戦の報はまもなく秀吉のもとに届けられた。さすがに怒った秀吉は、秀久の讃岐《さぬき》の所領を没収したうえで、こうした軽挙はつつしむようにと触《ふれ》を出した。年明けて天正一五年、かねてから日を決めていた三月一日に秀吉は大坂を出発、遠征の途についた。山陽道をゆったり下った秀吉は、二五日にようやく赤間関《あかまがせき》（山口県下関市《しものせき》）に到着、ここから船で九州に入った。四月一六日に肥後の隈本《くまもと》（熊本市）に入り、さらに南下して薩摩の泰平寺《たいへいじ》（鹿児島県薩摩川内市《さつませんだい》）まで進むが、ここで島津義久《よしひさ》が降伏してきたとの知らせが届く。予想を超える大軍を前にして、さすがの島津氏も観念せざるをえなかったのである。

五月八日、剃髪《ていはつ》して帰順の意を示した島津義久は泰平寺に赴いて秀吉と面会し、薩摩一国を安堵《あんど》された。続いて秀吉は義久の弟義珍に大隅《おおすみ》を与え、その子の久保《ひさやす》は日向諸県郡《もろかたぐん》を拝領した。侵攻によって手に入れた肥後は失ったが、島津氏は薩摩・大隅と日向の一部を確保し、これより以後は秀吉の指揮のもとで働くことになる。

島津を降伏させた秀吉は、続いて九州諸国の大名配置を発表した。小早川隆景《たかかげ》は筑前一国と肥《ひ》前《ぜん》・筑後《ちくご》の一部を与えられ、豊前は黒田孝高と森吉成《もりよしなり》が拝領した。また、かつて秀吉と敵対した佐々成政《さっさなりまさ》が晴れて肥後一国を与えられることになった。九州の大名では大友義統《おおともよしむね》が豊後を安堵され、いったん島津に服した竜造寺政家《りゅうぞうじまさいえ》も、早い段階で秀吉に従った結果、肥前四郡の支配を認められた。

そして島津軍の攻撃に耐えた立花統虎《たちばなむねとら》は筑後四郡を与えられ、柳川《やながわ》城に入った。統虎は本来大友の家臣だったが、秀吉に直接つながる一人前の大名として認められたのである。

まもなく秀吉は大坂に凱旋《がいせん》し、一件落着にみえたが、肥後を与えられた佐々成政が国中に検地《けんち》を施行したことに反発した武士たちが反乱を起こしたことにより、九州はふたたび騒然となった。小早川隆景が肥後、黒田孝高が豊前に入り、冬になってようやく内乱はおさまったが、佐々成政は今回の不始末を咎《とが》められて、翌天正一六年閏《うるう》五月、秀吉の命により自害に追い込まれ、加藤清正《かとうきよまさ》と小《こ》西行長《にしゆきなが》が新たな肥後の支配者として抜擢《ばってき》された。

伊達政宗の会津侵攻

九州の島津《しまづ》氏が勢力拡大に邁進《まいしん》していたころ、はるか東の奥《おう》羽《う》の地でも、同じように急速にその支配権を広げている大名がいた。出羽《でわ》米沢《よねざわ》に本拠を構える伊達《だて》氏である。伊達氏はもともと陸奥《むつ》の伊達郡の国人《こくじん》だったが、稙宗《たねむね》のときに周辺の領主たちと婚姻関係を結びながら、彼らの盟主ともいえる立場に躍り出て、将軍から陸奥守護職《しゅごしき》を拝領することにも成功した。やがて重臣の懸田俊宗《かけだとしむね》の反乱を契機として、稙宗と子息の晴宗《はるむね》が争うことになるが、この内乱を終息させた晴宗は、本拠を出羽米沢

6

●伊達政宗
自身が再興した松島《まつしま》（宮城県）の瑞巌寺《ずいがんじ》に木像がある。秀吉の命により岩出山《いわでやま》に移り、さらに仙台の町を建設、伊達六二万石の基礎を固めた。

に移して領国の基礎を固めた。晴宗の跡を継いだ輝宗《てるむね》も、宿老中野宗時《しゅくろうなかのむねとき》の反乱を鎮圧し、遠藤基信《えんどうもとのぶ》を登用しながら家中をよくまとめた。天正《てんしょう》一二年（一五八四）一〇月、輝宗は家督を子息政宗《まさむね》に譲ったが、このころから伊達氏の外部への侵攻が勢いを増してゆく。

当時伊達氏の攻撃の対象となっていたのは、塩松《しおのまつ》（福島県二本松市《にほんまつ》ほか）を押さえていた大内定綱《おおうちさだつな》だった。天正一三年閏《うるう》八月、塩松に攻め込んだ政宗は、大内の持城のひとつである小手森城《おでもり》を陥落させたが、このとき政宗は出羽山形の最上義光《もがみよしあき》に宛《あ》てた書状のなかで、「城主をはじめとして五〇〇余人を討ち取ったが、そのほか女や童《わらべ》はいうまでもなく、犬までなで斬《ぎ》りにしたので、全部で一一〇〇余人が斬り殺された」と戦果をアピールした。城にこもっていた人々を皆殺しにしたのは、何も織田信長《おだのぶなが》だけではなかったのである。

大内定綱はまもなく塩松から逃走し、政宗はこの地をわがものとすることに成功した。ところがこの直後に変事が起こる。後援のために宮森《みやもり》まで出てきていた父の輝宗が、和睦《わぼく》の挨拶《あいさつ》に来ていた畠山義継《はたけやまよしつぐ》に身柄を拘束されてしまったのである。主人を拉致《らち》された家臣たちは、逃げる義継を追ってこれを討ち取ったが、乱戦のなかで輝宗も落命してしまう。一〇月八日のことだった。このとき伊達政宗は一九歳だったが、名実ともに伊達家の当主となり、とりあえずは父の仇《かたき》ともいえる畠山の二本松城の攻撃にとりかかり、翌年にはこれをわがものとした。

この年の冬、芦名《あしな》氏の当主亀若丸《かめわかまる》が死去した。実子も兄弟もなく、誰を後継者にするかが問題になったが、翌天正一五年春になって、常陸《ひたち》の佐竹義重《さたけよししげ》の次男が跡継ぎとして会津に入ることになった（芦名義広《よしひろ》）。こうして芦名と佐竹の同盟が固まり、攻勢著しい伊達に対峙《たいじ》するかたちになる。

天正一六年四月、芦名義広は会津から中通りに兵を進めたが、伊達の軍勢に撃退された。やがて政宗自身が宮森城を出て布陣し、芦名義広も実父佐竹義重とともにこれに対峙した。このときはいったん和議が成立するが、対立は解消されなかった。天正一七年になると猪苗代盛国《いなわしろもりくに》が政宗に服属し、会津のそばまで伊達の勢力が及ぶことになった。危険を感じた芦名義広は猪苗代に向けて進軍したが、磨上原《すりあげはら》で伊達軍の反撃にあい、決定的な敗北を喫した。家臣たちはつぎつぎに降伏、義広は黒川《くろかわ》城（福島県会津《あいづ》若松《わかまつ》市）を脱出して実家の佐竹家のもとに逃れた。

肥沃《ひよく》な会津盆地を手に入れた政宗は、黒川城を新たな居城と定め、ここに移り住んだ。会津・米沢と中通りにまたがる巨大な大名領国が形づくられたわけだが、政宗がこれを保ちえたのはわずかな期間でしかなかった。遠く大坂の羽柴《はしば》（豊《とよ》臣《とみ》）秀吉《ひでよし》が、政宗の会津侵攻は停戦を各地に指示した「惣無事令《そうぶじれい》」違反だと言いだしたのである。自力で領国拡大を行なうのが違法だとは政宗もさすがに認識していなかったようだが、この論理のもとで討伐の対象になってしまうのである。

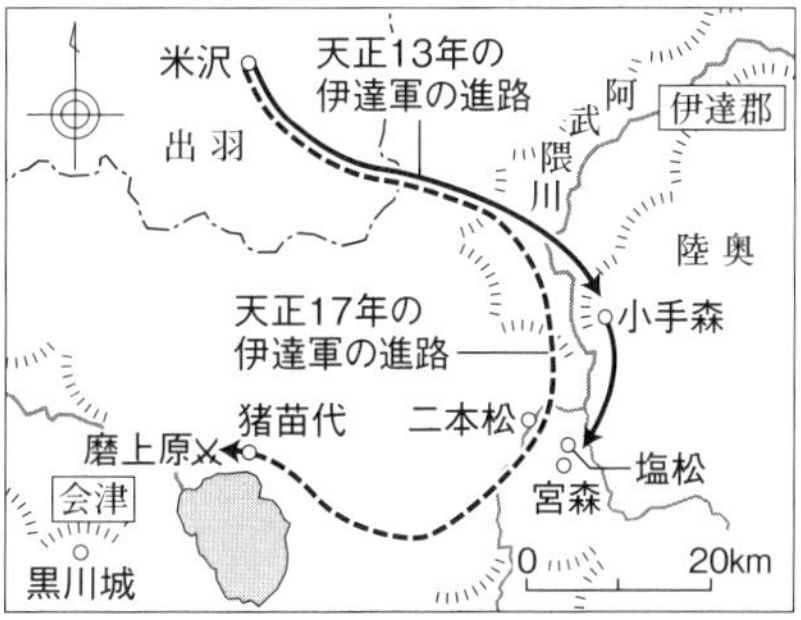

●伊達政宗の進軍
阿武隈川《あぶくまがわ》の流域は中通りと呼ばれる。政宗はここに進軍を繰り返し、さらに西に進み会津を手に入れた。

北条領国の解体

九州の島津《しまづ》氏を服属させた秀吉《ひでよし》は、目を東に転じ、関東と東北の攻略にとりかかった。越後《えちご》の上杉景勝《うえすぎかげかつ》は天正《てんしょう》一四年（一五八六）六月に上洛《じょうらく》し、大坂で秀吉との謁見を果たしており、徳川家康《とくがわいえやす》も一〇月に入京して、大坂城で秀吉と対面した。こうして徳川と上杉という東の大名との関係を固めた秀吉は、彼らの領国の東に位置する関東と東北をその管轄下におさめるべく行動を起こした。

関東の過半を支配していた北条《ほうじょう》氏は、家康とは同盟関係にあり、秀吉に対しても反抗的な態度を示していたわけではなかったが、結果的には秀吉の討伐の対象となってしまう。天正一七年、秀吉は北条氏政《うじまさ》・氏直《うじなお》父子に早く上京せよと指示を出すが、これがなかなか実現されず、この年の冬に北条氏の部将猪俣邦憲《いのまたくにのり》が真田昌幸《さなだまさゆき》の属城である上野《こうずけ》の名胡桃《なぐるみ》城（群馬県みなかみ町）を奪い取ったことが問題にされて、討伐の理由づけがなされることになったのである。

徳川家康・上杉景勝、さらには前田利家《まえだとしいえ》といった東国・北陸の大名たちが、今回は出陣を命じられた。天正一八年三月一日、秀吉は京都を出発して遠征の途についたが、思い起こせば三年前、九州攻めに出発したのも同じ三月一日だった。東海道を悠然と進んだ秀吉は、三月末には伊豆《いず》に進んで、北条方の前線である山中《やまなか》城（静岡県三島《みしま》市）に攻撃をかけた。力攻めの末に城は陥落し、城方の大将をはじめ多数の戦死者を出した。最初に華々しい戦果を上げて相手をおじけづかせる作戦だったのだろう。これが功を奏したのか、北条氏は小田原《おだわら》城内に閉じこもったまま兵を動かせず、湯本《ゆもと》（神奈川県箱根《はこね》町）に布陣した秀吉は、ここでじっくりと開城を待った。

そうした間に関東各地の北条方の城は、軍勢の攻囲を受けてつぎつぎと陥落していった。前田利家と上杉景勝は北から関東に攻め入り、四月二〇日には上野の松井田城《まついだ》（群馬県安中《あんなか》市）を開城させ、さらに南下して北条氏邦《うじくに》のこもる武蔵鉢形《むさしはちがた》城を攻囲《こうい》した。また浅野長吉《あさのながよし》を大将とする一隊は、房総《ぼうそう》の諸城を落としたのち、鉢形城の攻囲軍に加わった。六月一四日、氏邦はついに降伏し、前田・上杉らの軍勢は続いて八王子《はちおうじ》城を攻めたてた。二三日に八王子城も陥落、小田原城の近くまで軍勢が迫ることになるが、ここに至って北条氏直も観念し、降伏を申し入れた。七月五日、氏直は城を明け渡し、北条氏の領国はここに解体した。秀吉の命により北条氏政と弟の氏照《うじてる》、さらに重臣二人が切腹したが、当主の氏直や多くの家臣たちは助命され、思い思いに城から出ていった。

秀吉出征の知らせを聞いた関東や奥羽《おうう》の領主たちの多くは去就に迷い、それぞれの判断で行動したが、いち早く秀吉のもとに駆け付けた佐竹義重《さたけよししげ》や宇都宮国綱《うつのみやくにつな》などは所領を安堵《あんど》され、参陣しなかった大崎義隆《おおさきよしたか》・葛西晴信《かさいはるのぶ》・石川昭光《いしかわあきみつ》・白河義親《しらかわよしちか》などは所領没収の憂き目にあうという、明暗を分ける結果となった。伊達政宗《だてまさむね》は勇気をふるって小田原に参陣し、会津《あいづ》は没収されたものの家名は守ることに成功した。

7

●**北条氏直**
小田原城を出た氏直は高野山《こうやさん》に蟄居《ちっきょ》を命じられる。翌年許されて一万石を与えられたが、まもなく疱瘡《ほうそう》（天然痘《てんねんとう》）を患い、三〇歳で死去した。

北条氏に従っていた武士たちはみな所領を失い、北条氏の遺領はまとめて徳川家康が手中におさめた。このとき家康は三河《みかわ》・遠江《とおとうみ》・駿河《するが》・甲斐《かい》・信濃《しなの》の五か国の太守《たいしゅ》だったが、これと交換するかたちで関東の過半を拝領することになり、天正一八年八月一日、新たな居城である江戸城に入った。家康の旧領は織田信雄《おだのぶかつ》に与えるので、尾張《おわり》と伊勢《いせ》は返上するようにとの命令が同時に出されるが、これに抵抗した信雄は所領をすべて没収され、下野那須《しもつけなす》に追放の処分を受けた。

小田原城の開城を実現させた秀吉は、奥羽の仕置《しおき》を進めるべく会津まで馬を進めた。伊達から没収した会津には腹心の蒲生氏郷《がもううじさと》を入れ、大崎・葛西の遺領は木村常陸介《きむらひたちのすけ》に与えた。八月一二日、秀吉はようやく帰途についたが、帰り道の駿府《すんぷ》で小西行長《こにしゆきなが》らと面談し、明《みん》国への出兵の準備について相談している。小田原城を包囲しながら、秀吉はすでに大陸出兵の構想を練っていたのである。

秀吉が去ったあと、北奥州《おうしゅう》の九戸政実《くのへまさざね》が反乱を起こし、また大崎・葛西の遺臣たちも木村常陸介の支配を受け入れずに決起して、奥州は一時騒然となった。天正一九年になって一揆《いっき》はようやくおさまり、木村常陸介は責任を問われて所領を没収され、大崎・葛西の遺領は伊達政宗に与えられた。九戸政実はまた決起するが結局鎮圧され、秀吉の奥羽平定はようやく実現された。

九戸の乱が鎮定されたころ、秀吉は明国出兵の具体化を進め、肥前名護屋《ひぜんなごや》（佐賀県唐津《からつ》市）に城を築くよう西国の諸大名に命令していた。年末になって秀吉は関白《かんぱく》職を養子の秀次《ひでつぐ》に譲り、みずからは太閤《たいこう》として大陸侵攻に専念する意を示した。出発の日は例のごとく三月一日と決められた。

朝鮮出兵の蹉跌

天正二〇年（一五九二）三月一日。縁起のいいこの日に秀吉《ひでよし》は出陣したかったらしいが、あいにく目を患っていたこともあり、出発の日は少し延期された。この間にも西日本の諸大名たちが続々と肥前名護屋《ひぜんなごや》に集結し、出兵の準備が進められた。四月一二日、小西行長《こにしゆきなが》らの率いる大軍が船に乗って朝鮮半島の釜山《プサン》に到着、釜山城はまもなく陥落して守将《しゅしょう》の鄭撥《チョンバル》は戦死を遂げた。続いて加藤清正《かとうきよまさ》や鍋島直茂《なべしまなおしげ》らの一隊が釜山に入り、行長らのあとを追った。さらに黒田長政《くろだながまさ》や大友吉統《おおともよしむね》（義統《よしむね》）らの軍勢や、毛利輝元《もうりてるもと》・吉川広家《きつかわひろいえ》らの一軍が釜山に入り、それぞれ北上を始めた。

四月二五日に秀吉が名護屋に到着するが、このときには軍勢が漢城《ハンソン》に迫っており、五月二日に朝鮮国王は漢城を放棄して平壌《ピョンヤン》に逃れた。漢城に集結した大名たちは、ここで今後の進路について相談し、平壌のある平安道《ピョンアンド》には小西らが進み、最北部の咸鏡道《ハムギョンド》には加藤清正が入ることなどが決められた。六月一五日、ついに平壌も陥落し、朝鮮の中央部は日本の軍勢によってほぼ制圧された。

渡海から二か月で、朝鮮半島の侵略はほぼ成功したかにみえていた。関東経略のときと比べてみても順調に事は進んでいると、秀吉は思っていたかもしれないが、予想を超えたことがつぎつぎに惹起《じゃっき》して、明《みん》まで攻め込もうという秀吉の計画は挫折《ざせつ》を余儀なくされる。九州攻めや北条《ほうじょう》討伐のとき、地域の一般住民たちはいち早く秀吉の軍勢を迎え入れ、進軍を拒んだりしなかったが、朝鮮の場合は様子が違っていた。日本の軍勢によって国土を蹂躙《じゅうりん》された朝鮮の人々は、みずから「義民」と名のっていっせいに決起し、各地の日本の兵士に攻撃をしかけてきたのである。また李舜臣《イスンシン》のもとに組織された朝鮮の水軍も、半島南部の海域の各地で日本軍を破った。こうしたなかで日本の軍勢は長期滞在を余儀なくされ、しだいに兵粮《ひょうろう》の欠乏に悩まされるようになっていった。

明けて文禄《ぶんろく》二年（一五九三）になると明の軍勢の反撃が本格化した。李如松《りじょしょう》に率いられた明軍は平壌を囲み、小西行長はこらえきれずに撤退して、結局漢城にたどり着いた。開城《ケソン》にいた小早川隆景《こばやかわたかかげ》も漢城まで退き、李如松は開城に入ってここを拠点とした。平壌や開城が明軍に奪われたとの知らせは、まもなく名護屋にいる秀吉のもとに届けられたが、秀吉は浅野《あさの》長吉《ながよし》らを朝鮮に派遣して善後策を相談させるとともに、大量の兵粮米を釜山まで運んで、これを各地の陣所に配分するという方法で、兵粮の欠乏に対応しようとする。情勢が悪化したから早々に兵士を撤退させようなどという考えは、秀吉にはまったくなかったのである。

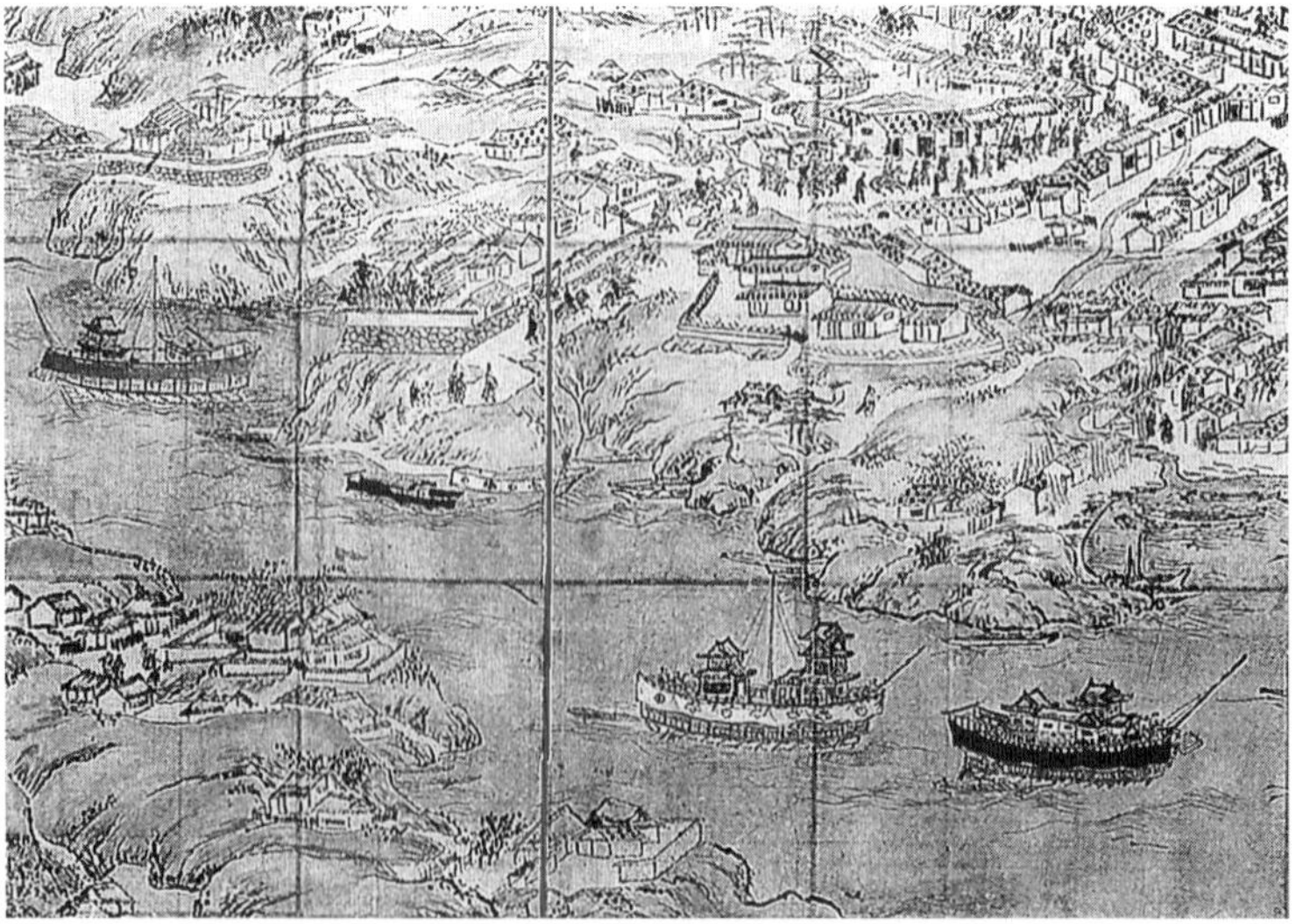

8

●名護屋城

大名の屋敷が立ちならび、海には櫓《やぐら》を設けた軍船が浮かぶ。狩野光信《かのうみつのぶ》が景観を実写したもの。（『肥前名護屋城図屛風《ひぜんなごやじょうずびょうぶ》』）

膠着《こうちゃく》状態が続くなか、明側の沈惟敬《しんいけい》という人物を中心に講和交渉が進められ、五月には小西行長と石田三成《いしだみつなり》が明の使節とともに名護屋に到着した。秀吉は明の使者や沈惟敬と会見したが、和議はなかなかまとまらず、加藤清正や小西行長・鍋島直茂ら西国の大名たちを朝鮮に駐屯させた状態のまま秀吉は大坂に帰り、名護屋まで出ていた徳川家康《とくがわいえやす》らもほとんどが帰国の途についた。戦い自体はすでに終結し、一定の兵力が朝鮮の諸城に駐留しつづけるかたちがつくりあげられたのである。

軍勢の襲来によって多くの朝鮮の人々が落命し、国土も荒廃にさらされたが、人々の根強い抵抗によって、明への侵攻はおろか、朝鮮の経略さえまったく実現できない状況に秀吉は追い込まれた。ただ朝鮮に一歩も足を踏み入れず、名護屋で知らせを待っていた秀吉が、どれだけ現実を正しく認識していたか、いささか疑わしい。朝鮮の奥深く攻め入っていった武将たちは、戦局の悪化のなかで苦労を続けるが、秀吉の方針それ自体に異をとなえる大名はひとりもいなかった。

秀吉の平和

秀吉《ひでよし》の側室茶々《そくしつちゃちゃ》（浅井長政《あざいながまさ》の娘、母は織田信長《おだのぶなが》の妹）が男子を出生したのは、文禄《ぶんろく》二年（一五九三）八月三日のことだった。先に鶴松《つるまつ》という名の子がいたが早世しており、もう実子は無理かとあきらめていた矢先のことで、悦《よろこ》びもひとしおだったに違いない。しかし、秀吉に男子が生まれたことで、すでに関白《かんぱく》職を譲られている秀次《ひでつぐ》の立場は微妙なものとなってゆく。

閏《うるう》九月二〇日、秀吉は伏見《ふしみ》城に入るが、その二日後、徳川家康《とくがわいえやす》らの大名たちを伏見城に招き入れて茶会を興行《こうぎょう》した。この日参加した人々は、家康のほか前田利家《まえだとしいえ》・蒲生氏郷《がもううじさと》・池田輝政《いけだてるまさ》といった大名たちと、前田玄以《げんい》・施薬院全宗《せやくいんぜんそう》ら秀吉近臣、さらに細川幽斎《ほそかわゆうさい》や織田有楽《おだうらく》（長益《ながます》）といったそうそうたるメンバーで、堺《さかい》の豪商今井宗薫《いまいそうくん》なども加わっていた。

翌日も茶会が開かれたが、ここに招待されたのは細川忠興《ただおき》・前田利長《としなが》・伊達政宗《だてまさむね》・浅野長吉《あさのながよし》・田中吉政《たなかよしまさ》・山内一豊《やまうちかつとよ》・石田三成《いしだみつなり》・大谷吉継《おおたによしつぐ》といった面々で、かつて領国を追われて隠棲《いんせい》していた織田信雄《のぶかつ》（入道常真《じょうしん》）の姿もそこにあった。家康の斡旋《あっせん》によって許されたのち肥前名護屋《ひぜんなごや》まで赴いて秀吉に面会した信雄は、そこで相伴衆《しょうばんしゅう》に加えられ、その後は大坂の天満《てんま》に寓居《ぐうきょ》していたのである。

それからしばらくのち、一〇月三日に秀吉は参内を果たしたが、そこにも家康をはじめとする大名たちが付き従った。このとき参内して天皇に謁見したのは、家康とその子の秀忠《ひでただ》、上杉景勝《うえすぎかげかつ》・毛利輝元《もうりてるもと》・前田利家・宇喜多秀家《うきたひでいえ》・織田秀信《ひでのぶ》・羽柴秀俊《ひでとし》（のちの小早川秀秋《こばやかわひであき》）といった面々だった。徳川・上杉・毛利と

9

いう列島を代表する大名があい並んで参内を果たしたわけで、秀吉のもとに列島が統一されたことがここに確認されたといえなくもない。その二日後には禁中《きんちゆう》（宮中）で能の興行がなされるが、このとき家康と利家、さらに織田秀信と羽柴秀俊、そして織田常真がみずから能を舞い、秀吉は一番一番に褒め言葉を与える役目を果たした。

そのまた二日後にも禁中能がなされたが、今度は秀吉が自身で三番を舞い、蒲生氏郷・細川忠興・宇喜多秀家と羽柴秀俊が続いて舞を披露した。機嫌をよくした秀吉はそのあと狂言を一番披露し、くたびれたので明日はやめにするが、明後日にまたやろうと言いだした。これも延引されて一日になってまた能興行がなされた。秀吉が三番を披露、家康と利家・常真がこれに続き、そのあとまた秀吉が立ち上がって二番ほど舞った。このときの能は女房衆《にようぼうしゆう》に見せるために開かれたもので、庭上には警固衆以外に男の姿はみえず、多くの女房たちが集まって見物した。秀吉が帰るときには四足門《しそくもん》のあたりに摂家《せつけ》をはじめとする公家《くげ》たちが並び、秀吉に深々とお辞儀をした。

居ならぶ大名たちを従えながら、みずから立ち上がって何番も能を舞い、人々に見せつける。明るいパフォーマンスをしながら、こうしためでたい平和な時代をつくりあげたのは自分なのだと、秀吉は精一杯表現していた。公家たちにとっても秀吉は恩人で、そのもとで目下《もつか》の安定を楽しんでいた。列島各地の大名が覇を争った戦国の世は、すでに過去のものとなっていたのである。

人々の前で能を舞いながら、秀吉はそれなりに上機嫌だっただろうが、一方で深い不安をかかえ

◉能を観《み》る秀吉
天正《てんしよう》一六年（一五八八）の聚楽第《じゆらくだい》での能興行の様子。御簾《みす》の中に後陽成《ごようぜい》天皇がおり、秀吉は画面右の縁側に座っている。（『観能図屏風《かんのうずびようぶ》』）

ていたといえなくもない。この年の冬、自分が召し置いていた女房のひとりがある男と通じていることを知って激怒した秀吉は、二人の間に生まれた幼児を煮殺しにし、親二人は首だけ出して土に埋めさせ、七日間その首を竹鋸《たけのこぎり》で引かせるという、まことに残忍な方法で処刑した。

　このとき秀吉は五七歳。すでに老境に達し、実子がまだ幼いなか、みずから築き上げた政権の将来に大きな不安を抱きはじめていたのだろう。関白の座にいる養子の秀次の処置がとりあえず問題となったが、文禄四年七月、秀吉はついに秀次を勘当して、高野山《こうやさん》に追放したのちに部将を遣わして切腹させ、さらに秀次の妻妾《さいしょう》や子女をすべて三条河原《さんじょうがわら》で処刑した。

　秀次失脚の原因はわからないが、幼いわが子のもとに家中をまとめるためにとられた強硬策とみてよいだろう。平和はようやく現出されたが、ひとりの天下人に誰もたてつけない状況になっていたのである。

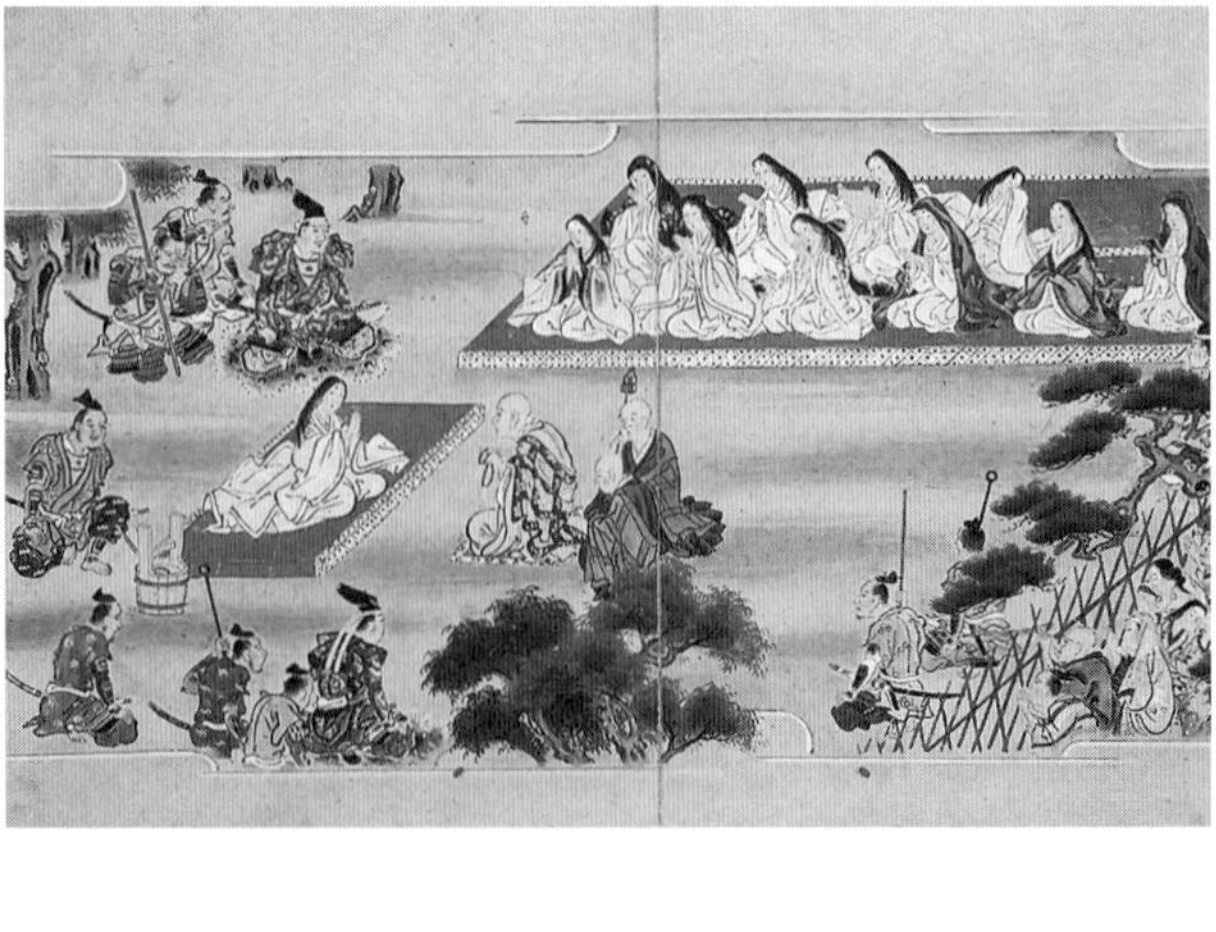

10

●処刑される秀次の妻妾たち
妻妾や子女たちの塚は鴨川《かもがわ》の洪水で壊れたが、角倉了以《すみのくらりょうい》が遺骨を集めて新たに塚をつくり、瑞《ずい》泉寺《せんじ》を建立して供養した。（『瑞泉寺縁起《えんぎ》絵巻《えまき》』）

戦国の終焉

天下分け目、関ヶ原の戦い

長い交渉の末、明《みん》の使節が講和締結のために大坂に入ったのは、文禄《ぶんろく》五年（一五九六）八月末のことだった。九月一日に使節を引見した羽柴《はしば》（豊臣《とよとみ》）秀吉《ひでよし》は、翌日の饗応《きょうおう》の席で明の皇帝の勅書の中身を知り、激怒して一行を追い返した。皇帝の娘を日本の后妃とし、朝鮮国王の王子と大臣を人質として差し出すことなどを秀吉は要求していたが、勅書にはこれに対する言及はいっさいなく、「あなた（秀吉）を日本国王として認める」とあるのみだった。前線で苦戦を強《し》いられている部将たちにしてみれば、秀吉のいうとおりに強硬姿勢を貫くわけにもいかず、小西行長《こにしゆきなが》らも心を砕きながらなんとか勅書をもらい受けるところまで持ち込んだものの、結果的には欺瞞《ぎまん》を見抜かれてしまったのである。

翌慶長《けいちょう》二年（一五九七）の早々から再度の大陸出兵が命じられ、いったん帰国していた加藤清正《かとうきよまさ》や鍋島直茂《なべしまなおしげ》がまた朝鮮に赴き、秀吉の怒りを買った小西行長も続いて渡海した。さらに黒《くろ》田《だ》長政《ながまさ》や小早川秀秋《こばやかわひであき》らの軍勢が送り込まれ、島津義弘《しまづよしひろ》も兵を率

◉耳塚
秀吉は朝鮮から持ち帰った鼻を集めて塚を築き、施餓鬼《せがき》供養を行なった。京都豊国《とよくに》神社門前の耳塚は、かつては鼻塚と呼ばれていた。

いて渡海した。各地の戦いでは朝鮮の人々の鼻を削《そ》いで戦功の証《あかし》とする方法が採用され、どの部隊がいかほどの鼻を取ったかで功績が決められることになった。日本軍の拠点は慶尚道《チョンサンド》の蔚山《ウルサン》で、明軍の攻囲《こうい》に耐え、慶長三年正月には明軍を撃退しているが、劣勢は明らかで、軍勢はつぎつぎと撤退していった。

このころ大坂の秀吉は病床につき、八月一八日、六二歳でこの世を去った。子息の秀頼《ひでより》はまだ六歳で、大名のなかでも卓越した実力を誇り、年齢的にも長老格だった徳川家康《とくがわいえやす》が、おのずと政治の中心に立った。時に家康五七歳、すでに老境に達していたが、諸大名を統率しつつ政治を仕切ろうとしはじめ、石田《いしだ》三成《みつなり》ら秀吉の近臣たちとの溝を深めていった。秀吉の死去によって加藤清正や島津義弘らも朝鮮からの帰国を果たすが、彼らもまもなく内紛に巻き込まれることになる。

慶長四年になると家康と三成らとの反目はいっそう表面化していった。伊達《だて》政宗《まさむね》や福島正則《ふくしままさのり》といった大名と家康が婚姻関係を結んだことが問題とされ、前田《まえだ》利家《としいえ》や毛利《もうり》輝元《てるもと》・上杉景勝《うえすぎかげかつ》らが共同して家康を

11

◉醍醐の花見

慶長三年（一五九八）三月一五日、秀吉は醍醐寺《だいごじ》三宝院《さんぼういん》で盛大な花見の宴を開いた。傘の下にいる老人が秀吉。この五か月後に彼はこの世を去った。（『醍醐花見図屏風《だいごのはなみずびょうぶ》』）

詰問するというひと幕もあり、二月には三成や増田《ました》長盛《ながもり》・長《な》束《つか》正家《まさいえ》らが家康打倒を企て、前田利家の調停で事なきをえるという事件も起きた。さらに加藤清正や黒田長政らが三成を討とうと謀議をめぐらし、危機をさとった三成が伏見《ふしみ》の家康のところに転がり込んできた。この一件で三成は失脚し、居城の近江《おうみ》佐和山《さわやま》に退くことになるが、それぞれの大名たちがさまざまな思惑《おもわく》のなかで二つの陣営に分かれる情勢がしだいに形づくられてゆく。

戦いの直接のきっかけをつくったのは会津《あいづ》の上杉景勝だった。越後《えちご》の大名だった景勝は、秀吉の最晩年に会津への移封《いほう》を命じられ、新領国の経営を始めたばかりだったが、領内に新たに城を築いたのを家康から咎《とが》められ、対抗姿勢をあらわにしたのである。景勝重臣の直江《なおえ》兼続《かねつぐ》が家康の詰問にいちいち返答したが、この返事を見た家康は、さっそく上杉討伐の指令を諸大名に発し、慶長五年六月、伏見から江戸に向けて出発した。

家康が去ったと知った三成は大谷吉継《おおたによしつぐ》や安国寺《あんこくじ》恵《え》瓊《けい》らと協議して毛利輝元を主将と仰ぐこととし、輝元もこれを受け入れて大坂に入った。会津討伐のために江戸から北上していた家康は、下野《しもつけ》小山《おやま》（栃木県小山市）まで出たところで上方《かみがた》の異変を知って引き返したが、ちょうどこのころ、家康の留守中の伏見《ふしみ》城は敵方の攻撃を受けて陥落し、守将《しゅしょう》の鳥居《とりい》元忠《もとただ》と松平家忠《まつだいらいえただ》はここで戦死を遂げていた。八月一日のことである。

戦いが起きたのは上方だけではなかった。徳川軍が去ったのち、会津の上杉景勝は家康方の伊達政宗や最上義光《もがみよしあき》との戦いを続けていったし、北陸では家康方の前田利長《としなが》と三成方の丹羽《にわ》長重《ながしげ》の間で戦いが展開していた。上方の情勢が瞬時には伝わらないなか、列島各地で両派の戦いが独自に繰り広げられていたのである。

八月下旬になると情勢は急を告げ、はるか九州から島津義弘《しまづよしひろ》が大軍を率いて三成のもとに駆け付けた。三成は美濃《みの》の大垣城《おおがき》にいたが、すぐ東の岐阜城は福島正則ら家康方の攻撃を受けて陥落していた。三成方と家康方は大垣と岐阜の間で対峙《たいじ》する格好になったが、こうしたなかで家康の軍勢が東から迫ってくる。九月一三日に家康は岐阜城に入り、対する三成方は大垣の西、美濃と近江の境に位置する関ヶ原《せきがはら》に集結した。

決戦は九月一五日に行なわれた。最初は互角だったが、小早川秀秋《こばやかわひであき》の裏切りによって形勢は決まり、家康の勝利が確定した。大谷吉継は戦場で討たれ、石田三成は逃走したものの捕縛された。三成の居城佐和山は襲撃を受けて落城、三成に与《くみ》した長束正家は居城の近江水口《みなくち》城を攻められて自害し、一〇月一日、京都の六条河原《ろくじょうがわら》で石田三成・小西行長と安国寺恵瓊の処刑が行なわれた。増田長盛は所領没収のうえ高野山《こうやさん》に追放となり、同じく三成に与した長宗我部盛親《ちょうそかべもりちか》も領国土佐《とさ》を失い牢人《ろうにん》となった。三成によって総帥に担ぎ上げられた毛利輝元は、さすがに全領土没収には至らなかったが、周防《すおう》と長門《ながと》の二か国に領国を削減されてしまった。

陳謝に努めた上杉景勝は、慶長六年七月に赦《ゆる》されて出羽《でわ》米沢《よねざわ》三〇万石《ごく》のみ安堵《あんど》された。薩摩《さつま》の島《しま》津《づ》氏も同様に赦免交渉を進め、慶長七年四月には薩摩・大隅《おおすみ》と日向諸県郡《ひゅうがもろかたぐん》の本領を安堵された。同じころ常陸《ひたち》の佐《さ》竹義宣《たけよしのぶ》も三成と連携していたことを咎められて出羽北部への移封を命じられた。

秀吉の記憶

こうして徳川家康《とくがわいえやす》は勝利を手中におさめたが、戦いに勝ったからといって列島全体を支配下に置けたわけでは必ずしもなかった。石田三成《いしだみつなり》や大谷吉継《おおたによしつぐ》・増田長盛《ましたながもり》など、敵の中心にいたのは秀吉《ひでよし》の近臣たちで、その遺領はさほどのものではなく、毛利《もうり》や上杉《うえすぎ》などから没収した国々が最大の戦果だったが、これらは戦いに功績のあった大名たちに分け与えねばならず、家康やその家臣たちの所領が列島を覆う結果にはならなかったのである。また大坂には相変わらず秀吉《ひでよし》の遺児秀頼《ひでより》がいて、一定の力を保っており、これをみずからの配下に置くことはなかなかできなかった。

このころ家康は江戸と伏見《ふしみ》を往来していたが、慶長《けいちょう》八年（一六〇三）二月に朝廷の勅使が伏見を訪れ、内大臣《ないだいじん》であった家康を右大臣《うだいじん》とし、あわせて征夷大将軍《せいいたいしょうぐん》に任じるとの天皇の宣旨を渡した。三月下旬に京都の二条城《にじょうじょう》に入った家康は、拝賀の礼を行なってこれにこたえ、四月四日、二条城で能楽を興行して公家衆《くげしゅう》や大名たちをもてなした。かつての秀吉と同じような立場になったことを、こうしたかたちで内外に示しながら、家康は一方で秀頼を尊重する姿勢も見せ、子息秀忠《ひでただ》の娘を秀頼の妻として大坂に送ることを取り決めた。このとき秀頼は一一歳、姫君は七歳だったが、家康と秀頼はとりあえず親戚となり、両者の協調のなかでしばらく平和な時代が続くことになる。

家康の力が伸びていることは疑いなかったが、秀頼の地位もあなどりがたいものがあった。同年の二月二〇日、親王や公家衆がまとまって大坂に赴き、秀頼に年頭の挨拶《あいさつ》をしたが、翌慶長九年にも正月二七日に公家衆や門跡《もんぜき》の大坂参りがあり、やがてこれは毎年の恒例行事となった。公家や門跡たちにとって秀吉は恩人で、その記憶はなかなか消えなかったのである。

この年の八月一五日、秀吉の七回忌を記念して豊国《とよくに》神社の臨時祭が盛大に挙行された。巳《み》の刻《こく》（午前一〇時頃）、風流《ふりゅう》の笠鉾《かさほこ》を担ぎ上げながら、華やかに着飾った人々が列をなして踊りに興じた。上京《かみぎょう》から三組、下京《しもぎょう》から二組のまとまりがつくられ、総勢五〇〇人が花笠をかぶり、手には作り花を持って踊り歩いた。上立売《かみたちうり》組の笠の花は玉椿《たまつばき》などで、組の一〇〇人は芙蓉《ふよう》の花を手に持っていた。下立売組は鳳凰《ほうおう》の花で飾られた笠鉾を出し、新在家《しんざいけ》組の笠鉾の花は桜で、人々の手にはいろいろな草花が握られていた。秀吉の後室《こうしつ》（北政所《きたのまんどころ》）が楼門の北に桟敷を構えて見物しており、公家や門跡、さらには諸大名たちまでが集まって華やかな祭りに浸《ひた》っていた。

秀吉は生前に京都東山《ひがしやま》に方広寺《ほうこうじ》を建立したが、その死後に寺の東に秀吉を祭る神社が建てられた。こ

12

●豊国神社の祭礼
華やかな衣装をまとった人々が、円形に連なって踊り歩く。円の中央には鼓《つづみ》を手に拍子をとる人の姿も見える。岩佐又兵衛《いわさまたべえ》の作と伝えられる。（『豊国祭礼図屏風《ほうこくさいれいずびょうぶ》』）

れが豊国神社である。秀吉はここでは「豊国大明神」であり、臨時祭を見守っている北政所は明神の妻室だった。手々に花をかざして踊りながら、平和を謳歌《おうか》している京都の人々にとって、秀吉はまだ身近な存在だったのである。

江戸と駿府

徳川家康《とくがわいえやす》が関ヶ原《せきがはら》で勝利をおさめ、続いて将軍任官も果たしたことによって、その居城である江戸は政治の中心の地位に躍り出ることになった。太田道灌《おおたどうかん》によって築かれた江戸城は海に面した小さな城で、城下の町場の規模もさほどではなかったが、町の広さを一挙に広げるべく、大規模な工事が計画されることになる。江戸城の東には日比谷入江《ひびやいりえ》と呼ばれる内海があったが、その北にある神田山《かんだやま》の土を削り取って海に運び入れるなどして、この入江を陸地にすることが企画され、あわせて石垣の修築がなされた。そして大名たちから供給された人々の労働によって、これは実現されることになる。

慶長《けいちょう》九年（一六〇四）、高《たか》一〇万石《ごく》につき一一二〇個の計算で大石を運びこめとの指令が大名たちに下され、命令どおりにつぎつぎと石が江戸に集められた。加藤清正《かとうきよまさ》・福島正則《ふくしままさのり》・池田輝政《いけだてるまさ》・毛利《もうり》秀就《ひでなり》・黒田長政《くろだながまさ》・細川忠興《ほそかわただおき》・鍋島勝茂《なべしまかつしげ》・浅野幸長《あさのよしなが》といった西国の大名たちが石を運んだ船を供出したが、このとき浅野が出した船は三八五艘《そう》に及んでいた。大名たちも家康の命令に逆らうわけにもいかず、なんとか工面して義務を果たした。さすがにこれは無料奉仕ではなく、それ相応の金子《きんす》が幕府から支給されていたから、幕府の負担もかなりあったと思われるが、それにしてもこれだけの大工事を実現できる政治力と財力を家康はもっていたのである。

明けて慶長一〇年、家康は正月早々江戸を出発して京都に向かうが、二月の下旬になって子息の秀忠《ひでただ》も江戸を出て、三月二一日には上洛《じょうらく》して伏見《ふしみ》城に入った。秀忠は二年前に右近衛大将《うこのえたいしょう》に任官しており、今度の上洛はそのお礼のためということだったが、四月になって家康は引退して将軍職を秀忠に譲りたいと言いだし、結局秀忠の将軍任官が実現されることになる。あわせて内大臣《ないだいじん》だった豊臣《とよとみ》（羽柴《はしば》）秀頼《ひでより》を右大臣《うだいじん》に昇進させることも決まったが、将軍職を子息に譲ったことは、徳川家の統治は一代限りではないという家康の強い意志を内外に示す結果となった。

いったん江戸に帰った家康は、翌慶長一一年にもまた上洛の途につくが、途中の駿府《すんぷ》の地で見まわりをして、ここをみずからの隠居所にすると宣言した。江戸は秀忠に任せて、自分はここで政治を仕切ると表明したのである。この年の冬、伏見からの帰り道にも駿府に立ち寄って城の場所を決め、翌慶長一二

13

◉駿府築城
石垣をつくっている場面。前方に縄でくくられた大石を引き上げる人々の姿が見える。その右上には大石を結わえつけた二本の棒を担いで運びこむ人がいる。（『駿府《すんぷ》築城図屏風《ちくじょうずびょうぶ》』）

年になると大名に対する人足動員を本格的に開始した。

大名たちから供給された労働力と石材によって、工事は順調に進捗《しんちょく》し、七月には天守閣《てんしゅかく》が完成して家康もここに移り住んだ。この年の冬に失火によって城は焼失するが、家康はひるむことなくふたたび諸大名に命令を発し、改めて資材が運びこまれて、またたくまに天守閣がつくりあげられた。慶長一三年八月二〇日、天守閣上棟の儀が挙行され、家康は秀忠とともに儀式に臨んだ。

徳川家康が駿府に入ったことで、列島の政治構造は大きく変わった。駿府の家康と江戸の秀忠、それに大坂の秀頼という、三つの核が置かれるかたちとなったのである。慶長一三年正月、秀忠の使いと秀頼の使者が駿府で家康に年頭の礼を述べているが、この儀式はこの後も慣例として毎年続けられることになった。秀忠が父のもとに年頭挨拶の使者を送るのは当然ともいえるが、大坂の秀頼も同じことをしていた。家康から秀頼に宛《あ》てて新年の使節が派遣されることはなかったから、やはり家康と秀頼の地位は隔絶していたと考えざるをえない。徳川の天下が定まるなか、秀頼はこれに従う一大名になりつつあったのである。

列島支配の布石

徳川家康《とくがわいえやす》がつぎに手がけたのは、名古屋《なごや》城の建設だった。すでに家康は六五歳を超えていたが、若年の子息が何人もおり、そのひとりの義利《よしとし》（のちの義直《よしなお》）の居城として名古屋の地が選ばれたのである。この少年はわずか四歳で甲斐《かい》二五万石《ごく》を与えられ、八歳になった慶長《けいちょう》一二年（一六〇七）に甲斐にかえて尾張《おわり》の清洲《きよす》を拝領した。織田信長《おだのぶなが》がかつて居城とした要地を与えられたわけだが、清洲は新たな拠点としてはふさわしくないということで、名古屋が築城の場所として定められた。慶長一五年になって工事が行なわれ、江戸や駿府《すんぷ》と同じように諸国の大名に協力要請がなされた。上方《かみがた》と駿府の間に位置する枢要の地が、徳川氏の新たな拠点として設定されたのである。

若年の義利の下にも頼将《よりまさ》（のちの頼宣《よりのぶ》）・頼房《よりふさ》という幼い弟がいたが、彼らも兄と同じように早くから大名となっていった。頼将ははじめ常陸水戸《ひたちみと》を与えられていたが、慶長一四年の冬に駿河《するが》・遠江《とおとうみ》で五〇万石を与えられ、水戸はその弟の頼房が拝領することとなった。慶長一五年に越《えち》後《ご》の堀《ほり》氏が内紛を起こすと、家康はこれを裁決するかたちで結果的には堀氏の所領をおおかた没収し、越後福島《ふくしま》の城（新潟県上越《じょうえつ》市）には子息の松平忠輝《まつだいらただてる》を入れた。数多い子息たちの領国をしだいに広げてゆくことで、家康は列島支配の基礎固めを着実に進めていった。

徳川の支配が進むなかで、各地の大名たちも保身の方途を模索せざるをえなくなっていった。越後の堀氏は内紛によって国を失ったし、伊賀上野《いがうえの》（三重県津市）の筒井定次《つついさだつぐ》のように日ごろの行状を咎《とが》められて領国没収の憂き目にあう場合もあった。

14

◉毛利輝元
祖父や父と同じく、輝元の書状も何かと細かい。領国を周防・長門二国に削られたが、萩に拠点を置いて一族家臣をまとめあげた。

安芸《あき》広島の福島正則《ふくしままさのり》は無断で居城を修築したことを家康に咎められており、九州の有馬晴信《ありまはるのぶ》は慶長一七年にその不正を問われて切腹させられている。また安房《あわ》の里見忠義《さとみただよし》のように、姻戚関係にあった大久保忠隣《おおくぼただちか》の失脚に縁座《えんざ》して領国を失うというケースもあった。戦いはなくなったが、ちょっとしたことで領国を失いかねない状況に、多くの大名たちは置かれていたのである。

慶長一八年四月のこと、長門《ながと》の萩《はぎ》にいた毛利輝元《もうりてるもと》は、江戸に出ている子息秀就《ひでなり》に対して訓戒状を与えたが、その冒頭にはこう書かれていた。「いうまでもないことだが、江戸での振る舞いはとても大切だ。とくにいまは前々とは違って、何事も古風なことを上の方々はお好みになると聞いている。人間には分別ある仁《じん》と若い衆がいて、若者は若い衆としか友達にならない傾向がある。これは致し方ないが、いまの状況をよく考えて行動するように」

家康も秀忠も華やかなことはあまり好きではなく、古びたものを好む習性があったのだろう。そういう時代だから、華やかな若者とばかり交流するのはつつしんで、きちんとつとめを果たしてほしいと輝元は訴えた。華やかだった秀吉の時代は幕を閉じ、何事にも地味を好む世の中になっていったのである。

大坂落城

関ヶ原《せきがはら》の戦いから十数年の間、畿内でも地方でも戦いはなりをひそめ、平和な日々が続いた。駿府《すんぷ》と江戸、さらには大坂と、各地に政治拠点が置かれながら、家康《いえやす》・秀忠《ひでただ》・秀頼《ひでより》の関係はそれなりに円満で、新年の挨拶《あいさつ》なども同じように繰り返された。列島の大名たちを巻き込む戦いが始まるとは、誰も思っていなかっただろうが、慶長《けいちょう》一九年（一六一四）になって政情は一気に緊迫する。

京都東山方広寺《ひがしやまほうこうじ》は秀吉《ひでよし》が開いた寺院だが、秀頼はその大仏殿再建を志し、重臣の片桐且元《かたぎりかつもと》が中心となって事業を進めた結果、慶長一五年に立柱《りっちゅう》の儀がなされ、四年後の慶長一九年にようやく鐘が完成して、めでたく開眼供養《かいげんくよう》が執り行なわれる運びとなっていた。発願《ほつがん》の主体は秀頼だったが、家康も事業には理解を示していたので、片桐且元は供養のやり方について駿府の家康に報告したが、ここで思いがけない異論に接することとなる。家康が最初に問題にしたのは供養の日取りだったが、やがて鐘の銘文に不吉な文言《もんごん》があるという噂《うわさ》が流れることによって、事は大事になった。

15

◉方広寺
慶長元年（一五九六）の大地震で方広寺の仏殿と大仏は破壊されてしまう。秀頼はその再建をめざした。（『豊国祭礼図屛風』）

銘文の文面を一読した家康は、「この銘文は無案内な田舎者が書いたとみえて、どうでもいいことを長々と書き綴《つづ》っているし、とくに諱《いみな》の文字を使っているのは方式にあわない」と言いだした。本《ほん》多《だ》正純《まさずみ》と金地《こんち》院崇伝《いんすうでん》からこのことを聞かされた片桐且元は、さすがに驚いて弁明のために駿府に赴いた。また京都にいた板倉勝重《いたくらかつしげ》は、この銘文についての五山《ござん》の住持《じゅうじ》たちの意見書を持って駿府に入り、家康にこれを届けた。七人の僧侶《そうりょ》の意見には温度差があったが、銘文には鐘のことだけ書けばいいのに、寺の由緒などを長々と書いていて、まるで縁起《えんぎ》か勧進帳《かんじんちょう》のようだという意見が多かった。

銘文に諱を書き入れていることについては、天皇（後水尾天皇《ごみずのおてんのう》）の実名政仁《ことひと》の「政」の字が見えることも問題にされたが、禅僧たちの多くが指摘したのは、最後の疏《そ》のなかに「国家安康」の一句があり、ここに「家」と「康」の文字が分けて書かれていることだった。将軍の実名すなわち諱を銘文に入れないのは通例だし、このように諱の二字を四言の中で書き分けるのは前代未聞だというのである。銘文を書いた方広寺の文英清韓《ぶんえいせいかん》は、「国家安康の句は御名乗《なのり》の文字を隠して入れ込んだまでです。だいたい御名乗はふだんから使っていて、諱というのは『松』や『杉』のような連歌《れんが》の一字名だと聞いています」と主張したが、どう弁明したところで家康の怒りはおさまらなかった。

難題を解決するために、大蔵卿局《おおくらきょうのつぼね》が大坂から駿府に赴いて家康との謁見を果たし、片桐且元とともに大坂に帰った。そのあと且元は、秀頼もしくは母君（淀殿《よどどの》）が江戸に赴くか、あるいは大坂から退いて領国を別に拝領するのがいいと建議した。こうでもしなければ家の存続は危ういと且元は考えたのだろうが、これが大坂城にこもる武士たちの感情に火をつけた。大野治長《おおのはるなが》・薄田兼佐《すすきだかねすけ》・木村《きむら》重成《しげなり》といった武士たちが、且元をなきものにしようと企て、危険を察した且元は二の丸のなかの私邸にこもり、さらにここも脱出して摂津《せっつ》の茨木城《いばらきじょう》に入った。

こうした大坂の様子は板倉勝重によって逐一駿府に報告され、大坂討伐の名目は定まった。さっそく家康は大名たちに出兵を命じ、対する大坂側でも金銀を使って大量の米を買いこみ、籠城《ろうじょう》態勢を固めた。長宗我部盛親《ちょうそかべもりちか》や後藤基次《ごとうもとつぐ》、さらに真田信繁《さなだのぶしげ》らの牢人《ろうにん》衆が金銀をもらって城に入った。備蓄してきた財力にものをいわせて敵を撃退しようと、秀頼とその家臣は本気で考えていたらしい。

徳川家康が駿府を出発したのは一〇月一一日だった。一〇月下旬に京都の二条城《にじょう》に入り、一一月一五日にようやく大坂に向かうが、この間に各地から諸大名の軍勢が集結、秀忠もみずから参陣して家康と城攻めについて相談した。一一月二六日、上杉景勝《うえすぎかげかつ》と佐竹義宣《さたけよしのぶ》の軍勢が大坂城の北東の鴫野《しぎの》や今福《いまふく》で城方を破り、船場《せんば》まで進んだ蜂須賀至鎮《はちすかよししげ》らの一隊は、土塁を築き竹束の柵《さく》をつくりながらじわじわと城に迫った。圧倒的な大軍で城を包囲しながら、家康は一方で和睦《わぼく》交渉を進め、一二月の後半に講和の内容がまとまった。本丸のみ残して二の丸と三の丸を取り壊すこと、織田有楽《おだうらく》(長益《ながます》)と大野治長《おおのはるなが》から人質を出すかわりに、城中の武士たちについては異議をもたないと家康が起請文で誓うことで話はまとまり、城を包囲していた諸大名の軍勢もようやく帰国の途についた。

明けて慶長二〇年、大坂城の工事を見届けて家康は駿府に帰ったが、そうしたところに板倉勝重から知らせが届いた。「大坂の様子が心配なので人を付け置いて見張っていたところ、米も材木も以前よりたくさん集めているようだし、籠城していた武士はひとりも城から出ず、かえって新しく奉公を望む者も多くて、秀吉の時代よりも人が多いともっぱらの評判だ」。またまた戦争の準備を整えているかと疑った家康は、秀頼が大和《やまと》もしくは伊勢《いせ》に移るか、牢人たちを放逐するか、どちらかにせよと迫った。

大蔵卿局がまた使いとなって陳弁に努めたが、家康は納得せず、大名たちに改めて出兵を命じた。軍勢はつぎつぎと集結し、四月の末に城方から攻撃をしかけて戦いが開始された。五月六日と七日の両日にわたって決戦がなされ、多くの死傷者を出したが、結局城方は敗れ大坂城も煙火に包まれた。五月八日、秀頼と淀殿が自害して城は陥落し、戦場から逃れた長宗我部盛親は捕らえられて処刑された。

大坂城にいた武将たちは、なぜ無謀とも思える戦いに身をゆだねたのか。不可解なところは残るが、本願寺《ほんがんじ》の時代以来、大坂は財の集まる大都市で、蓄積された富に基づいてひと旗あげれば、牢人の身の現状を克服できると考えていたのかもしれない。しかし家康にとってみても、大坂はなんとしても確保しておきたい要所だった。秀頼が大坂から去るという賢明な選択が可能であれば戦いは回避されたかもしれないが、結局牢人の決起によって秀頼は滅亡を余儀なくされたのである。

大坂落城ののちしばらく伏見《ふしみ》にいた家康は、二条城の秀忠とともに武家や公家にかかわる法令の整備を進め、七月になって

16

◉大坂夏の陣
家康の命令で召集された諸大名の軍勢に囲まれ、大坂城はついに炎上した。多数の軍勢が塀ぎわまで迫っている。(『大坂夏の陣図屏風』)

大名たちが守るべきことを列記した「武家諸法度《ぶけしょはっと》」をつくって伏見城で披露し、次いで家康・秀忠と二条昭実《あきざね》の三名連署のかたちで、いわゆる「禁中並公家諸法度《きんちゅうならびにくげしょはっと》」が作成された。朝廷と公家はすでに政治には関与していなかったが、彼らの内部の事柄にまで幕府の統制が及ぶ体制がここで固められたのである。

駿府に帰った家康は、関東で鷹狩《たかが》りをしようと江戸に向けて出発した。駿府と江戸を往来していた家康は、各地を旅しながら鷹狩りを楽しむことが多く、七〇を過ぎても意気軒昂《けんこう》だったのである。しかし年が明けたころから病気になり、元和《げんな》二年（一六一六）四月一七日に駿府で七五年の長い生涯を閉じた。

このころには、戦国乱世を乗りきった武将はおおかた世を去り、残った人々もみな老境にさしかかっていた。毛利輝元は六三歳、上杉景勝は六一歳、最後になって頭角を現わした伊達《だて》政《まさ》宗《むね》ももう四九歳だった。大名たちが競いあった時代は幕を閉じ、長い泰平《たいへい》の世がようやく始まるのである。

17

◉鷹狩り
左手に鷹《たか》をかざし、意気揚々と帰途につく武士。獲物《えもの》は木に刺して家来に運ばせている。（『洛中洛外図屏風《らくちゅうらくがいずびょうぶ》』上杉本）

おわりに

何が変わったのか

応仁《おうにん》の乱《らん》の終結から武家《ぶけ》諸法度《しょはっと》の制定まで、一四〇年の歴史の流れをおおまかに述べてきた。人々が代々同じことを繰り返し、社会体制も再生産されるような安定した時代ではなく、つねに新たなかたちが生み出され、未来をほとんど予測できない状況が長く続くが、こうした道程を経て、日本の社会はあらためて再構成された。いったいどのように変わったのだろうか。

平安時代の末期から始まる中世という時代、京都や鎌倉《かまくら》などの都市にいた領主たちが、列島各地にみずからの所領（荘園など）をもち、そこの百姓たちから年貢などを受け取るという社会構造が長く保たれていた。荘園の領主は天皇や貴族、大寺院などだったが、やがて台頭した武士たちも、荘園の地頭《じとう》などに任命されて領主の一員に加わった。

戦国の動乱を経て、こうした中世的な支配体制は解体し、列島各地に配置された藩の武士たちが百姓を支配し、これを統括した幕府が国家支配を担う新たな体制が生まれた。こうしたなかで貴族や寺院は領主としての地位を失い、武士たちもそのほとんどが没落した。鎌倉時代に御家人《ごけにん》として台頭した武士たちは、中世を通して家を存続させてきたが、戦国動乱を乗りきって大名として残ったのは、毛利《もうり》・島津《しまづ》・上杉《うえすぎ》・伊達《だて》などごくわずかで、ほとんどが動乱の過程で領主の地位を失った。江戸時代の大名の多くは徳川家康《とくがわいえやす》の家臣、もしくは織田信長《おだのぶなが》や羽柴秀吉《はしばひでよし》に仕えた武将たちの子孫で、領主の総入れ替えがなされたのである。同じく武士の時代といっても、中世と近世ではそのメンバーがまったく違っている。

村々の百姓たちが年貢などを領主に納めるというかたちは変わらなかったが、政治権力と民衆との関係は大きく変わっていった。朝廷や幕府など中世の支配者たちも百姓のことを何も考えなかったわけではないが、やはり領主相互の利害調整が主要な任務だった。ところが本書で述べたように、一五世紀の後半になると室町《むろまち》幕府も直接百姓に宛《あ》てた文書を発給しだすし、北条氏《ほうじょう》をはじめとする戦国大名も、村と百姓とじかに向かい合い、さまざまな施策をめぐらすようになる。

中世の百姓の実態はわからないことが多いが、生産条件は不安定で、子孫に長く伝える「家」というものがきちんと存在していたかどうか、かなり疑わしい。自分の先祖のこともよく知らず、孫の顔を見られれば十分といった感覚で、当時の人々は生活していたのであろう。しかし長い時代の流れを経て、百姓たちの経営基盤も安定し、江戸時代になるとそれなりに永続的な家が形づくられるようになる。戦国時代はこうした家が生まれはじめた時代で、家の集合体ともいえる村の組織も格段に充実した。こうした地域社会の変化によって、支配する側も体制転換を迫られたのである。

ローカルな世界の登場

百姓たちが力を蓄え、村という共同体が成熟してゆくというかたちで、地域社会は大きく変化したが、このような地域の自律を基盤として、一定の領域をもつ戦国大名が各地で生まれた。中世の領主はかなり広い範囲で散在的に所領をもち、全国的な交通のネットワークによって年貢を集めていたが、戦国大名の領国はその内部で領主支配や日常の経済活動を行ないうる空間として登場した。

真の意味での「ローカルな世界」がはじめて出現したといえなくもない。

人口も少なく、交易の場も限られていた時代には、人々の生活は狭い空間だけでは完結できず、生活に必要な物資を得るためにはかなり遠方まで旅をしなければならなかった。しかし、しだいに人口も増え、耕地も広がってゆくと、目に見える地域社会が生まれ、人々の経済活動も一定の領域内でまかなえるようになってゆく。こうした状況のなかで戦国大名の領国は生まれたのである。

各地に登場して覇を争った大名たちは、結果的には統一政権によって滅ぼされるか、その傘下《さんか》におさめられることになるが、このときに形づくられた政治空間は現在まで一定の意味をもちつづけている。戦国大名や藩祖たちが地域の英雄として人気を誇っているのは、彼らの時代に築かれたローカルな世界というものが、四〇〇年を経たいまでも意味を失っていないからだということもできよう。

戦国時代に生まれたローカルな世界は、統一国家に取り込まれてしまうが、江戸幕府がそれなりの実体をもつ支配を続けることができたのも、いったん地域的なまとまりが形成されていたからにほかならない。中世は基本的にグローバルな時代だが、近世は統一のなかに「ローカル性」が確実にみえるのである。

いまに生きる戦国時代

それにしても戦国時代は人気がある。歴史愛好家でなくても、戦国の武将のことはかなり知っているし、日常の会話のなかでもこの時代のことがもちだされることが多い。なぜ人々は戦国時代に魅力を感じるのか。そしてこの時代のことがここまで知られているのはなぜなのか。

それまでの社会秩序が崩れ、先の読めない時代なので、出自にかかわらず力量が認められて運がよければ出世のチャンスがあった。そういうことで登場人物が生彩を放っているというのが、戦国時代が人気のある理由かもしれない。同じように現代も先がみえない状況にあるから、戦国武将の生き方に自分を重ねてしまうことが多いのではないだろうか。

しかし戦国時代の人気の理由はこれだけではないだろう。先に述べたように、戦国の武将たちの多くは地域のヒーローで、私たちが生活している地域社会のもとを築いた英雄として称《たた》えられている。上杉謙信《うえすぎけんしん》は越後《えちご》で亡くなったが、いまでは米沢《よねざわ》藩の祖として崇《あが》められているし、武田《たけだ》家は断絶したにもかかわらず、武田信玄《しんげん》は甲斐《かい》の英雄である。戦国の武将はいまにつながる地域社会の出発点に位置づけられているわけで、彼らが活躍した時代は明らかに現代と一筋につながっているのである。現代の社会や人々の生活とまったく切り離されているわけではなく、むしろその出発点にあたるということも、人々が戦国時代に親近感を覚える理由なのではあるまいか。

ただ考えてみると、信玄や謙信が活躍したのは戦国時代も後半だし、いわゆる藩祖と仰がれる武将たち、たとえば前田利家《まえだとしいえ》や山内一豊《やまうちかつとよ》、井伊直政《いいなおまさ》などは戦国の最末期の人物といえる。現代と一本の線でつながっているのは、じつは戦国時代の後半にすぎず、前半の時代のことはほとんど知られていないのである。中世社会が大きく揺れだす戦国時代の前半、畿内でも列島各地でも新たな勢力が台頭し、さまざまな個性的な人物が活躍したが、彼らのほとんどは子孫を伝えることなく滅び去った。戦国時代の歴史を再現するためには、いまにつながる有名な事件だけに注目するのではなく、あまり知られていない前半も含めて全体的に鳥瞰《ちょうかん》してみる必要があるだろう。本書において畿内の政治情勢を中心に、早い時期の事柄に力点を置き、無名の事件や人物を浮き彫りにしたのもこうした目的意識による。

また、よく知られた事柄についても、私たちが共有している知識やイメージは当時の実状とかなり食い違っているのではないか、という気もする。テレビや映画で映し出される合戦や落城のシーンを観《み》つづけると、あんなにたいへんなことがいつもあったような印象を受けるが、これも本書で書いたように、絵に描いたような落城や軍勢が激突する合戦はきわめてまれで、戦場での生活はとても退屈なものだったと思われる。戦国時代というとどうしても戦いに明け暮れた時代というイメージがあるが、現実の生活はもっと穏やかなものだったのではないか。このあたりのこともあらためて考え直してみる必要があるだろう。

それにしてもこの時代の画期性は否定できない。日本国内や世界の各地で生起するさまざまな事柄を見聞するたびに、そうした思いを抱くことがやはりある。たとえばこの時代の歴史の流れが少し変わっていたら、列島各地に戦国大名領国を引き継いだような国家が並びたっていたかもしれないし、あるいは私たちふつうの人々も、日ごろから武器を携帯して自己防衛に努めていたかもしれない。現代の社会や私たちの生活も、戦国時代に起きた大きな転換のうえに乗って存在しているように思えてならないのである。

第八章

• 朝尾直弘『将軍権力の創出』岩波書店、1994 年
• 小和田哲男『戦争の日本史 15　秀吉の天下統一戦争』吉川弘文館、2006 年
• 笠谷和比古『関ケ原合戦と近世の国制』思文閣出版、2000 年
• 笠谷和比古『戦争の日本史 17　関ヶ原合戦と大坂の陣』吉川弘文館、2007 年
• 北島万次『豊臣政権の対外認識と朝鮮侵略』校倉書房、1990 年
• 北島万次『豊臣秀吉の朝鮮侵略』吉川弘文館、1995 年
• 小林清治『秀吉権力の形成』東京大学出版会、1994 年
• 鈴木理生『幻の江戸百年』筑摩書房、1991 年
• 曽根勇二『片桐且元』吉川弘文館、2001 年
• 中野等『豊臣政権の対外侵略と太閤検地』校倉書房、1996 年
• 中野等『秀吉の軍令と大陸侵攻』吉川弘文館、2006 年
• 中野等『戦争の日本史 16　文禄・慶長の役』吉川弘文館、2008 年
• 橋本政宣『近世公家社会の研究』吉川弘文館、2002 年
• 平尾道雄『長宗我部元親』人物往来社、1966 年
• 平野明夫『徳川権力の形成と発展』岩田書院、2006 年
• 藤木久志『豊臣平和令と戦国社会』東京大学出版会、1985 年
• 藤田達生『日本近世国家成立史の研究』校倉書房、2001 年
• 山本博文『島津義弘の賭け』読売新聞社、1997 年

全編にわたるもの

• 朝尾直弘『大系日本の歴史 8　天下一統』小学館、1988 年
• 熱田公『日本の歴史 11　天下一統』集英社、1992 年
• 有光友学編著『日本の時代史 12　戦国の地域国家』吉川弘文館、2003 年
• 池上裕子『日本の歴史 10　戦国の群像』集英社、1992 年
• 池上裕子『日本の歴史 14　織豊政権と江戸幕府』講談社、2002 年
• 池享『大名領国制の研究』校倉書房、1995 年
• 池享『戦国・織豊期の武家と天皇』校倉書房、2003 年
• 池享編著『日本の時代史 13　天下統一と朝鮮侵略』吉川弘文館、2003 年
• 今谷明『日本の歴史 9　日本国王と土民』集英社、1992 年
• 榎原雅治編著『日本の時代史 11　一揆の時代』吉川弘文館、2003 年
• 神田千里『日本の中世 11　戦国乱世を生きる力』中央公論社、2002 年
• 北島正元『日本の歴史 16　江戸幕府』小学館、1975 年
• 久保田昌希『戦国大名今川氏と領国支配』吉川弘文館、2005 年
• 久留島典子『日本の歴史 13　一揆と戦国大名』講談社、2001 年
• 坂田聡・榎原雅治・稲葉継陽『日本の中世 12　村の戦争と平和』中央公論社、2002 年
• 桜井英治『日本の歴史 12　室町人の精神』講談社、2001 年
• 佐々木銀弥『日本の歴史 13　室町幕府』小学館、1975 年
• 杉山博『日本の歴史 11　戦国大名』中央公論社、1965 年
• 辻達也『日本の歴史 13　江戸開府』中央公論社、1966 年
• 永原慶二『日本の歴史 10　下剋上の時代』中央公論社、1965 年
• 永原慶二『日本の歴史 14　戦国の動乱』小学館、1975 年
• 永原慶二『戦国期の政治経済構造』岩波書店、1997 年
• 林屋辰三郎『日本の歴史 12　天下一統』中央公論社、1966 年
• 深谷克己『大系日本の歴史 9　士農工商の世』小学館、1988 年
• 藤井譲治『日本の歴史 12　江戸開幕』集英社、1992 年
• 藤木久志『日本の歴史 15　織田・豊臣政権』小学館、1975 年
• 藤木久志『戦国社会史論』東京大学出版会、1974 年
• 藤木久志『戦国の作法』平凡社、1987 年
• 藤木久志『戦国大名の権力構造』吉川弘文館、1987 年
• 藤木久志『戦国史をみる目』校倉書房、1995 年
• 山室恭子『中世のなかに生まれた近世』吉川弘文館、1991 年
• 脇田晴子『大系日本の歴史 7　戦国大名』小学館、1988 年

- 勝俣鎮夫「戦国大名『国家』の成立」『戦国時代論』岩波書店、1996年
- 黒田基樹『戦国大名北条氏の領国支配』岩田書院、1995年
- 黒田基樹『戦国大名領国の支配構造』岩田書院、1997年
- 黒田基樹『戦国期東国の大名と国衆』岩田書院、2001年
- 佐脇栄智「小田原北条氏代替り考」『後北条氏の基礎研究』吉川弘文館、1976年
- 佐脇栄智『後北条氏と領国経営』吉川弘文館、1997年
- 永井路子『戦国武将の素顔――毛利元就の手紙を読む』NHK人間大学テキスト、1997年
- 長谷川成一『弘前藩』吉川弘文館、2004年
- 山田邦明『戦国のコミュニケーション』吉川弘文館、2002年
- 山田邦明「上杉輝虎の人質要請」『戦国史研究』43、2002年
- 山室恭子『群雄創世紀――信玄・氏綱・元就・家康』朝日新聞社、1995年
- 矢田俊文『日本中世戦国期権力構造の研究』塙書房、1998年

第五章

- 阿部浩一『戦国期の徳政と地域社会』吉川弘文館、2001年
- 有光友学「戦国大名今川氏の歴史的性格」『日本史研究』138、1974年
- 池上裕子『戦国時代社会構造の研究』校倉書房、1999年
- 今村啓爾『戦国金山伝説を掘る』平凡社、1997年
- 小和田哲男『今川氏の研究』清文堂出版、2000年
- 勝俣鎮夫『戦国法成立史論』東京大学出版会、1979年
- 神奈川県『神奈川県史　通史編1』1981年
- 久保健一郎『戦国大名と公儀』校倉書房、2001年
- 黒田基樹『中近世移行期の大名権力と村落』校倉書房、2003年
- 笹本正治『戦国大名武田氏の研究』思文閣出版、1993年
- 佐脇栄智『後北条氏の基礎研究』吉川弘文館、1976年
- 佐脇栄智『後北条氏と領国経営』吉川弘文館、1997年
- 静岡県『静岡県史　通史編2』1997年
- 柴辻俊六『戦国大名領の研究』名著出版、1981年
- 新城常三『戦国時代の交通』畝傍書房、1943年
- 杉山博『戦国大名後北条氏の研究』名著出版、1982年
- 高良倉吉「琉球の形成と環シナ海世界」大石直正・高良倉吉・高橋公明『日本の歴史14　周縁から見た中世日本』講談社、2001年
- 則竹雄一『戦国大名領国の権力構造』吉川弘文館、2005年
- 平山優『戦国大名領国の基礎構造』校倉書房、1999年
- 藤木久志『戦国の村を行く』朝日選書、1997年
- 山田邦明「上杉謙信の地下人要請令」『戦国史研究』40、2000年

第六章

- 蒲郡市史編さん事業実行委員会『蒲郡市史　本文編1』2006年
- 木村徳衛『直江兼続伝』1944年
- 高橋典幸・山田邦明・保谷徹・一ノ瀬俊也『日本軍事史』吉川弘文館、2006年
- 玉村竹二「大徳寺の歴史」『日本禅宗史論集』下之2、思文閣出版、1981年
- 藤木久志『雑兵たちの戦場』朝日選書、1995年
- 藤本正行『戦国合戦の常識が変わる本』洋泉社、1999年
- 山田邦明「中世三浦の寺院とその展開」『三浦一族研究』2、1998年
- 渡辺三省『直江兼続とその時代』野島出版、1980年

第七章

- 神田千里『信長と石山合戦』吉川弘文館、1995年
- 神田千里『戦争の日本史14　一向一揆と石山合戦』吉川弘文館、2007年
- 黒田基樹「慶長期大名の氏姓と官位」『日本史研究』414、1997年
- 小島道裕『信長とは何か』講談社選書メチエ、2006年
- 立花京子『信長政権と朝廷』岩田書院、2000年
- 谷口克広『戦争の日本史13　信長の天下布武への道』吉川弘文館、2006年
- 谷口克広『検証本能寺の変』吉川弘文館、2007年
- 藤田達生『本能寺の変の群像』雄山閣、2001年
- 藤田達生編『小牧・長久手の戦いの構造』岩田書院、2006年
- 山本浩樹『戦争の日本史12　西国の戦国合戦』吉川弘文館、2007年

参考文献

はじめに

- 高柳光寿『戦国戦記　長篠之戦』春秋社、1960年
- 藤本正行『信長の戦国軍事学』JICC出版局、1993年
- 藤本正行『戦国合戦の常識が変わる本』洋泉社、1999年
- 藤本正行『鎧をまとう人びと』吉川弘文館、2000年
- 宮島新一「川中島合戦図と長篠合戦図」『戦国合戦絵屛風集成1　川中島合戦図・長篠合戦図』中央公論社、1980年

第一章

- 家永遵嗣『室町幕府将軍権力の研究』東京大学日本史研究叢書1、東京大学大学院国史学研究室、1995年
- 石田晴男「室町幕府・守護・国人体制と『一揆』」『歴史学研究』586、1988年
- 泉佐野市史編さん委員会『新修泉佐野市史』第5巻、2001年
- 稲葉継陽『戦国時代の荘園制と村落』校倉書房、1998年
- 勝俣鎮夫「戦国時代の村落」『戦国時代論』岩波書店、1996年
- 勝守すみ『太田道灌』人物往来社、1966年
- 勝守すみ『関東武士研究叢書6　長尾氏の研究』名著出版、1978年
- 埼玉県『新編埼玉県史　通史編2』1988年
- 佐脇栄智「太田道灌謀殺と長享の大乱」『後北条氏と領国経営』吉川弘文館、1997年
- 設楽薫「将軍足利義材の政務決裁」『史学雑誌』96－7、1987年
- 静岡県『静岡県史　通史編2』1997年
- 水藤真『戦国の村の日々』東京堂出版、1999年
- 藤木久志『戦国の村を行く』朝日選書、1997年

第二章

- 今谷明『天皇家はなぜ続いたか』新人物往来社、1991年
- 神奈川県『神奈川県史　通史編1』1981年
- 佐藤博信『古河公方足利氏の研究』校倉書房、1989年
- 静岡県『静岡県史　通史編2』1997年
- 中世公家日記研究会『戦国期公家社会の諸様相』和泉書院、1992年
- 新潟県『新潟県史　通史編2』1987年
- 長谷川博史『戦国大名尼子氏の研究』吉川弘文館、2000年
- 古野貢「室町幕府─守護体制と細川氏権力」『日本史研究』510、2005年
- 三坂圭吾『毛利元就』人物往来社、1966年
- 森田恭二『戦国期歴代細川氏の研究』和泉書院、1994年
- 山田康弘『戦国期室町幕府と将軍』吉川弘文館、2000年

第三章

- 井上鋭夫『上杉謙信』人物往来社、1966年
- 今谷明『戦国期の室町幕府』角川書店、1975年
- 今谷明『言継卿記』そしえて、1980年
- 今谷明『室町幕府解体過程の研究』岩波書店、1985年
- 今谷明『戦国三好一族』新人物往来社、1985年
- 今谷明『京都・一五四七年――上杉本洛中洛外図の謎を解く』平凡社、1988年
- 河内将芳『中世京都の民衆と社会』思文閣出版、2000年
- 河内将芳『中世京都の都市と宗教』思文閣出版、2006年
- 河内将芳『祇園祭と戦国京都』角川学芸出版、2007年
- 小谷利明『畿内戦国期守護と地域社会』清文堂出版、2003年
- 小谷利明「畿内戦国期守護と室町幕府」『日本史研究』510、2005年
- 静岡県『静岡県史　通史編2』1997年
- 水藤真『落日の室町幕府』吉川弘文館、2006年
- 外山幹夫『大友宗麟』吉川弘文館、1975年
- 長江正一『三好長慶』吉川弘文館、1968年
- 藤本正行『信長の戦国軍事学』JICC出版局、1993年
- 山田康弘「将軍義輝殺害事件に関する一考察」『戦国史研究』43、2002年
- 山本浩樹『戦争の日本史12　西国の戦国合戦』吉川弘文館、2007年
- 弓倉弘年『中世後期畿内近国守護の研究』清文堂出版、2006年

第四章

- 浅倉直美『後北条領国の地域的展開』岩田書院、1997年
- 大石直正「北の周縁、列島東北部の興起」大石直正・高良倉吉・高橋公明『日本の歴史14　周縁から見た中世日本』講談社、2001年

スタッフ一覧

本文レイアウト	姥谷英子
校正	オフィス・タカエ
図版・地図作成	蓬生雄司
写真撮影	西村千春
索引制作	小学館クリエイティブ
編集長	清水芳郎
編集	水上人江
	阿部いづみ
	宇南山知人
	田澤泉
	一坪泰博
編集協力	青柳亮
	小西むつ子
	林まりこ
月報編集協力	㈲ビー・シー
	関屋淳子
	藤井恵子
制作	大木由紀夫
	山崎法一
資材	横山肇
宣伝	中沢裕行
	後藤昌弘
販売	永井真士
	奥村浩一
協力	株式会社モリサワ

所蔵先一覧

所蔵先と写真提供者、撮影者が異なる場合は、(　)内にその旨を明記した。

カバー・表紙

大阪城天守閣

口絵

1・6・8大阪城天守閣／2聚光院／3大徳寺／4高野山持明院／5常安寺（提供：長岡市教育委員会栃尾分室）／7名古屋市博物館／9徳川美術館

はじめに

1・3名古屋市博物館／2撮影：牧野貞之／4・5犬山城白帝文庫

第一章

1・3・7・12米沢市上杉博物館／2東京国立博物館（提供：TNM Image Archives）／4慈照寺／5出光美術館／6竜安寺／8静勝寺／9京都府立総合資料館／10東京大学史料編纂所／11宮内庁書陵部／13本圀寺（提供：京都国立博物館）／14今堀町（提供：滋賀大学経済学部附属史料館）

第二章

1・4早雲寺／2永青文庫／3撮影：中田昭／5増善寺／6大泉寺／7等持院／8見性寺（提供：藍住町教育委員会）／9堺市博物館／10桑実寺（提供：京都国立博物館）／（コラム）国立公文書館

第三章

1仙台市博物館／2上宮寺／3等持院／4臨済寺（提供：静岡県立中央図書館歴史文化情報センター）／5早雲寺／6高野山持明院／7光源院（提供：相国寺承天閣美術館）／8常国寺（提供：福山市教育委員会）／9春日神社（提供：福井県立一乗谷朝倉氏遺跡資料館）／10岩国美術館／11毛利博物館／12山口県文書館／13瑞峯院／（コラム）本龍寺

第四章

1萩博物館／2常栄寺／3吉川史料館／4米山寺／5・6毛利博物館／7恵林寺（信玄公宝物館保管）／8上杉神社／9長生寺（提供：山梨県立博物館）／10個人蔵（提供：湯之奥金山博物館）／11明治大学博物館／12仙台市博物館／13国立公文書館

第五章

1・16米沢市上杉博物館／2湯之奥金山博物館／3個人蔵（提供：山梨県立博物館）／4・5仙台市博物館／6尚古集成館／7法隆寺／8・12国立国会図書館／9大阪歴史博物館／10個人蔵（複製：神奈川県立公文書館）／11サントリー美術館／13喜多院／14小田原城天守閣／15名古屋城管理事務所／17個人蔵（提供：町田市立自由民権資料館／（コラム）提供：沖縄県立芸術大学

第六章

1・9東京国立博物館（提供：TNM Image Archives）／2万松寺／3東京大学史料編纂所／4名古屋市博物館／5大阪城天守閣／6撮影：中田昭／7宮内庁三の丸尚蔵館／8大徳寺／10米沢市上杉博物館／（コラム）長禅寺（提供：山梨県立博物館）

第七章

1岐阜市歴史博物館／2等持院／3石川文化事業財団お茶の水図書館／4西本願寺／5泉涌寺／6（右）長善寺（左）小松市立博物館／7味真野史跡保存会（提供：越前市教育委員会）／8大阪城天守閣／9常慶院／10竹生島神社／11本徳寺／12総見寺（提供：岐阜市歴史博物館）

第八章

1徳川記念財団／2高伝寺／3若宮八幡宮／4大阪城天守閣／5光福寺／6瑞巌寺／7早雲寺（提供：箱根町立郷土資料館）／8佐賀県立名護屋城博物館／9神戸市立博物館／10慈舟山瑞泉寺／11国立歴史民俗博物館／12・15豊国神社／13名古屋市博物館／14毛利博物館／16大阪城天守閣／17米沢市上杉博物館

西暦	年号 干支	天皇	将軍	日本	世界
1603	8 癸卯	後陽成	徳川家康	徳川家康、カンボジア国王に返書。家康、征夷大将軍に、広橋兼勝・勧修寺光豊、武家伝奏となる（江戸幕府開府）。この春、江戸に日本橋架橋。出雲阿国、京で歌舞伎踊りを演じる。幕府、長崎奉行設置。千姫、豊臣秀頼の妻となる。この年、『日葡辞書』成立。	イギリス、エリザベス1世没。ステュアート朝始まる。
1604	9 甲辰			幕府、松前慶広に蝦夷地交易の特権を与える。幕府、糸割符法を制定し、京都・堺・長崎の商人に生糸輸入の特権を付与。幕府、長崎に唐通事を置く。	フランス、東インド会社を設立。
1605	10 乙巳		徳川秀忠	朝鮮使節、伏見城で徳川家康に謁見。徳川秀忠、征夷大将軍となる。林信勝（羅山）、二条城で家康に謁見。家康、スペイン人に通商を許す。この年、幕府、国々の絵図・郷帳をつくらせる（慶長の国絵図）。	スペイン、セルバンテス『ドン・キホーテ』（第1部）刊行。
1606	11 丙午			幕府、諸大名の普請役で江戸城の増築を始める。徳川家康、武家の官位は幕府の上申によることを奏請。角倉了以、山城大井川を開削。宗義智、国書を偽造し朝鮮に送る。幕府、慶長通宝を鋳造し、永楽銭を停止。	オーストラリア発見。ローマ教皇、ベネツィアを破門。
1607	12 丁未			出雲阿国、江戸で歌舞伎踊りを演じる。幕府、林羅山を儒者として任用。朝鮮使節、江戸に上り将軍に国書を呈上。この年、角倉了以、富士川を開削。	イギリス、ヴァージニアに植民地をつくる。
1608	13 戊申			幕府、永楽銭1貫文=鐚銭4貫文=金1両と定める。	フランス、北米にケベック市建設。
1609	14 己酉			幕府、島津家久に琉球出兵を命じる。朝鮮、宗義智と貿易規定を定める（己酉約条）。幕府、オランダ船に貿易を許す。オランダ人、平戸に商館を建てる。幕府、西国大名の大船を没収。徳川家康、スペイン国王に貿易の保護を約束する書を送る。	オランダ、スペインと休戦。アムステルダム銀行設立。
1610	15 庚戌			ビベロ、京都の商人田中勝介とともにメキシコに渡航。近畿諸国に大風雨。	フランス、アンリ4世暗殺される。
1611	16 辛亥	後水尾		徳川家康、西国大名に条規3か条を示して誓約させる。メキシコ使節ビスカイノ、家康・秀忠に謁見。幕府、明の商人に長崎貿易を許す。	イギリス、欽定英語訳聖書完成。
1612	17 壬子			徳川家康、東国大名に条規3か条を示して誓約させる。幕府、キリシタンを禁じ、京都の教会堂を壊す。	イギリス使節、アユタヤを訪問。
1613	18 癸丑			幕府、公家諸法度、勅許紫衣・諸寺入院の法度を制定。徳川家康、イギリスに通商を許す。伊達政宗の遣欧使節支倉常長、陸奥月浦を出航。幕府、キリスト教を禁止。	ロシア、ロマノフ朝成立。
1614	19 甲寅			豊臣秀頼、方広寺大仏鐘を鋳造。徳川家康、方広寺大仏鐘銘に異議をとなえ、開眼供養を延期させる。幕府、高山右近らキシリタン148人をマニラ・マカオに追放。伊勢踊り流行。家康、大坂征討を命じる。家康・秀忠、大坂出陣（大坂冬の陣）。東西両軍和議。	フランス、パリに全国三部会を召集。
1615	元和1 乙卯			徳川家康、再度大坂征討を命じる（大坂夏の陣）。大坂城陥落、豊臣秀頼・淀君ら自害（豊臣氏滅亡）。幕府、一国一城令を定める。徳川秀忠、武家諸法度・禁中並公家諸法度を下す。	明、三案起こる。満州、八旗の軍制が定められる。
1616	2 丙辰			徳川家康、太政大臣となる。家康没。幕府、中国以外の外国船の寄港を長崎・平戸に限定。幕府、煙草の栽培・一季居・人身売買を禁止。	ヌルハチ、後金を興す。

西暦	年号 干支	天皇	将軍	日本	世界
1586	14 丙戌	後陽成		豊臣秀吉、方広寺大仏殿の建材を諸国に賦課。秀吉、太政大臣となる。	
1587	15 丁亥			島津義久、豊臣秀吉に降伏（九州平定）。秀吉、キリスト教宣教師の国外退去を命じる。秀吉、聚楽第に入る。この年、天正通宝を鋳造。	サファヴィー朝、アッバース1世即位。
1588	16 戊子			後陽成天皇、聚楽第に行幸。豊臣秀吉、長崎の教会領を没収。秀吉、刀狩令・海賊取締令を発布。この年、天正大判などを鋳造。	イギリス、スペインの無敵艦隊を破る。
1589	17 己丑			豊臣秀吉、諸大名に妻子の在京を命じる。秀吉、北条氏に誅伐を通告。	明、李円朗の乱。フランス、ブルボン朝開始。
1590	18 庚寅			バリニャーノと遣欧使節、長崎に帰着。印刷機伝来。北条氏直、豊臣秀吉に降伏。秀吉、小田原城に入る。徳川家康、江戸城に入る。秀吉、聚楽第で朝鮮通信使を引見。	このころ、ドイツのルール地方で石炭採掘開始。
1591	19 辛卯			千利休自害。豊臣秀吉、武家奉公人の町人・百姓化、百姓の離村商売を禁止。秀吉、フィリピン諸島長官に入貢を要求。この年、秀吉、諸国の御前帳・郡図を徴収。	
1592	文禄 1 壬辰			豊臣秀吉、名護屋に向かう（文禄の役始まる）。豊臣秀次、人掃令を出す。小西行長ら第一軍、釜山浦に到着。行長・加藤清正ら、漢城を攻める。行長・黒田長政ら、平壌を陥落。	明、ボバイの乱起こる。
1593	2 癸巳			小西行長、沈惟敬と会談し、和議受諾。豊臣秀吉、日明和平7か条を示す。秀吉、高山国（台湾）に入貢を催促。この年、小笠原諸島発見といわれる。	オスマン朝、オーストリアと開戦（～1606年）。
1594	3 甲午			豊臣秀吉、伏見城に移る。秀吉、キリシタンを長崎で処刑。	
1595	4 乙未			豊臣秀吉、豊臣秀次を高野山に追放し、秀次自害。秀吉、徳川家康ら有力大名とともに御掟と御掟追加を制定。文禄年間に、文禄通宝を鋳造。	オランダ船、ジャワに至り、インド航路を開く。
1596	慶長 1 丙申			畿内に大地震。スペイン船サン・フェリペ号、土佐浦戸に漂着。豊臣秀吉、明使を引見、明の国書に怒り、朝鮮再出兵を決定。秀吉、大坂城に移る。秀吉、キリスト教徒26人を長崎で処刑。	
1597	2 丁酉			豊臣秀吉、朝鮮再出兵（慶長の役）。長宗我部元親、22か条の掟書を制定。フィリピン使節、秀吉に謁見。	明、楊応竜の乱（～1600年）。
1598	3 戊戌			豊臣秀吉、五大老と五奉行に誓紙を交わさせ、遺書を記す。秀吉没。朝鮮の日本軍撤退完了。	フランス、ナントの勅令。
1599	4 己亥			豊臣秀頼、伏見城から大坂城に移る。徳川家康、前田利家ら豊臣氏大老・五奉行に難詰されるが、和睦。家康、石田三成を近江佐和山に蟄居させる。勅版『日本書紀』神代巻・『大学』刊行。	ヌルハチ、満州文字をつくる。
1600	5 庚子			オランダ船リーフデ号、豊後に漂着。ウィリアム・アダムズ、大坂で徳川家康に謁見。石田三成挙兵。家康ら東軍、美濃国関ヶ原で西軍を破る（関ヶ原の戦い）。三成・小西行長ら京都六条河原で処刑。	イギリス、東インド会社を設立。
1601	6 辛丑			徳川家康、東海道に伝馬制を定める。家康、大坂城から伏見城に移る。家康、伏見に銀座を設け、丁銀を鋳造。家康、佐渡金山を直轄。家康、江戸城に帰る。	明、マテオ・リッチ、北京に天主教会堂を建てる。
1602	7 壬寅			徳川家康、伏見城に入る。東本願寺建立。家康、二条城の修築を始める。家康、中山道に伝馬制を定める。	オランダ、東インド会社を設立。

西暦	年号 干支	天皇	将軍	日本	世界
1567	10 丁卯	正親町	足利義輝	六角義治と父承禎、六角氏式目を制定。織田信長、美濃の稲葉山城を攻め、同城に移り岐阜城と改名。信長、美濃加納を楽市とする。	明、アルタン・ハン、大同に侵攻。
1568	11 戊辰		足利義栄	織田信長、足利義昭を奉じて入京。信長、分国中の諸関諸役を廃止。徳川家康、遠江に侵入。	オランダ独立戦争（～1609年）。
1569	12 己巳		足利義昭	織田信長、二条城の造営開始。信長、撰銭令を出す。信長、フロイスの京都滞在を許可。	ビルマ、トゥングー朝、アユタヤを占領。
1570	元亀 1 庚午			織田信長・徳川家康、姉川に浅井長政・朝倉義景を破る（姉川の戦い）。石山本願寺、信長陣所を夜襲（石山戦争開始）。ポルトガル船、長崎に初入港。	明、アルタン・ハンと和議。
1571	2 辛未			織田信長、延暦寺を焼き討ち。	スペイン、マニラ占領。レパントの海戦。
1572	3 壬申			織田信長、足利義昭に異見17か条を提出。武田信玄、遠江三方ヶ原で徳川家康を破る。	フランス、聖バルテルミーの虐殺。
1573	天正 1 癸酉			織田信長、二条城に足利義昭を囲み、上京に放火。武田信玄没。信長、義昭を降伏させる（室町幕府滅亡）。信長、朝倉義景・浅井長政を滅ぼす。信長、千利休ら堺衆らと茶会。	
1574	2 甲戌			織田信長、尾張長島一向一揆を鎮圧。	オスマン軍、チュニス占領。
1575	3 乙亥			織田信長・徳川家康、長篠で武田勝頼に大勝（長篠の合戦）。信長、越前一向一揆を鎮圧。	朝鮮で党争始まる。
1576	4 丙子			織田信長、安土城を築き居城とする。毛利輝元の水軍、信長の水軍を破り、石山本願寺を援助。この年、ジャガイモ渡来。トウモロコシ・スイカ・カボチャの種が渡来。	フランス、ボーダン『国家論』成立。
1577	5 丁丑			織田信長、紀伊雑賀一揆を攻める。信長、安土山下町中に、楽市・楽座の令を出す。信長、右大臣となる。羽柴秀吉、播磨を攻略。	イギリス、ドレーク、世界一周に出発（～1580年）。
1578	6 戊寅			上杉謙信没。毛利氏、尼子勝久を滅ぼす。織田信長の水軍、毛利氏の水軍を木津川口で破る。	明、全国で土地の測量を始める。
1579	7 己卯			織田信長、安土城天主に移る。信長、安土で浄土宗と法華宗の宗論を裁定。	
1580	8 庚辰			織田信長、本願寺顕如と和す（石山戦争終結）。イギリス商船、平戸に来航。柴田勝家、加賀一向一揆を平定。	スペイン、ポルトガルを併合。
1581	9 辛巳			バリニャーノ、織田信長に謁見。信長、高野聖1000余人を処刑。	オランダ、独立宣言。
1582	10 壬午			大友・大村・有馬氏、ローマ教皇に少年使節を派遣（天正遣欧使節）。武田勝頼、織田信長軍に敗死（武田氏滅亡）。明智光秀、本能寺で信長を、二条城で織田信忠を自害させる（本能寺の変）。羽柴秀吉、山崎で光秀を破る（山崎の戦い）。秀吉、山城で検地（太閤検地始まる）。	教皇グレゴリウス13世、グレゴリオ暦を制定。マテオ・リッチ、マカオに到着。
1583	11 癸未			羽柴秀吉、賤ヶ岳で柴田勝家を破る（賤ヶ岳の戦い）。大坂城の普請が始まる。	女真のヌルハチ、挙兵。
1584	12 甲申			徳川家康、秀吉勢を長久手で破る（小牧・長久手の戦い）。イスパニア人、平戸に入港。	フェリペ2世、日本の遣欧少年使節を謁見。
1585	13 乙酉			羽柴秀吉、関白となり、藤原に改姓。長宗我部元親、秀吉に降伏（四国平定）。秀吉、豊臣姓を許される。近畿・東海に大地震。	イギリス人、ヴァージニアに植民地建設を開始。

西暦	年号 干支	天皇	将軍	日本	世界
1545	14乙巳	後奈良	足利義晴	今川義元、北条氏康と駿河で戦う。織田信秀、三河で松平広忠を破る。	トリエント公会議（～1563年）。
1546	15丙午		足利義藤（義輝と改名）	北条氏康、上杉憲政・足利晴氏を破る。上杉朝定敗死。細川氏綱・畠山政国らが堺で三好範長ら細川晴元勢と対陣。京の土一揆、徳政を要求、幕府、徳政令を出す。	メキシコ、サカテカス銀山発見。
1547	16丁未			日朝間に丁未約条成立。武田晴信（信玄）『甲州法度之次第』（26か条本）制定。	朝鮮、壁書の獄。
1548	17戊申			武田晴信（信玄）、村上義清と戦い、敗れる。長尾景虎（上杉謙信）、家督を嗣いで越後春日山城に入る。	明、倭寇を攻撃。
1549	18己酉			ザビエル、鹿児島に上陸。今川勢、織田信広を捕らえ、松平竹千代（徳川家康）と交換。六角定頼、近江石寺に楽市令を出す。	ポルトガル、ブラジル総督を置く。
1550	19庚戌			足利義晴没。ポルトガル船、肥前平戸に入港。ザビエル、山口で布教。	アルタン・ハン、北京を包囲（庚戌の変）。
1551	20辛亥			ポルトガル船、豊後日出に来航。陶隆房、大内義隆に背き、自害させる（勘合貿易断絶）。	オスマン軍、ハンガリーに攻め入る。
1552	21壬子			上杉憲政、越後の長尾景虎（上杉謙信）を頼る。大内義長、トルレスに大道寺（教会）建設を許す。	ロシア、カザン・ハン国を併合。
1553	22癸丑			今川義元、『仮名目録追加』を制定。長尾景虎（上杉謙信）、川中島で武田晴信（信玄）と戦う（川中島合戦）。	
1554	23甲寅			北条氏康、今川義元・武田晴信（信玄）と駿河で戦うが、のち三者は和睦。氏康、足利晴氏・藤氏を攻め、相模波多野に幽閉。	イギリス、メアリ1世、スペインの王子フェリペと結婚。
1555	弘治1乙卯			相良晴広、21か条の法度を制定。（相良氏法度）。織田信長、尾張清洲城に移る。毛利元就、陶晴賢を安芸厳島で破り、晴賢自害。	倭寇、南京に進出。ドイツ、アウグスブルクの宗教和議。
1556	2丙辰			斎藤道三、息子義竜と戦い、敗死。毛利元就ら、尼子晴久を破る。宣教医アルメイダ、豊後に病院を建設。	ムガル帝国、アクバル即位。
1557	3丁巳	正親町		朝鮮、対馬の宗氏と丁巳約条を定める。	明、倭寇の王直降伏。
1558	永禄1戊午			木下藤吉郎、織田信長に仕える。	イギリス、エリザベス1世即位。
1559	2己未			織田信長、上洛して足利義輝に謁見。この秋 大友義鎮、外国商人に豊後府内を開港し、交易を許す。	イギリス、首長法制定。
1560	3庚申			幕府、ビレラに布教を許可。織田信長、桶狭間で今川義元を破り、義元敗死。	
1561	4辛酉			長尾景虎（上杉謙信）、関東管領に就く。	
1562	5壬戌			織田信長と松平元康、尾張清洲城で同盟を結ぶ。大村純忠、肥前横瀬浦をポルトガル人に開港。	フランス、ユグノー戦争起こる（～1598年）。
1563	6癸亥			北条氏康・武田信玄、武蔵松山城を攻略。	明、倭寇を破る。
1564	7甲子			北条氏康・氏政、里見義弘を破る。松平家康、三河一向一揆を降伏させる。石山本願寺焼ける。	イタリア、ミケランジェロ没。
1565	8乙丑			三好義継・松永久秀ら、足利義輝を襲い、義輝自害。狩野永徳『洛中洛外図屏風』成立か。	スペイン、フィリピン征服を開始。
1566	9丙寅			覚慶、還俗して足利義秋（義昭）と名のる。毛利元就、出雲で尼子義久を破る。松平家康、徳川に改姓を勅許される。この年、狩野永徳、聚光院の襖絵を作成。	明、アルタン・ハン、遼東に攻め入る。

西暦	年号 干支	天皇	将軍	日本	世界
1519	16己卯	後柏原	足利義稙	伊勢宗瑞（北条早雲）没。生前に『早雲寺殿21箇条』を制定。	マゼラン、世界一周に出発。（レオナルド・）ダ・ヴィンチ没。
1521	大永1辛巳		足利義晴	後柏原天皇、践祚後22年目に即位の礼。足利義晴に将軍宣下。	コルテス、アステカ王国（メキシコ）を征服。
1523	3癸未			大内義興と細川高国の遣明使、寧波で抗争（寧波の乱）。毛利元就、家督を継承。	スウェーデン、独立。
1524	4甲申			北条氏綱、江戸城に上杉朝興を破る。	ドイツ農民戦争（～1525年）。
1526	6丙戌	後奈良		今川氏親、『今川仮名目録』を制定。博多商人神谷寿禎、石見銀山を発見。	バーブル、ムガル帝国を興す。
1527	7丁亥			足利義晴・細川高国、柳本賢治に敗れ、近江に逃れる。三好元長、足利義維・細川晴元を奉じて堺に進出。義晴、高国・六角定頼・朝倉教景らと入京。	神聖ローマ帝国軍、ローマ劫掠。
1528	享禄1戊子			足利義晴・六角定頼、近江坂本に移る。堺の医師阿佐井野宗瑞、『医書大全』を翻刻刊行。	明、トルファン王入寇。
1530	3庚寅			北条氏綱の子氏康、上杉朝興を破る。	アウグスブルク帝国議会。
1531	4辛卯			加賀の一向宗、大一揆と小一揆に分かれ対立。	ビルマ、トゥングー朝。
1532	天文1壬辰			本願寺証如、細川晴元に要請されて一向一揆に畠山義宣を撃退させ、義宣自害。法華宗徒、山科本願寺を焼く（法華一揆）。	
1533	2癸巳			木沢長政、法華宗徒を率い、摂津の一向一揆撃退。この年、神谷寿禎、石見銀山で銀精錬に成功。	インカ帝国滅亡。ロシア帝国、イヴァン4世（雷帝）即位。
1535	4乙未			松平清康、尾張守山で殺害される。織田信秀、三河で松平勢に敗北。狩野元信、唐絵屏風を内裏に進上。	トマス・モア、処刑。
1536	5丙申			伊達稙宗、『塵芥集』を定める。延暦寺衆徒・六角定頼ら、法華宗二十一本山を焼く（天文法華の乱）。	カルヴァン『キリスト教綱要』成立。
1537	6丁酉			上杉朝定、北条氏綱に敗れ、松山城に退去。尼子経久、大内義隆の石見大森銀山を攻める。	ポルトガル人、マカオに植民開始。
1538	7戊戌			北条氏綱・足利晴氏、下総国府台で足利義明・里見義堯を破り、義明敗死。このころ日本の銀輸出始まる。	プレヴェザの海戦。
1539	8己亥			三好範長（長慶）、入京。幕府の遣明使、出航。このころから明船の渡来が増える。	
1540	9庚子			武田信虎、信濃佐久郡を攻める。尼子詮久、安芸郡山城に毛利元就を攻囲。元就、詮久軍を破る。	イタリア、イエズス会公認。
1541	10辛丑			毛利元就ら、尼子詮久を破る。武田晴信（信玄）、父信虎を駿河に追放。	ハンガリー、トランシルヴァニア侯国成立。
1542	11壬寅			但馬生野銀山発見。伊達晴宗、父稙宗を幽閉（伊達家天文の乱）。今川義元、織田信秀と戦う。斎藤利政（道三）、土岐頼芸を尾張に逐う。	ザビエル、布教のためインドに到着。
1543	12癸卯			種子島に漂着したポルトガル人、鉄砲を伝える。	コペルニクス、地動説発表。
1544	13甲辰			倭船20余隻、朝鮮を襲撃し、通交断絶。織田信秀ら、美濃で斎藤利政（道三）を攻める。	

年表

西暦	年号 干支	天皇	将軍	日本	世界
1483	文明15癸卯	後土御門	足利義尚（義熙と改名）	足利義政、子璞周瑋を明に派遣し、銅銭を求める。	
1485	17乙巳			大内政弘、撰銭令を出す。南山城の国人ら、畠山義就・政長軍の撤兵を要求し、両軍の入国禁止などを定める（山城国一揆）。	イギリス、ばら戦争終結。テューダー朝成立。
1486	18丙午			南山城の国人ら、宇治平等院で国中の掟を定める。上杉定正、太田道灌を相模に誘殺。京に徳政一揆。	
1487	長享1丁未			足利義尚、六角高頼を討つため近江坂本に出陣、高頼、甲賀に敗走。山内上杉顕定と扇谷上杉定正、対立して相模で対陣。加賀に一向一揆。	
1488	2戊申			加賀の一向一揆、富樫政親を攻略し自害させる。宗祇・肖柏・宗長詠『水無瀬三吟何人百韻』を奉納。	ポルトガルのバルトロメウ・ディアス、喜望峰に到達。
1489	延徳1己酉			足利義熙（義尚）没。京に大火。	
1490	2庚戌		足利義材（のち義尹）	足利義政没。足利義材、家督を継ぐ。	1492　コロンブス、アメリカ新大陸に到達。
1493	明応2癸丑			細川政元、足利政知の子、清晃を擁して挙兵。相良為続、壁書を定める。畠山政長自殺。この年、伊勢宗瑞（北条早雲）、足利茶々丸を攻め、茶々丸逃亡。	インカ帝国、ワイナ・カパック王即位。
1494	3甲寅		足利義高（義澄と改名）	上杉定正没。足利義高、将軍宣下。	イタリア戦争開始（～1559年）。
1495	4乙卯			伊勢宗瑞（北条早雲）、大森藤頼を相模小田原城より逐う。宗祇ら『新撰菟玖波集』を編む。	ヴォルムス帝国議会（ドイツ永久平和令）。
1500	9庚申	後柏原		祇園会再興。京に大火。幕府、撰銭令を発布。	カブラル、ブラジルに漂着。
1503	文亀3癸亥			幕府、朝鮮に通信符を求める。	
1504	永正1甲子			細川政元、淀城を攻め、薬師寺元一切腹。幕府、徳政条々を制定。	朝鮮で甲子の士禍。
1506	3丙寅			越前で一向一揆。朝倉貞景、一向一揆を破り、吉崎道場を破壊。長尾能景、越中の一向一揆で敗死。	コロンブス没。
1508	5戊辰		足利義尹（義稙と改名）	足利義尹・大内義興入京。義尹に将軍宣下。	明の宦官劉瑾の専権。
1510	7庚午			対馬の宗氏・朝鮮三浦の恒居倭人、蜂起する（三浦の乱）。	ポルトガル、インドのゴアを占領。
1512	9壬申			対馬の宗氏、朝鮮と貿易協定（壬申約条）。	イタリア、メディチ家復活。
1513	10癸酉			アイヌ蜂起。越後の長尾為景、上杉定実を幽閉。	
1516	13丙子			幕府、大内義興に渡明船を管理させる。伊勢宗瑞（北条早雲）、三浦義同・義意父子を滅ぼす。	スペイン、カルロス1世即位（ハプスブルク朝）。
1517	14丁丑		足利義稙	諸国に大洪水。今川氏親、斯波義達・大河内貞綱を攻める。土佐光信絵『清水寺縁起』成立。	ドイツ、マルティン・ルターの宗教改革始まる。

ま行

や行

ら行

わ行

な行

は行

さ行

た行

か行

索引

000 —詳しい説明のあるページを示す。
000*—写真・図版のあるページを示す。

あ行

全集　日本の歴史　第8巻　戦国の活力

2008年7月30日　初版第1刷発行

著者　山田邦明
発行者　八巻孝夫
発行所　株式会社小学館
〒101-8001 東京都千代田区一ツ橋2-3-1
電話　編集　03(3230)5118
販売　03(5281)3555
印刷所　凸版印刷株式会社
製本所　株式会社若林製本工場

造本には十分注意しておりますが、万一、落丁・乱丁などの不良品がありましたら、「制作局」(電話0120-336-340)あてにお送りください。

送料小社負担にてお取り替えいたします。

(電話受付は土・日・祝休日を除く9:30〜17:30までになります。)

Ⓡ〈日本複写権センター委託出版物〉
本書を無断で複写複製(コピー)することは、著作権法上の例外を除き、禁じられています。本書をコピーされる場合は、事前に日本複写権センター(JRRC)の許諾を受けてください。
JRRC〈http://www.jrrc.or.jp　e-mail:info@jrrc.or.jp　tel:03-3401-2382〉

©Kuniaki Yamada 2008
Printed in Japan ISBN978-4-09-622108-2

全集 日本の歴史 全16巻

編集委員：平川 南／五味文彦／倉地克直／ロナルド・トビ／大門正克

1	旧石器・縄文・弥生・古墳時代 **列島創世記** 出土物が語る列島4万年の歩み	**松木武彦** 岡山大学准教授
2	新視点古代史 **日本の原像** 稲作や特産物から探る古代の社会	**平川 南** 国立歴史民俗博物館館長 山梨県立博物館館長
3	飛鳥・奈良時代 **律令国家と万葉びと** 国家の成り立ちと万葉びとの生活誌	**鐘江宏之** 学習院大学准教授
4	平安時代 **揺れ動く貴族社会** 古代国家の変容と都市民の誕生	**川尻秋生** 早稲田大学准教授
5	新視点中世史 **躍動する中世** 人びとのエネルギーが殻を破る	**五味文彦** 放送大学教授 東京大学名誉教授
6	院政から鎌倉時代 **京・鎌倉 ふたつの王権** 武家はなぜ朝廷を滅ぼさなかったか	**本郷恵子** 東京大学准教授
7	南北朝・室町時代 **走る悪党、蜂起する土民** 南北朝の争乱と足利将軍	**安田次郎** お茶の水女子大学教授
8	戦国時代 **戦国の活力** 戦乱を生き抜く大名・足軽の実像	**山田邦明** 愛知大学教授
9	新視点近世史 **「鎖国」という外交** 従来の「鎖国」史観を覆す新たな視点	**ロナルド・トビ** イリノイ大学教授
10	江戸時代（一七世紀） **徳川の国家デザイン** 幕府の国づくりと町・村の自治	**水本邦彦** 京都府立大学教授
11	江戸時代（一八世紀） **徳川社会のゆらぎ** 幕府の改革と「いのち」を守る民間の力	**倉地克直** 岡山大学教授
12	江戸時代（一九世紀） **開国への道** 変革のエネルギーと新たな国家意識	**平川 新** 東北大学教授
13	幕末から明治時代前期 **文明国をめざして** 民衆はどのように“文明化”されたか	**牧原憲夫** 東京経済大学講師
14	明治時代中期から一九二〇年代 **「いのち」と帝国日本** 日清・日露と大正デモクラシー	**小松 裕** 熊本大学教授
15	一九三〇年代から一九五五年 **戦争と戦後を生きる** 敗北体験と復興へのみちのり	**大門正克** 横浜国立大学教授
16	一九五五年から現在 **豊かさへの渇望** 高度経済成長、バブル、小泉・安倍・福田政権へ	**荒川章二** 静岡大学教授

http://sgkn.jp/nrekishi/